LANGENSCHEIDTS

SPRACHFÜHRER

ENGLISCH

mit
Reisewörterbuch
Deutsch – Englisch

LANGENSCHEIDT

BERLIN · MÜNCHEN · WIEN · ZÜRICH · NEW YORK

Herausgegeben und bearbeitet von der Langenscheidt-Redaktion
Übersetzung: Margaret Kohl

Langenscheidts Sprachführer Englisch enthält
- Redewendungen und Wörter für die Reise
- die Ausspracheangabe für alle englischen Wörter
  und Wendungen in Internationaler Lautschrift
  (I.P.A.)
- eine Kurzgrammatik der englischen Sprache
- ein deutsch-englisches Reisewörterbuch mit
  Ausspracheangabe hinter den englischen Wörtern

Auflage: 23. 22. 21.   Letzte Zahlen
Jahr: 1994 93 92   maßgeblich
© 1964, 1973, 1981 Langenscheidt KG, Berlin und München
Druck: Druckhaus Langenscheidt, Berlin-Schöneberg
Printed in Germany
ISBN 3-468-22122-3

Wo ist mein Gepäck?
Where's my luggage?
wɛəz mai ˈlʌgidʒ

Wann (Wo) treffen wir uns?
When (Where) shall we meet?
wen (wɛə) ʃæl wi miːt

Wo kann ich ... mieten?
Where can I *hire* (Haus: *rent*) ...?
wɛə kæn ai ˈhaiə (rent) ...

Können Sie mir ... leihen?
Could you lend me ...?
kud ju lend mi ...

Können Sie das reparieren?
Could you repair this for me?
kud ju riˈpɛə ðis fə mi

Geben (Zeigen) Sie mir bitte...
Could you *give (show)* me ...,
please?
kud ju giv (ʃou) mi ... pliːz

Eine Karte (Zwei Karten), bitte!
A ticket (Two tickets), please!
ə ˈtikit (tuː ˈtikits) pliːz

Wie spät ist es?
What's the time?
wɔts ðə taim

Gestern.	**Heute.**	**Morgen.**	**In acht Tagen.**
Yesterday.	Today.	Tomorrow.	In a week('s time).
ˈestədi	təˈdei	təˈmɔrəu	in ə wiːk(s taim)

n einer Stunde (zehn Minuten).
n *an hour's time (ten minutes)*.
in ən ˈauəz taim (ten ˈminits)

Nächste Woche.
Next week.
nekst wiːk

Vor zwei Stunden (fünf Minuten).
Two hours (Five minutes) ago.
tuː ˈauəz (faiv ˈminits) əgəu

Vorige Woche.
Last week.
lɑːst wiːk

Ich will (kann) nicht.
I *don't want to (can't)*.
ai dəunt wɔnt tə (kɑːnt)

... ist nicht in Ordnung.
... is out of order.
... iz aut əv ˈɔːdə

Herein! Einen Moment, bitte!
Come in! Just a minute, please!
kʌm in dʒʌst ə ˈminit pliːz

Lassen Sie mich in Ruhe!
Leave me alone!
liːv mi əˈləun

Herr Ober! Fräulein!
Waiter! Waitress!
ˈweitə ˈweitris

Ich möchte zahlen!
The bill, please!
ðə bil pliːz

Hilfe!
Help!
help

Holen Sie schnell einen Arzt (Krankenwagen)!
Fetch *a doctor (an ambulance)* quickly!
fetʃ ə ˈdɔktə (ən ˈæmbjuləns) ˈkwikli

Langenscheidts Reise-Sprachkurse
schnell & leicht

jeweils mit Lehrbuch (96 Seiten)
und einer Audio-Cassette (C 90).

Die Sprach-Schnellkurse für Anfänger
ohne Vorkenntnisse. Ideal zur Vorbereitung auf
Urlaub und Reise.

Die Reise-Sprachkurse schnell & leicht
gibt es für die Sprachen

Arabisch	**Italienisch**	**Russisch**
Englisch	**Japanisch**	**Spanisch**
Französisch	**Polnisch**	**Tschechisch**
Griechisch	**Portugiesisch**	**Ungarisch**

INFORMATION

HINWEISE FÜR DEN BENUTZER

Dieser Sprachführer bietet Ihnen alle auf der Reise und im Alltag des fremden Landes erforderlichen wichtigen Redewendungen und Wörter mit durchgehender Aussprachebezeichnung. Eine übersichtliche Gliederung macht seine Benutzung denkbar einfach, so daß Sie Ihre Fragen und Wünsche mit Hilfe der gebräuchlichen und praktischen Wendungen dieses Buches rasch und klar zum Ausdruck bringen können.

Wir geben Ihnen zunächst einige allgemeine Hinweise über den Aufbau und Inhalt des Sprachführers.

Aufbau des Sprachführers

Wir haben den gesamten Stoff in 20 Kapitel gegliedert. Sie beginnen mit allgemeinen Redewendungen und Wörtern. Dann folgen Kapitel über das Reisen mit den verschiedenen Verkehrsmitteln, über Unterkunft und Verpflegung, über andere Fragen, die Ihnen in einem fremden Land begegnen werden, über Einkäufe, über den Umgang mit Behörden, über Gesundheit, kulturelle Veranstaltungen und Vergnügungen. Im Anhang finden Sie Zusammenstellungen der wichtigsten Bekanntmachungen und Warnungen, der Abkürzungen, der Maße und Gewichte und der Farben. Sie werden selbst bemerken, daß die deutschen Redewendungen und Wörter schwarz und fett gedruckt sind, die englischen dagegen rot. Darunter oder daneben steht dann in gewöhnlicher schwarzer Schrift die Aussprache der englischen Wörter und Sätze.

Gelegentlich haben wir zwei Sätze zusammengefaßt und dabei die auszutauschenden Wörter oder Satzteile durch Schrägdruck gekennzeichnet. Ein Beispiel: Zu „Wann wird *geöffnet (geschlossen)?*" gehört die Übersetzung "When does it *open (close)?*" Das bedeutet: „Wann wird geöffnet?" heißt "When does it open?", und „Wann wird geschlossen?" heißt "When does it close?"

Allgemeine Bemerkungen, die Ihnen helfen sollen, sich im fremden Land richtig zu verhalten und seine Besonderheiten zu verstehen, haben wir rot umrandet. Schwarz umrandet finden Sie Hinweise und Aufschriften, die Ihnen begegnen werden.

Ein Sternchen (*) zu Beginn eines Satzes deutet an, daß es sich um einen Satz handelt, den Sie von Ihrem Gesprächspartner hören können.

Angaben zur Aussprache des Englischen

Eine ausführliche Erklärung der Aussprache des Englischen finden Sie auf den Seiten 8–11. Für eine korrekte Aussprache ist es nötig, sich mit den Zeichen der Internationalen Lautschrift vertraut zu machen. Sie werden dabei feststellen, daß die meisten Zeichen Buchstaben aus dem lateinischen Alphabet sind, und daß Sie sich nur einige wenige abgewandelte Zeichen einprägen müssen, die spezifisch englische Laute wiedergeben. Die Lautschrift wird Ihnen dabei helfen, das Englische richtig auszusprechen und Ihren Gesprächspartner zu verstehen.

Übersicht über die Grammatik

Wenn Sie sich zumindest einige Grundkenntnisse der Grammatik aneignen wollen, dann können Sie von der auf den Seiten 195–202 kurzgefaßten Zusammenstellung der wichtigsten grammatischen Erscheinungen Gebrauch machen. Abgesehen davon, daß Sie damit einen Einblick in den Aufbau der englischen Sprache erhalten und die im Sprachführer angegebenen Sätze und Wendungen besser verstehen, wird es Ihnen auch möglich sein, einige einfache Sätze selbst zu bilden.

Reisewörterbuch und Sachregister

Das Reisewörterbuch im Anhang umfaßt 52 Seiten und hilft Ihnen, wenn Sie die englische Übersetzung von Einzelwörtern und wichtigen Wendungen schnell ermitteln wollen. Die Übersetzungen sind mit Aussprachehilfen und Seitenverweisen auf den Hauptteil versehen, so daß dieses Wörterverzeichnis Ihnen zugleich auch als Sachregister dient.

Wir sind überzeugt, daß Ihnen der vorliegende Sprachführer während Ihres Auslandsaufenthaltes ein zuverlässiger Helfer sein wird.

INHALTSVERZEICHNIS

DIE AUSSPRACHE DES ENGLISCHEN

macht dem Anfänger gewöhnlich erhebliche Schwierigkeiten. Die Rechtschreibung gibt auch häufig keinen Anhaltspunkt für die Aussprache eines Wortes, da sie seit Jahrhunderten festgelegt ist, während die Aussprache sich inzwischen immer wieder verändert hat. Um Ihnen eine einwandfreie Aussprache der englischen Wörter und Sätze zu vermitteln, haben wir in diesem Sprachführer die „Internationale Lautschrift" verwendet. Eine Erklärung der einzelnen Lautzeichen finden Sie am Schluß dieses Kapitels. Im folgenden haben wir Lautzeichen und Lautschrift jeweils in eckige Klammern gesetzt.

Viele englische Laute sind deutschen Lauten ähnlich, ohne ihnen jedoch völlig zu entsprechen. Allgemein zu beachten ist folgendes: Die am Sprechvorgang beteiligten Sprechwerkzeuge, besonders Zunge und Lippen, sind weniger gespannt als im Deutschen, die Lippen werden weniger bewegt. Der Anfänger kann sich die englische Artikulation etwas leichter machen, indem er beim Sprechen den Unterkiefer etwas vorschiebt.

Besonderheiten einzelner Laute:

[ə] wie das *e* in *bitte*, ist immer unbetont;

[ei] ist nicht das deutsche *ei* wie in *mein, dein*, sondern setzt bei *e* ein;

[θ] ist der stimmlose Lispellaut, ausgesprochen wie gelispeltes *ß* in *naß*;

[ð] ist der stimmhafte Lispellaut, wie gelispeltes *s* in *Faser*;

[s] im Gegensatz zum Deutschen ist das *s* am Wortanfang stets stimmlos; deutsch *singen* [z], englisch *sing* [s];

[w] ist keinesfalls wie das deutsche *w* oder *v*, sondern völlig ohne Reibung zu sprechen;

[ŋ] 1. am Wortende (Auslaut) und in Ableitungen wie deutsch *ng* in *bringen* (ohne folgenden *g*- oder *k*-Laut);
2. im Inlaut *ng*-Laut mit folgendem *g*: *finger* ['fiŋgə];

[r] Im Britischen Englisch wird das *r* am Wortende oder vor einem Konsonanten nicht gesprochen; in anderen Teilen des anglo-amerikanischen Sprachbereichs kann jedes vorkommende *r* gesprochen werden.

Stumme Buchstaben

Aus sprachgeschichtlichen Gründen werden heute einige Buchstaben in bestimmten Verbindungen nicht mehr gesprochen. Vor allem:

b nach *m*:	*lamb* Lamm
e am Wortende:	*like* mögen, *have* haben
g und *k* vor *n*:	*gnat* Stechmücke, *sign* Zeichen, *know* wissen
gh vor *t*:	*night* Nacht
h in Wörtern wie:	*honour* Ehre, *honest* ehrlich, *hour* Stunde
l vor *f*, *k*, *m*:	*half* Hälfte, *talk* sprechen, *palm* Palme
n nach *m*:	*autumn* Herbst, *column* Säule
t in Wörtern wie:	*castle* Burg, *Christmas* Weihnachten
w vor *r*:	*write* schreiben

Im Gegensatz zum Deutschen werden stimmhafte und stimmlose Konsonanten genau voneinander unterschieden. So bleiben die stimmhaften Konsonanten *b*, *d*, *g* am Wortende stimmhaft, während sie im Deutschen stimmlos werden. Englisch: *had* – *hat*; vgl. dazu deutsch: *Tod* – *tot*, beides wie *t* gesprochen.

Im Englischen werden zusammengehörige Wörter eines Satzes eng verbunden gesprochen. Diese Bindung haben wir in der Lautschrift durch einen Bogen ‿ angegeben, z. B. *my eye* [mai‿ai], *how far is it* [hau fɑːr‿iz‿it].

Betonung

Im Wort ist normalerweise eine Silbe stark betont. Der englische Wortschatz setzt sich zu ungefähr gleichen Teilen aus germanischen, romanischen und sog. gelehrten (vor allem lateinischen) Wörtern zusammen. Alle diese Sprachen folgen verschiedenen Betonungsgesetzen, so daß es für das Englische kaum Betonungsregeln gibt und die Betonung wie die Aussprache für jedes Wort gelernt werden muß.

Damit Sie die englischen Wörter immer richtig betonen, setzen wir in der Lautschrift stets das Betonungszeichen ' vor die betonte Silbe.

Zusammensetzungen haben häufig wie im Deutschen einen einzigen Akzent: *postman* ['pəustmən], *Oxford Street* ['ɔksfəd striːt]. Daneben findet sich wie im Deutschen die sog. „schwebende Betonung", d. h. zwei betonte Silben stehen unmittelbar nebeneinander, z. B. deutsch 'stein'reich, 'vier 'Stück, im Englischen *Hyde Park* ['haid 'pɑːk], *inside* ['in'said] und viele andere.

Anders als im Deutschen werden die Vokale der nichtbetonten Silben in einer sehr großen Zahl von Wörtern abgeschwächt, z. B. *milkman* ['milkmən], *professor* [prə'fesə].

Im Satz wird wie im Deutschen das betont, was wichtig ist. Besondere Beachtung verlangen die zahlreichen unbetonten Formen von Hilfszeitwörtern, Präpositionen, usw. im normalen Redestrom, z. B. *have* [hæv – həv], *is* [iz – z]. Die Schwachformen sind im Normalfall des Sprechens die allein richtigen.

Erklärung der einzelnen Lautzeichen mit Beispielen

A. Vokale und Diphthonge

ɑ:	reines langes *a*, wie in *Vater*	father ['fɑ:ðə] Vater
ʌ	kurzes dunkles *a*, bei dem die Lippen nicht gerundet sind. Vorn und offen gebildet	come [kʌm] kommen
æ	heller, ziemlich offener, nicht zu kurzer Laut. Raum zwischen Zunge und Gaumen noch größer als bei *ä* in *Ähre*	man [mæn] Mann
ɛə	nicht zu offenes halblanges *ä*; im Englischen nur vor *r*, das als ein dem *ä* nachhallendes [ə] erscheint	hair [hɛə] Haar
ai	Bestandteile: helles zwischen [ɑ:] und [æ] liegendes *a* und schwächeres offenes *i*. Die Zunge hebt sich halbwegs zur i-Stellung	I [ai] ich
au	Bestandteile: helles, zwischen [ɑ:] und [æ] liegendes *a* und schwächeres offenes *u*	house [haus] Haus
ei	halboffenes *e*, nach *i* auslautend, indem sich die Zunge halbwegs zur i-Stellung hebt	date [deit] Datum
e	halboffenes kurzes *e*, etwas geschlossener (heller) als das *e* in *Bett*	bed [bed] Bett
ə	ähnlich dem deutschen, flüchtig gesprochenen *e* in *Gelage*	butter ['bʌtə] Butter
i:	langes *i*, wie in *Bibel*, aber etwas offener (dunkler) einsetzend als im Deutschen	sea [si:] Meer
i	kurzes offenes *i* wie in *bin*	big [big] groß
iə	halboffenes halblanges *i* mit nachhallendem [ə]	here [hiə] hier
əu	halboffenes langes *o*, in schwaches *u* auslautend; keine Rundung der Lippen, kein Heben der Zunge	boat [bəut] Boot
ɔ:	offener langer zwischen *a* und *o* schwebender Laut	before [bi'fɔ:] vor
ɔ	offener kurzer zwischen *a* und *o* schwebender Laut, offener als das *o* in *Motte*	not [nɔt] nicht
o	flüchtiges geschlossenes *o*	obey [o'bei] gehorchen
ɔi	Bestandteile: offenes *o* und schwächeres offenes *i*. Die Zunge hebt sich halbwegs zur i-Stellung	boy [bɔi] Junge
ə:	offenes langes *ö*, etwa wie gedehnt gesprochenes *ö* in *Mörder*, kein Vorstülpen oder Runden der Lippen, kein Heben der Zunge	girl [gə:l] Mädchen

uː	langes *u* wie in *Buch*, doch ohne Lippen-rundung	shoe [ʃuː] Schuh
uə	halboffenes halblanges *u* mit nachhallen-dem [ə]	poor [puə] arm
u	flüchtiges *u*	put[put]legen

Ganz vereinzelt werden auch die folgenden französischen Nasallaute gebraucht: [ã] frz. *blanc*, [ɔ̃] frz. *bonbon*, [ɛ̃] frz. *vin*, [y] frz. *Russe*. [ː] bezeichnet die **Länge eines Vokals**, z. B. ask [ɑːsk] fragen.

B. Konsonanten

Zu achten ist besonders auf die Laute:

r	nur vor Vokalen gesprochen. (Völlig ver-schieden vom deutschen Zungenspitzen- oder Zäpfchen-R.) Die Zungenspitze bildet mit dem oberen Zahnwulst eine Enge, durch die der Atmungsstrom mit Stimmton hindurchgetrieben wird, ohne daß der Laut gerollt wird.	rose [rəuz] Rose
	Am Ende eines Wortes wird *r* nur bei Bin-dung mit dem Anlautvokal des folgen-den Wortes gesprochen	there are [ðɛr‿ɑː] da sind
ʒ	stimmhaftes *sch*, wie *g* in *Genie*, *j* in *Jour-nal*	jazz [dʒæz] Jazz
ʃ	stimmloses *sch*, wie im deutschen *Schnee*, *rasch*	shake [ʃeik] schütteln
θ	im Deutschen nicht vorhandener stimm-loser Lispellaut; durch Anlegen der Zunge an die oberen Schneidezähne her-vorgebracht	thin [θin] dünn
ð	derselbe Laut stimmhaft, d. h. mit Stimmton	father ['fɑːðə]
s	stimmloses *s* wie im deutschen *Spaß*	see [siː] sehen
z	stimmhaftes *s* wie im deutschen *sausen*	is [iz] ist
ŋ	wie *ng* in *singen*	ring [riŋ] Ring
w	flüchtiges, mit Lippe an Lippe gesproche-nes *w* mit der Mundstellung für [uː] be-ginnen und zum folgenden Vokal hin-übergleiten	will [wil] will
v	ähnlich dem deutschen w-Laut *(Vase)*, mit deutlichem Reibelaut gesprochen	vein [vein] Ader
j	flüchtiger, zwischen *i* und *j* schwebender Laut	yes [jes] ja

Die Konsonanten *b*, *p*, *d*, *t*, *g*, *k*, *f*, *h*, *m*, *n* werden wie im Deut-schen ausgesprochen, wobei zu beachten ist, daß *b*, *d*, *g* voll stimmhaft und *p*, *t*, *k* voll stimmlos sind.

ALLGEMEINES

Begrüßung

Guten Morgen!   **Guten Tag!** *(nachmittags)*   **Guten Abend!**
Good morning!   Good afternoon!   Good evening!
gud 'mɔːniŋ   gud ‿'ɑːftə'nuːn   gud ‿'iːvniŋ

> *Häufig wird an das "Good morning!" noch eine das Wetter betreffende Bemerkung angehängt: "Good morning, Mrs. Davies, lovely day, isn't it!" [gud 'mɔːniŋ 'misiz 'deiviz, 'lʌvli dei, 'iznt‿it]. "Hello" ['he'ləu] ist die häufigste Begrüssung unter Bekannten.*
> *— Man gibt sich in England nur bei der ersten Vorstellung und vor oder nach längerer Abwesenheit die Hand.*

* Herzlich willkommen!
I'm (We're) very glad (delighted) to see you.
aim (wiə) 'veri glæd (di'laitid) tə siː ju

* Hatten Sie eine gute Reise?
Did you have a good journey?
did ju hæv‿ə gud 'dʒəːni

Es freut mich sehr, *Sie (dich)* zu sehen!   **Wie geht es *Ihnen (dir)*?**
I'm very glad to see you.   How are you?
aim 'veri glæd tə siː ju   hau‿ɑː ju

Wie geht's?   **Und Ihnen?**   **Wie geht es Ihrer Familie?**
How are things   And how are you?   How's the family?
(going)?   ənd hau‿ɑː juː: hauz ðə 'fæmili
hau‿ɑː θiŋz
('gəuiŋ)

Mein(e) ... ist krank.   **Haben Sie gut geschlafen?**
My ... is ill.   Did you sleep well?
mai ... iz‿il   did ju sliːp wel

Danke (recht) gut!   **Wir fühlen uns *gut (ausgezeichnet)*.**
Very well, thank you.   We're feeling fine.
'veri wel 'θæŋkju   wiə 'fiːliŋ fain

Ich danke (Wir danken) für den herzlichen Empfang!
Thank you very much for your warm welcome.
'θæŋkju 'veri mʌtʃ fə jɔː wɔːm 'welkəm

Anreden

Herr	(mit dem Namen) Mr.,	ˈmistə,
	(ohne) Sir	səː
Frau	(mit dem Namen) Mrs.,	ˈmisiz,
	(ohne) Madam	ˈmædəm
Fräulein	Miss	mis
Gnädige Frau	z. B. Mrs. Jones	ˈmisiz dʒəunz
(geschäftlich)	Madam	ˈmædəm
Meine Damen!	Ladies!	ˈleidiz
Meine Herren!	Gentlemen!	ˈdʒentlmən
Meine Damen	Ladies	ˈleidiz
und Herren!........	and Gentlemen!	ˌən ˈdʒentlmən
Ihre *Frau (Gattin)* ..	Your wife	jɔː waif
Ihr *Mann (Gatte)* ..	Your husband	jɔː ˈhʌzbənd
Ihr Sohn	Your son	jɔː sʌn
Ihre Tochter	Your daughter	jɔː ˈdɔːtə
Herr Doktor *(Arzt)* .	Doctor	ˈdɔktə
Herr Professor	(mit Namen) Professor .	prəˈfesə

Briefe

Herrn J. B. Jones ..	Mr. J. B. Jones ...	ˈmistə dʒei biː dʒəunz
	J. B. Jones, Esq...	dʒei biː dʒəunz isˈkwaiə
Frau J. B. Jones....	Mrs. J. B. Jones ..	ˈmisiz dʒei biː dʒəunz
Fräulein C. Jones ..	Miss C. Jones	mis siː dʒəunz
Sehr geehrter Herr J.!	Dear Mr. Jones, ...	diə ˈmistə dʒəunz
Sehr geehrte Frau J.!	Dear Mrs. Jones, ...	diə ˈmisiz dʒəunz
Sehr geehrtes Fräulein J.!	Dear Miss Jones, ...	diə mis dʒəunz
Sehr geehrte Herren!	Dear Sirs, ...	diə səːz
Lieber Herr Jones!..	Dear Mr. Jones, ...	diə ˈmistə dʒəunz
Lieber Peter!.......	Dear Peter, ...	diə ˈpiːtə
Liebe Frau Jones! ..	Dear Mrs. Jones, ...	diə ˈmisiz dʒəunz
Liebes Fräulein J.! ..	Dear Miss Jones, ...	diə mis dʒəunz
Liebe Johanna!	Dear Joan, ...	diə dʒəun
Hochachtungsvoll ...	Yours faithfully, ...	jɔːz ˈfeiθfuli
	Yours truly, ...	jɔːz ˈtruːli
Mit freundlichen		
Grüßen	Yours sincerely, ...	jɔːz sinˈsiəli
Mit herzlichen Grüßen	(With) kind regards, ..	(wið) kaind riˈgɑːdz
(vertraut)	(With) love, ...	(wið) lʌv

Bekanntschaft

Mein Name ist (Ich heiße)... **Das ist** *mein Mann (meine Frau)*.
My name is ... This is *my husband (my wife)*.
mai neim_iz ... ðis_iz mai 'hʌzbənd (mai waif)

mein Sohn	my son	mai sʌn
meine Tochter	my daughter	mai 'dɔːtə
mein Freund........	my (boy)friend	mai ('bɔi)frend
meine Freundin	my (girl)friend	mai ('gəːl)frend
mein Verlobter	my fiancé	mai fiˈãːnsei
meine Verlobte	my fiancée	mai fiˈãːnsei

> *Die allgemeine Begrüßungsformel* "How do you do" ['hau-dju'duː] *wird bei der Vorstellung von beiden Beteiligten gebraucht, d. h. auf* "How do you do" *ist wieder* "How do you do" *die Antwort.*

Sehr erfreut! **Kennen wir uns nicht schon vom Sehen?**
How do you do? Don't we know one another by sight?
(s. Kasten) dəunt wi nəu wʌn_əˈnʌðə bai sait

Wohnen Sie hier? **Sind Sie** *Herr (Frau, Fräulein)* **Jones?**
Do you live here? Are you *Mr. (Mrs., Miss)* Jones?
djuː liv hiə ɑː ju 'mistə ('misiz, mis) dʒəunz

Wie ist Ihr Name bitte? **Wie heißt du?**
Could you tell me your name, please? What's your name?
kud ju tel mi jɔː neim pliːz wɔts jɔː neim

Woher kommen Sie? **Sind Sie schon lange hier?**
Where do you come from? Have you been here long?
wɛə dju kʌm frəm hæv ju biːn hiə lɔŋ

Wir sind seit *einer Woche (14 Tagen)* **hier.**
We've been here a *week (fortnight)*.
wiːv biːn hiər_ə wiːk ('fɔːtnait)

Gefällt es *Ihnen (dir)* **hier?** *Uns (Mir)* **gefällt es sehr gut.**
Do you like it here? *We (I)* like it very much.
djuː laik_it hiə wiː (ai) laik_it 'veri mʌtʃ

Sind Sie (Bist du) **allein hier?** **Ich verbringe hier meinen Urlaub.**
Are you here alone? I'm spending a holiday here.
ɑː ju hiər_əˈləun aim 'spendiŋ_ə 'hɔlədi hiə

Wo *arbeiten Sie (arbeitest du)*?
Where do you work?
wɛə dju wə:k

Was sind Sie von Beruf?
What do you do for a living?
wɔt dju du fər_ə 'liviŋ

Was studieren Sie?
What (subject) are you studying?
wɔt 'sʌbdʒikt ɑ: ju 'stʌdiiŋ

Haben Sie noch etwas Zeit?
Are you still free?
ɑ: ju stil fri:

Wollen wir *zum (zur)* ... gehen?
Shall we go to the ...?
ʃæl wi gəu tə ðə ...

Wann treffen wir uns?
When shall we meet?
wen ʃæl wi mi:t

Darf ich Sie abholen?
May I call for you?
mei_ai kɔ:l fə ju:

Lassen Sie mich bitte in Ruhe!
Please leave me alone!
pli:z li:v mi_ə'ləun

Besuch

Ist *Herr (Frau, Fräulein)* ... zu Hause?
Is *Mr. (Mrs., Miss)* ... at home?
iz 'mistə ('misiz, mis) ... ət həum

Kann ich *Herrn (Frau, Fräulein)* ... sprechen?
Could I speak to *Mr. (Mrs., Miss)* ...?
kud_ai spi:k tə 'mistə ('misiz, mis) ...

Wohnt hier *Herr (Frau)* ...?
Does *Mr. (Mrs.)* ... live here?
dəz 'mistə (misiz) ... liv hiə

Ich suche ...
I'm looking for ...
aim 'lukiŋ fə ...

Wann ist *er (sie)* zu Hause?
When will *he (she)* be home?
wen wil hi: (ʃi:) bi: həum

Ich komme später noch einmal wieder.
I'll call again later.
ail kɔ:l_ə'gen 'leitə

Wann *kann ich (sollen wir)* kommen?
When can I (shall we) come?
wen kæn_ai (ʃæl wi) kʌm

Ich komme (Wir kommen) sehr gern.
I (We) would love to come.
ai (wiː) wud lʌv tə kʌm

* **Herein!**
  Come in!
  kʌm_in

* **Bitte nehmen Sie Platz!**
  Do sit down!
  duː sit daun

* **Einen Augenblick, bitte!**
  Just a minute, please.
  dʒʌst_ə 'minit pliːz

* **Treten Sie näher!**
  Come in, please.
  kʌm_in pliːz

Vielen Dank für Ihre Einladung!
Thank you very much for your invitation.
'θæŋkju 'veri mʌtʃ fə jɔːr_invi'teiʃən

Störe ich?
Am I disturbing you?
æm_ai dis'təːbiŋ ju

Machen Sie sich bitte keine Umstände!
Please don't go to a lot of trouble.
pliːz dəunt gəu tə_ə_lɔt_əv 'trʌbl

* **Was darf ich Ihnen anbieten?**
  What may I offer you? (What will you have?)
  wɔt mei_ai_'ɔfə ju (wɔt wil ju hæv)

* **Möchten Sie ... ?**
  Would you like... ?
  wud ju laik ...

Ich soll Sie von Herrn (Frau) Jones grüßen.
Mr. (Mrs.) Jones asked me to give you his (her) regards (vertrauter: *love*).
'mistə ('misiz) dʒəunz aːskt mi tə giv juː hiz (həː_)ri'gaːdz (lʌv)

Ich muß jetzt leider gehen.
I'm afraid I must go now.
aim_ə'freid_ai mʌst gəu nau

Vielen Dank für *den netten Abend (Ihren Besuch)!*
Thank you very much for *the delightful evening (coming).*
'θæŋkju 'veri mʌtʃ fə ðə di'laitful 'iːvniŋ ('kʌmiŋ)

Grüßen Sie bitte *Herrn (Frau)* ... von mir!
Please give *Mr. (Mrs.)* ... my *regards* (vertrauter: *love*).
pliːz giv 'mistə ('misiz) ... mai ri'gaːdz (lʌv)

Ich hoffe, wir sehen uns bald wieder!
I hope we'll meet again soon.
ai həup wiːl miːt_ə'gen suːn

Abschied

"Cheerio" [ˈtʃiəriˈəu] *wird umgangssprachlich gelegentlich als Abschiedsgruß gebraucht.*

Auf Wiedersehen!
Good-bye!
ˈgudˈbai

Bis bald!
See you (again) soon!
siː ju (əˈgen) suːn

Gute Nacht!
Good night!
gud nait

Bis morgen!
Till tomorrow then!
til təˈmɔrəu ðen

Alles Gute!
All the best!
ɔːl ðə best

*Angenehme Reise!
Have a good journey!
hæv ə gud ˈdʒəːni

Ich möchte mich verabschieden.
I have come to say good-bye.
ai hæv kʌm tə sei ˈgudˈbai

Wir müssen leider gehen.
I'm afraid we'll have to go.
aimˌəˈfreid wiːl hæv tə gəu

Ich danke Ihnen für Ihren Besuch.
Thank you for coming.
ˈθæŋkju fə ˈkʌmiŋ

Kommen Sie bald wieder!
Come again soon!
kʌmˌəˈgen suːn

Wann sehen wir uns wieder?
When can we meet again?
wen kæn wi miːtˌəˈgen

Ich rufe morgen an.
I'll ring you tomorrow.
ail riŋ ju təˈmɔrəu

Darf ich Sie nach Hause bringen?
May I see you home?
meiˌai siː ju həum

Es ist schon spät.
It's late.
its leit

Grüßen Sie ...!
Give my *regards*
(vertrauter:*love*)to..
giv mai riˈgɑːdz
(lʌv) tə ...

Vielen Dank!
Thank you very much.
ˈθæŋkju ˈveri mʌtʃ

Es war sehr schön.
It was lovely.
it wəz ˈlʌvli

Es hat mir sehr gut gefallen.
I *liked* (Sache) (Erlebnis: *enjoyed*) it very much.
ai laiktˌ (inˈdʒɔid)ˌit ˈveri mʌtʃ

Ich bringe *Sie (dich)* noch *zum (zur)* ...
I'll take you to the ...
ail teik ju tə ðə ...

Allgemeine Fragen

Wann?	**Warum?**	**Was?**	**Was für ... ?**
When?	Why?	What?	What kind of ... ?
wen	wai	wɔt	wɔt kaind̮ əv ...

Welche(r)?	**Wem?**	**Mit wem?**	**Wen?**
Which?	To whom?	With whom?	Whom?
witʃ	tə huːm	wiδ̮ huːm	huːm

Wer?	**Weshalb?**	**Wie?**	**Wie lange?**
Who?	Why?	How?	*How long for? (For how long?)*
huː	wai	hau	hau lɔŋ fɔː (fə̮ hau lɔŋ)

Wieviel(e)?	**Wo?**	**Woher?**	**Wohin?**	**Wozu?**
How *much (many)?*	Where?	Where from?	Where to?	What
hau mʌtʃ ('meni)	wɛə	wɛə frɔm	wɛə tu	for?
				wɔt fɔː

Darf man hier ... ?	**Kann ich ... ?**	**Brauchen Sie ... ?**
May one ... here?	Can I ... ?	Do you need ... ?
mei wʌn ... hiə	kæn ̮ ai ...	dju niːd ...

Haben Sie ... ?	**Wann kann ich ... bekommen?**
Have you ... ?	When can I get ... ?
hæv ju ...	wen kæn ̮ ai get ...

Wann wird geöffnet (geschlossen)?	**Was wünschen Sie?**
When does it *open (close)?*	What *would you like?*
wen dəz ̮ it ̮ 'əupən (kləuz)	*(can I get you)?*
	wɔt wud ju laik (kæn ̮ ai get ju)

Was ist das?	**Was ist geschehen?**	**Was bedeutet das?**
What's that?	What's happened?	What does that mean?
wɔts δæt	wɔts 'hæpənd	wɔt dəz δæt miːn

Was kostet das?	**Was suchen Sie (suchst du)?**
What does that cost?	What are you looking for?
wɔt dəz δæt kɔst	wɔt ̮ ɑː ju 'lukiŋ fɔː

Wem gehört das?	***Zu wem möchten Sie?**
Whose is that?	Whom are you looking for?
huːz ̮ iz δæt	huːm ̮ ɑː ju 'lukiŋ fɔː

Wer ist da?
Who's there?
huːz ðɛə

Wer kann ...?
Can anyone ...?
kæn_'eniwʌn ...

Wie heißt ...?
What's ... called?
wɔts ... kɔːld

Wie *heißen Sie (heißt du)*?
What's your name?
wɔts jɔː neim

Wie komme ich *nach (zum, zur, bis)* ...?
How do I get to ...?
hau du_ai get tə ...

Wie funktioniert das?
How does that work?
hau dəz ðæt wəːk

Wie lange dauert es?
How long does it *take* (Aufführung: *last*)?
hau lɔŋ dəz_it teik (lɑːst)

Wieviel bekomme ich?
How much do I get?
hau mʌtʃ du_ai get

Wieviel ist es?
How much is it?
hau mʌtʃ_iz_it

Wo befindet sich ...?
Where can I find ...?
wɛə kæn_ai faind ...

Wo *ist (sind)* ...?
Where *is (are)* ...?
wɛər_iz (_ɑː) ...

Wo ist *der (die, das)* nächste ...?
Where's the nearest ...?
wɛəz ðə 'niərist ...

Wo kann ich ...?
Where can I ...?
wɛə kæn_ai ...

Wo bekomme ich ...?
Where can I get ...?
wɛə kæn_ai get ...

Wo gibt es ...?
Where *is (are)* there ...?
wɛər_iz(_ɑː) ðɛə

Wo *wohnen Sie (wohnst du)*?
Where do you live?
wɛə dju liv

Wo sind wir?
Where are we?
wɛər_ɑː wi

Woher *kommen Sie (kommst du)*?
Where do you come from?
wɛə dju kʌm frɔm

Wohin *gehen Sie (gehst du)*?
Where are you going to?
wɛər_ɑ ju 'gəuiŋ tu

Wohin führt *dieser Weg (diese Straße)*?
Where does this *path (road)* go to?
wɛə dəz ðis pɑːθ (rəud) gəu tu

Bitte, Wunsch

***Bringen (Geben, Zeigen)* Sie mir bitte ...**
Would you *bring (give, show)* me...please?
wud ju briŋ (giv, ʃou) mi ... pliːz

Sagen Sie mir bitte ...
Could you tell me ..., please?
kud ju tel mi ... pliːz

Holen Sie bitte ...
Would you fetch ... ?
wud ju fetʃ ...

Wie bitte? (*s. Kasten*)
(I beg your) Pardon?
(ai beg jɔː) 'pɑːdn

Was wünschen Sie?
What can I *do for (get)* you?
wɔt kæn‿ai duː fə (get) ju

***Ich hätte (Wir hätten)* gern ...**
I (We) would like ...
ai (wi) wud laik ...

Ich brauche ...
I need ...
ai niːd ...

Ich möchte lieber ...
I would prefer ...
ai wud pri'fəː ...

Kann ich ... *haben (bekommen)*?
Can I *have (get)* ... ?
kæn‿ai hæv (get) ...

Bitte helfen Sie mir!
Please help me! (weniger
dringend: *Would you help me, please?*)
pliːz help mi (wud ju help mi pliːz)

Bitte sehr! (*s. Kasten*)
Certainly.
'səːtnli

Gestatten Sie?
Excuse me, please. (May I?)
iks'kjuːz mi pliːz (mei‿ai)

Gute Besserung!
I hope you'll be better soon.
ai həup jul bi 'betə suːn

Alles Gute! Viel Vergnügen!
All the best! Have a good time!
ɔːl ðə best hæv‿ə gud taim

Ich wünsche *Ihnen (dir)* ...
I hope you'll ...
ai həup jul ...

Bitte! *hat im Deutschen verschiedene Bedeutungen.*

1. *Es drückt eine Bitte (einen Wunsch) aus:* **Geben Sie mir bitte ...!** Would you give me ..., please. [wud ju giv mi ... pliːz]
2. *Als Antwort auf Dankesworte wird im Englischen meist* You're welcome [jɔː 'welkəm] *gesagt. Unser „Keine Ursache" heißt* "Don't mention it" [dəunt 'menʃən‿it], "Not at all" [nɔt‿ət‿ɔːl].
3. *Als Antwort auf Entschuldigungen:* **Bitte!** *(d.h. Es macht nichts)* That's all right! [ðæts‿ɔːl rait]
4. *Frage:* **Wie bitte?** (I beg your) Pardon? [(ai beg jɔː) 'pɑːdn]

Dank

Danke (sehr)!
Thank you (very much)!
'θæŋkju ('veri mʌtʃ)

Vielen (Herzlichen) Dank!
Many thanks! (Thank you very much indeed!)
'meni θæŋks ('θæŋkju 'veri mʌtʃ ‿in'di:d)

Danke, gleichfalls!
Thank you, too.
'θæŋkju tu:

Nein, danke.
No, thank you.
nəu 'θæŋkju

Ich bin *Ihnen (dir)* sehr dankbar.
I'm most grateful to you.
aim‿məust 'greitful tə ju

Vielen Dank für Ihre *Hilfe (Bemühungen)!*
Thank you very much for *your help (all your trouble)*.
'θæŋkju 'veri mʌtʃ fə jɔ: help (‿rɔːl jɔ: 'trʌbl)

Ich danke (Wir danken) **Ihnen vielmals für ...**
I am (We are) most grateful to you for ...
aim (wiə) məust 'greitful tə ju fə ...

Bejahung und Verneinung

Ja.	**Gewiß.**	**Selbstverständlich.**	**Sehr gern.**
Yes.	Certainly.	Of course.	I'll be glad to.
jes	'sə:tnli	əv kɔ:s	ail bi 'glæd tə

(Sehr) Gut!	**Richtig!**	**Prima!**	**Mit Vergnügen!**
Good! (Fine!)	That's right!	Fine!	With pleasure!
gud (fain)	ðæts rait	fain	wið 'pleʒə

Nein.	**Niemals.**	**Nichts.**	**Auf keinen Fall!**
No.	Never.	Nothing.	Certainly not!
nəu	'nevə	'nʌθiŋ	'sə:tnli nɔt

Ich *will (kann)* nicht.
I don't want (to) (can't).
ai dəunt wɔnt (tə) (kɑ:nt)

Vielleicht.
Perhaps.
pə'hæps

Wahrscheinlich.
Probably.
'prɔbəbli

Entschuldigung

Entschuldigung!
(I'm) Sorry!
(aim) 'sori

Verzeihung!
I beg your pardon!
ai beg jɔ: 'pɑ:dn

Entschuldigen Sie bitte!
I'm so sorry!
aim səu 'sori

Es tut mir sehr leid.
I'm very sorry.
aim 'veri 'sori

Es ist mir sehr unangenehm.
I'm terribly sorry about it.
aim 'terəbli 'sori_ə'baut_it

Ich muß mich bei *Ihnen (dir)* entschuldigen.
I must apologise.
ai mʌst_ə'polədʒaiz

Nehmen Sie es bitte nicht übel!
Please don't take it amiss.
pli:z dəunt teik_it ə'mis

Verzeihen Sie mir bitte!
Do forgive me!
du: fə'giv mi

Bedauern

(Wie) Schade!
What a pity!
wɔt_ə 'piti

Zu meinem (großen) Bedauern ...
To my (great) regret ...
tə mai (greit) ri'gret ...

Ich bedauere das sehr.
I'm very sorry about it.
aim 'veri 'sori_ə'baut_it

Es ist sehr schade, daß ...
It's a great pity that ...
its_ə_greit 'piti ðæt ...

Es ist leider unmöglich.
I'm afraid it's impossible.
aim_ə'freid its_im'posəbl

Glückwunsch und Beileid

Ich gratuliere *Ihnen (dir)* ...
Congratulations ...
kəngrætju'leiʃənz ...

zum Geburtstag	on your birthday	ɔn jɔ: 'bə:θdei
zur Verlobung	on your engagement ..	ɔn jɔ:r_in'geidʒ-
		mənt
zur Vermählung	on your marriage	ɔn jɔ: 'mæridʒ
zu diesem Erfolg ...	on your success	ɔn jɔ: sək'ses

Herzlichen Glückwunsch! **Herzlichen Glückwunsch zum Geburtstag!**
Very best wishes! *Happy birthday! (Many happy returns!)*
ˈveri best ˈwiʃiz ˈhæpi ˈbəːθdei (ˈmeni ˈhæpi riˈtəːnz)

Frohes (Weihnachts)Fest! **Ein glückliches neues Jahr!**
Merry (Happy) Christmas! A happy New Year!
ˈmeri (ˈhæpi) ˈkrisməs ə ˈhæpi njuː jəː

Ich wünsche (Wir wünschen) Ihnen ...
I (We) wish you ...
ai (wi) wiʃ ju ...

Viel Glück! **Viel Erfolg!** **Alles Gute!**
Good luck! Good luck! All the best!
gud lʌk gud lʌk ɔːl ðə best

Mein aufrichtiges Beileid! **Unsere herzliche Anteilnahme!**
My sincere sympathy. Our warmest sympathy.
mai sinˈsiə ˈsimpəθi auə ˈwɔːmist ˈsimpəθi

Beschwerden

Ich möchte mich **Ich möchte den Geschäftsführer sprechen.**
beschweren. Can I speak to the manager, please?
I want to make a kæn ai spiːk tə ðə ˈmænidʒə pliːz
complaint.
ai wɔnt tə meik ə
kəmˈpleint

Ich muß mich über ... beschweren. **Das ist sehr ärgerlich.**
I really must lodge a complaint That's most annoying.
about... ðæts məust əˈnɔiiŋ
ai ˈriəli mʌst lɔdʒ ə kəmˈpleint
əˈbaut ...

Es *fehlt (fehlen)* ... **Ich habe kein(e) ...**
... is (are) missing. I haven't any ...
... iz (aː) ˈmisiŋ ai ˈhævnt eni ...

... funktioniert nicht. **... ist nicht in Ordnung.**
... doesn't work. ... is out of order.
... ˈdʌznt wəːk ... iz aut əv ˈɔːdə

Verständigung

Sprechen Sie Deutsch?   **Englisch?**   **Französisch?**
Do you speak German?   English?   French?
dju spiːk ˈdʒəːmən   ˈiŋgliʃ   frentʃ

Verstehen Sie mich?   **Ich verstehe.**   **Ich verstehe nichts.**
Do you understand me?   I understand.   I don't understand any-
dju ʌndəˈstænd miː   ai ʌndəˈstænd   thing at all.
                                                  ai dəunt ʌndəˈstænd
                                                  ˈeniθiŋ ət ɔːl

Sprechen Sie bitte etwas langsamer!
Could you speak a little more slowly, please?
kud ju spiːk ə ˈlitl mɔː ˈsləuli pliːz

Was heißt ... auf englisch?   **Wie heißt das auf englisch?**
What's the English for ...?   How do you say that in English?
wɔts ði ˈiŋgliʃ fə...   hau dju sei ðæt in iŋgliʃ

Was bedeutet das?   **Wie bitte?**
What does that mean?   *I beg your pardon? (I'm sorry?)*
wɔt dəz ðæt miːn   ai beg jɔː ˈpɑːdn (aim ˈsɔri)

Wie spricht man dieses Wort aus?
How is this word pronounced?
hau iz ðis wəːd prəˈnaunst

Könnten Sie mir das bitte übersetzen?
Could you translate that for me, please?
kud ju trænsˈleit ðæt fə mi pliːz

Schreiben Sie mir das bitte auf!
Would you write that down for me, please?
wud ju rait ðæt daun fə mi pliːz

Buchstabieren Sie das bitte!
Would you spell that, please?
wud ju spel ðæt pliːz

Wetter

Wie wird das Wetter?
What's the weather going to be like?
wɔts ðə ˈweðə ˈɡəuiŋ tə bi laik

Was meldet der Wetterbericht?
What's the (weather-)forecast?
wɔts ðə (ˈweðəz)ˈfɔːkɑːst

Das Barometer *steigt (fällt)*.
The barometer's *rising (falling)*.
ðə bəˈrɔmitəz ˈraiziŋ (ˈfɔːliŋ)

Wir bekommen ...
The weather's going to be ...
ðə ˈweðəz ˈɡəuiŋ tə bi ...

schönes Wetter	fine	fain
schlechtes Wetter ...	bad	bæd
wechselhaftes Wetter	changeable..........	ˈtʃeindʒəbl

Es bleibt schön.
It's going to stay fine.
its ˈɡəuiŋ tə stei fain

Es sieht nach Regen aus.
It looks like rain.
it luks laik rein

Wird es *regnen (schneien)?*
Is it going to *rain (snow)?*
iz‿it ˈɡəuiŋ tə rein (snəu)

Wie ist der Straßenzustand nach ...?
What are road conditions like between here and ...?
wɔt‿ɑː‿rəud kənˈdiʃənz laik biˈtwiːn hiər‿ənd

Es ist sehr glatt.	– **sehr heiß.**	– **neblig.**
It's very slippery.	– very hot.	– foggy.
its ˈveri ˈslipəri	– ˈveri hɔt	– ˈfɔɡi
– **sehr schwül.**	– **sehr windig.**	– **stürmisch.**
– very close.	– very windy.	– stormy.
– ˈveri kləus	– ˈveri ˈwindi	– ˈstɔːmi

Wieviel Grad haben wir?
What's the temperature?
wɔts ðə ˈtempritʃə

Es ist ... Grad *über (unter)* **Null.**
It's ... degrees *above (below)* freezing (point).
its...diˈɡriːz‿əˈbʌv (biˈləu) ˈfriːziŋ (pɔint)

Es ist *kalt (warm)*.
It's *cold (warm)*.
its kəuld (wɔːm)

Bleibt das Wetter schön?
Is it going to stay fine?
iz‿it ˈɡəuiŋ tə stei fain

Das Wetter wird sich ändern.
There's going to be a change
in the weather.
ðɛəz ˈgəuiŋ tə bi‿ə tʃeindʒ
in ðə ˈweðə

Das Wetter wird wieder schön.
It's going to be fine again.
its ˈgəuiŋ tə bi fain‿əˈgen

Der Wind hat sich gelegt.
The wind has dropped.
ðə wind həz drɔpt

Der Wind hat sich gedreht.
The wind has changed.
ðə wind həz tʃeindʒd

Wir werden ein Gewitter bekommen.
We're going to have a (thunder)storm.
wiə ˈgəuiŋ tə hæv‿ə (ˈθʌndə)stɔːm

Es gibt Sturm.
There's going to be a storm.
ðɛəz ˈgəuiŋ tə bi‿ə stɔːm

Wird sich der Nebel auflösen?
Is the fog going to lift?
iz ðə fɔg ˈgəuiŋ tə lift

Es hat aufgehört zu regnen.
It has stopped raining.
it həz stɔpt ˈreiniŋ

Das Wetter klärt sich auf.
It's clearing.
its ˈkliəriŋ

Die Sonne scheint.
The sun's shining.
ðə sʌnz ˈʃainiŋ

Die Sonne brennt.
The sun's burning.
ðə sʌnz ˈbəːniŋ

Der Himmel ist klar.
The sky's clear.
ðə skaiz kliə

In Großbritannien und den USA wird die Temperatur oft noch in Fahrenheit angegeben. – Für die Umrechnung gilt:

$$\text{Celsius in Fahrenheit} = 32 + 9/5\ x = °F$$
$$\text{Fahrenheit in Celsius} = (x - 32)\ 5/9 = °C$$

Barometer	barometer	bəˈrɔmitə
bewölkt............	cloudy	ˈklaudi
Bewölkung	cloud	klaud
Blitz	lightning	ˈlaitniŋ
– es blitzt	it's lightning	its ˈlaitniŋ
Dämmerung	(*morgens*)dawn, ...	dɔːn,
	(*abends*) dusk	dʌsk
Donner	thunder	ˈθʌndə
– es donnert	it's thundering	its ˈθʌndəriŋ
Eis	ice................	ais
Frost	frost	frɔst
– es friert	it's freezing	its ˈfriːziŋ
Gewitter	(thunder)storm	(ˈθʌndə)stɔːm

Glatteis	ice, *(Straßen)* slippery *(od. icy)* roads	ais, 'slipəri ('aisi) rəudz
Hagel	hail	heil
– es hagelt	it's hailing	its 'heiliŋ
Hitze	heat	hi:t
Hoch	anticyclone, ridge of high pressure	'ænti'saikləun, ridʒ_əv hai 'preʃə
Klima	climate	'klaimit
Luft	air	εə
Luftdruck	atmospheric pressure	ætməs'ferik 'preʃə
Luftzug	draught	drɑ:ft
Mond	moon	mu:n
Nebel	fog *(weniger dicht)* mist	fɔg, mist
Niederschläge	precipitation	prisipi'teiʃən
Regen	rain	rein
– es regnet	it's raining	its 'reiniŋ
Regenschauer	shower	'ʃauə
Schnee	snow	snəu
– es schneit	it's snowing	its 'snəuiŋ
Schneegestöber	snow flurry	snəu 'flʌri
Schneesturm	snow storm, blizzard	'snəustɔ:m, 'blizəd
Sonne	sun	sʌn
Sonnenaufgang	sunrise	'sʌnraiz
Sonnenuntergang	sunset	'sʌnset
Stern	star	stɑ:
Straßenzustand	road conditions	rəud kən'diʃənz
Sturm	storm	stɔ:m
Tau	dew	dju:
Tauwetter	thaw	θɔ:
– es taut	it's thawing	its 'θɔ:iŋ
Temperatur	temperature	'tempritʃə
Tief	depression, ridge of low pressure	di'preʃən, ridʒ_əv ləu 'preʃə
Wetter	weather	'weðə
Wetterbericht	weather report	'weðə ri'pɔ:t
Wind	wind	wind
– es ist windig	it's windy	its 'windi
– *Nord(Ost)*wind	*north(east)*wind	nɔ:θ (i:st) wind
– *Süd(West)*wind	*south(west)*wind	sauθ (west) wind
Wolke(nbruch)	cloud(burst)	'klaud(bə:st)

Zahlen

Grundzahlen

0	zero	'ziərəu	*In Telefonnummern:* 0 ... əu

1	one	wʌn	6	six	siks	
2	two	tu:	7	seven	'sevn	
3	three	θri:	8	eight	eit	
4	four	fɔ:	9	nine	nain	
5	five	faiv	10	ten	ten	

11	eleven	i'levn
12	twelve	twelv
13	thirteen	'θə:'ti:n
14	fourteen	'fɔ:'ti:n
15	fifteen	'fif'ti:n
16	sixteen	'siks'ti:n
17	seventeen	'sevn'ti:n
18	eighteen	'ei'ti:n
19	nineteen	'nain'ti:n
20	twenty	'twenti
21	twenty-one	'twenti'wʌn
22	twenty-two	'twenti'tu:
23	twenty-three	'twenti'θri:
24	twenty-four	'twenti'fɔ:
25	twenty-five	'twenti'faiv
26	twenty-six	'twenti'siks
27	twenty-seven	'twenti'sevn
28	twenty-eight	'twenti'eit
29	twenty-nine	'twenti'nain
30	thirty	'θə:ti
40	forty	'fɔ:ti
50	fifty	'fifti
60	sixty	'siksti
70	seventy	'sevnti
80	eighty	'eiti
90	ninety	'nainti
100	*a (one)* hundred	ə (wʌn) 'hʌndrəd
200	two hundred	tu: 'hʌndrəd
1 000	*a (one)* thousand	ə (wʌn) 'θauzənd

2 000	two thousand	tuː ˈθauzənd
10 000	ten thousand	ten ˈθauzənd
1 000 000	*a (one)* million	ə (wʌn) ˈmiljən

Ordnungszahlen

1.	first	fəːst	6.	sixth	siksθ
2.	second	ˈsekənd	7.	seventh	ˈsevnθ
3.	third	θəːd	8.	eighth	eitθ
4.	fourth	fɔːθ	9.	ninth	nainθ
5.	fifth	fifθ	10.	tenth	tenθ

11.	eleventh	iˈlevnθ
12.	twelfth	twelfθ
13.	thirteenth	ˈθəːˈtiːnθ
14.	fourteenth	ˈfɔːˈtiːnθ
15.	fifteenth	ˈfifˈtiːnθ
16.	sixteenth	ˈsiksˈtiːnθ
17.	seventeenth	ˈsevnˈtiːnθ
18.	eighteenth	ˈeiˈtiːnθ
19.	nineteenth	ˈnainˈtiːnθ
20.	twentieth	ˈtwentiiθ
21.	twenty-first	ˈtwentiˈfəːst
22.	twenty-second	ˈtwentiˈsekənd
23.	twenty-third	ˈtwentiˈθəːd
24.	twenty-fourth	ˈtwentiˈfɔːθ
25.	twenty-fifth	ˈtwentiˈfifθ
30.	thirtieth	ˈθəːtiiθ
40.	fortieth	ˈfɔːtiiθ
50.	fiftieth	ˈfiftiiθ
60.	sixtieth	ˈsikstiiθ
70.	seventieth	ˈsevntiiθ
80.	eightieth	ˈeitiiθ
90.	ninetieth	ˈnaintiiθ
100.	*a (one)* hundredth	ə (wʌn) ˈhʌndrədθ
200.	two hundredth	tuː ˈhʌndrədθ
1 000.	*a (one)* thousandth	ə (wʌn) ˈhʌndrədθ
2 000.	two thousandth	tuː ˈhʌndrədθ
10 000.	ten thousandth	ten ˈθauzəntθ

| 10.000 zehntausend | — | 10,000 ten thousand |
| 3,5 drei Komma fünf | — | 3.5 three point five |

Uhrzeit

Wie spät ist es?
What's the time?
wɔts ðə taim

Es ist 1 Uhr.
It's one o'clock.
its wʌn ə'klɔk

Es ist genau 3 Uhr.
It's exactly three (o'clock).
its ig 'zæktli θri: (ə'klɔk)

Es ist *halb 7 (6 Uhr 30)*.
It's *half past six (six thirty)*.
its hɑːf pɑːst siks (siks 'θəːti)

Es ist 5 (Minuten) nach 4.
It's five (minutes) past four.
its faiv ('minits) pɑːst fɔː

Haben Sie genaue Zeit?
Do you know the exact time?
dju nəu ði ig'zækt taim

Es ist ungefähr 2 Uhr.
It's about two (o'clock).
its ə'baut tuː (ə'klɔk)

Es ist ein Viertel nach 5.
It's a quarter past five.
its ə 'kwɔːtə pɑːst faiv

Es ist drei Viertel 9.
It's a quarter to nine.
its ə 'kwɔːtə tə nain

Es ist 10 (Minuten) vor 8.
It's ten (minutes) to eight.
its ten ('minits) tu eit

> *Die Zeit bis zur halben Stunde wird auf die vorhergehende
> volle Stunde bezogen ($^1/_2$5 = half past four), danach auf die
> folgende volle Stunde (5 nach $^1/_2$5 = twenty-five to five).*

Wann?	**Um 10 Uhr.**	**Pünktlich um 11.**	
When?	At ten (o'clock).	At eleven (o'clock) sharp.	
wen	ət ten (ə'klɔk)	ət i'levn (ə'klɔk) ʃɑːp	

Um 9 Uhr 30.
At *half past nine (nine thirty)*.
ət hɑːf pɑːst nain (nain 'θəːti)

Von 8 bis 9 Uhr morgens.
From eight to nine a.m.
frɔm eit tə nain 'ei'em

Um 5 Uhr nachmittags.
At five p.m.
ət faiv 'piː'em

Um 20 Uhr 15.
At *a quarter past eight (eight fifteen)*
ət ə 'kwɔːtə pɑːst eit (eit 'fif'tiːn)

Zwischen 10 und 12 Uhr vormittags.
Between ten and twelve a.m.
bi'twiːn ten ənd twelv 'ei'em

Um 7 Uhr abends.
At seven p.m.
ət 'sevn 'piː'em

> *Vormittags und nachmittags werden durch a.m. ['ei'em]
> (= vormittags: Mitternacht bis Mittag) und p.m. ['piː'em]
> (= nachmittags: Mittag bis Mitternacht) unterschieden.*

In einer halben Stunde.
In half an hour.
in hɑːf‿ən‿ˈauə

In zwei Stunden.
In two hours(' time).
in tuː ˈauəz (taim)

Nicht vor 7 Uhr.
Not before seven (o'clock).
nɔt biˈfɔː ˈseven‿(əˈklɔk).

Kurz nach 9 Uhr.
Shortly after nine (o'clock).
ˈʃɔːtli ˈɑːftə nain‿(əˈklɔk)

Es ist (zu) spät.
It's (too) late.
its (tuː) leit

Es ist noch zu früh.
It's still too early.
its stil tuː‿ˈəːli

Geht diese Uhr richtig?
Is this clock right?
iz ðis klɔk rait

Sie geht vor (nach).
It's *fast (slow)*.
its fɑːst (sləu)

Allgemeine Zeitangaben

Am Tage.
During the day.
ˈdjuəriŋ ðə dei

Morgens.
In the morning.
in ðə ˈmɔːniŋ

Vormittags.
During the morning.
ˈdjuəriŋ ðə ˈmɔːniŋ

Mittags.
At *noon (midday, lunchtime)*.
ət nuːn (ˈmiddei, ˈlʌntʃtaim)

Gegen Mittag.
About *midday (lunchtime, noon)*.
əˈbaut ˈmiddei (ˈlʌntʃtaim, nuːn)

Nachmittags.
In the afternoon.
in ði‿ˈɑːftəˈnuːn

Abends.
In the evening.
in ði‿ˈiːvniŋ

Nachts.
At night.
ət nait

Um Mitternacht.
At midnight.
ət ˈmidnait

Täglich.
Daily (Every day).
ˈdeili (ˈevri dei)

Stündlich.
Hourly (Every hour).
ˈauəli (ˈevri ˈauə)

Vorgestern.
The day before yesterday.
ðə dei biˈfɔː ˈjestədi

Gestern.
Yesterday.
ˈjestədi

Heute.
Today.
təˈdei

Morgen.
Tomorrow.
təˈmɔrəu

Übermorgen.
The day after tomorrow.
ðə dei ˈɑːftə təˈmɔrəu

In einer Woche.
In a week('s time).
inˈə wiːk(s taim)

In 14 Tagen.
In a fortnight('s time)
in‿ə ˈfɔːtnait(s taim)

Heute *morgen (nachmittag, abend)*.
This *morning (afternoon, evening)*.
ðis ˈmɔːniŋ (ˈɑːftəˈnuːn, ˈiːvniŋ)

Heute nacht.
Tonight.
təˈnait

Heute mittag.
At *noon (midday, lunchtime)* today.
ət nuːn ('middei, 'lʌntʃtaim) tə'dei

Vor einem Monat.
A month ago.
ə mʌnθ ə'gəu

Seit zehn Tagen.
For the last ten days.
fɔ ðə laːst ten deiz

Innerhalb einer Woche.
Within a week.
wi'ðin ə wiːk

Am Wochenende.
At the weekend.
ət ðə 'wiːk'end

Voriges (Nächstes) **Jahr.**
Last (Next) year.
laːst (nekst) jəː

Jedes Jahr.
*Every year
(Annually).*
'evri jəː ('ænjuəli)

Jede Woche.
*Every week
(Weekly).*
'evri wiːk ('wiːkli)

Von Zeit zu Zeit.
From time to time.
frɔm taim tə taim.

Um diese Zeit.
About this time.
ə'baut ðis taim

Zur Zeit.
At the moment.
ət ðə 'məumənt

Während dieser Zeit.
During this time (Meanwhile).
'djuəriŋ ðis taim ('miːn'wail)

bald	soon	suːn
bis	until	ən'til
früher	earlier	'əːliə
jederzeit	at any time	ət 'eni taim
jetzt	now	nau
manchmal	sometimes	'sʌmtaimz
neulich	recently	'riːsntli
rechtzeitig	in (good) time	in (gud) taim
seit	since	sins
später	later	'leitə
vorher	earlier, before	'əːliə, bi'fɔː
vor kurzem	a short time ago	ə ʃɔːt taim ə'gəu
vorläufig	temporarily	'tempərərili
Sekunde	second	'sekənd
Minute	minute	'minit
Stunde	hour	'auə
Tag	day	dei
Woche	week	wiːk
Monat	month	mʌnθ
Jahr	year	jəː
– halbes Jahr	six months, ...	siks mʌnθs,
	half a year	haːf ə jəː
– Vierteljahr	three months, a quarter	θriː mʌnθs, ə'kwɔːtə

Wochentage

Montag	Monday	'mʌndi
Dienstag	Tuesday	'tjuːzdi
Mittwoch	Wednesday	'wenzdi
Donnerstag	Thursday	'θəːzdi
Freitag	Friday	'fraidi
Sonnabend/Samstag	Saturday	'sætədi
Sonntag	Sunday	'sʌndi

Monate

Januar	January	'dʒænjuəri
Februar	February	'februəri
März	March	mɑːtʃ
April	April	'eiprəl
Mai	May	mei
Juni	June	dʒuːn
Juli	July	dʒuːˈlai
August	August	'ɔːgəst
September	September	səpˈtembə
Oktober	October	ɔkˈtəubə
November	November	nəuˈvembə
Dezember	December	diˈsembə

Jahreszeiten

Frühling	spring	spriŋ
Sommer	summer	'sʌmə
Herbst	autumn	'ɔːtəm
Winter	winter	'wintə

Feiertage

Gründonnerstag	Maundy Thursday	'mɔːndi 'θəːzdi
Karfreitag	Good Friday	gud 'fraidi
Ostern	Easter	'iːstə
Himmelfahrt	Ascension Day	əˈsenʃən dei
Pfingsten	Whitsun(tide)	'witsn(taid)
Fronleichnam	Corpus Christi	'kɔːpəs 'kristi
Allerheiligen	All Saints' Day	ɔːl seints dei
Weihnachten	Christmas	'krisməs

> *Bankfeiertage* (bank holidays [bæŋk 'hɔlədiz]) *sind:* Karfreitag, Ostermontag, *der* letzte Montag im Mai und August *oder der* 1. Montag im Juni und September *und der* 1. und 2. Weihnachtsfeiertag.

Datum

Den wievielten haben wir heute?　　**Heute ist der 2. Juli.**
What's the date?　　　　　　　　　　It's the second of July.
wɔts ðə deit　　　　　　　　　　　　its ðə 'sekənd‿əv dʒuː'lai

Am 15. Mai 19 . . .
On *the fifteenth of May (May the 15th)*, 19 . . .
ɔn ðə 'fif'tiːnθ‿əv mei 'naintiːn ('hʌndrəd‿ənd) . . .

Am 4. *dieses (nächsten)* Monats.　　**Bis zum 10. März.**
On the fourth of *this (next)* month.　　Until the tenth of March.
ɔn ðə fɔːθ‿əv ðis (nekst) mʌnθ　　　ən'til ðə tenθ‿əv mɑːtʃ

Am 1. April *dieses (vergangenen)* Jahres.
On April the first of *this (last)* year.
ɔn‿'eiprəl ðə fəːst‿əv ðis (lɑːst) jəː

Wir reisen am 20. September ab.
We're leaving on *the twentieth of September (September the 20th)*.
wiə‿'liːviŋ ɔn ðə 'twentiiθ‿əv səp'tembə

Wir sind am 12. August angekommen.
We arrived on *the twelfth of August (August the 12th)*.
wi‿ə'raivd‿ɔn ðə twelfθ‿əv‿'ɔːgəst

Der Brief wurde am 9. Juni abgeschickt.
The letter was sent off on *the ninth of June (June the 9th)*.
ðə 'letə wəs sent‿ɔf ɔn ðə nainθ‿əv dʒuːn

Vielen Dank für Ihr Schreiben vom 2. Februar.
Thank you (very much) for your letter of February 2nd.
'θæŋkju ('veri mʌtʃ) fɔ jɔː 'letər‿əv ðə 'sekənd‿əv 'februəri

Alter

Wie alt *sind Sie (bist du)*?　　**Wie alt ist *er (sie)*?**
How old are you?　　　　　　　How old is he (she)?
hau‿əuld‿ɑː juː　　　　　　　hau‿əuld‿iz hiː (ʃiː)

Ich bin 20 Jahre alt.
I'm 20.
aim ˈtwenti

Ich bin über 18 Jahre alt.
I'm over 18.
aim ˌˈəuvər ˌeiˈtiːn

Kinder unter 14 Jahren.
Children under 14.
ˈtʃildrən ˌʌndər ˈfɔːˈtiːn

Ich bin am ... geboren.
I was born on ...
ai wəz bɔːn ˌɔn ...

Er ist *jünger (älter)*.
He's *younger (older)*.
hiːz ˈjʌŋɡə (ˈəuldə)

– **minderjährig.**
– *under age (a minor)*.
– ˈʌndər ˌeidʒ
(ˌə ˈmainə)

– **erwachsen.**
– grown-up.
– ˈɡrəunʌp

Im Alter von ... Jahren.
At the age of ...
ət ði ˌeidʒ əv ...

In meinem Alter.
At my age.
ət mai ˌeidʒ

Familie

Bruder	brother	ˈbrʌðə
Cousin(e)	cousin	ˈkʌzn
Ehefrau	wife	waif
Ehemann	husband	ˈhʌzbənd
Eltern	parents	ˈpeərənts
Enkel	grandson, grandchild	ˈɡrænsʌn, ˈɡræntʃaild
Enkeltochter	granddaughter	ˈɡrændɔːtə
Familie	family	ˈfæmili
Großmutter	grandmother	ˈɡrænmʌðə
Großvater	grandfather	ˈɡrændfɑːðə
Junge	boy	bɔi
Mädchen	girl	ɡəːl
Mutter	mother	ˈmʌðə
Neffe	nephew	ˈnevjuː
Nichte	niece	niːs
Onkel	uncle	ˈʌŋkl
Schwager	brother-in-law	ˈbrʌðərinlɔː
Schwägerin	sister-in-law	ˈsistərinlɔː
Schwester	sister	ˈsistə
Sohn	son	sʌn
Tante	aunt	ɑːnt
Tochter	daughter	ˈdɔːtə
Vater	father	ˈfɑːðə

Berufe

Ich bin Angestellter.	**Ich bin ...**	
I work in an office.	I'm a(n) ...	
ai wəːk_in_ən_'ɔfis	aim_ə(n) ...	

Apotheker	dispensing chemist	dis'pensiŋ 'kemist
Arbeiter	workman,	'wəːkmən,
	working man, worker	'wəːkiŋ mæn, wəːkə
Architekt	architect	'ɑːkitekt
Arzt	doctor	'dɔktə
Autoschlosser	motor mechanic	'məutə mi'kænik
Bäcker	baker	'beikə
Beamter	civil servant	'sivl 'səːvənt
Bergmann	miner	'mainə
Bibliothekar	librarian	lai'brɛəriən
Bildhauer	sculptor	'skʌlptə
Briefträger	postman	'pəustmən
Buchhalter	book-keeper	'bukkiːpə
Buchhändler	bookseller	'bukselə
Dolmetscher	interpreter	in'təːpritə
Drogist	chemist	'kemist
Eisenbahner	railwayman	'reilweimən
Elektriker	electrician	ilek'triʃən
Fahrlehrer	driving instructor	'draiviŋ in'strʌktə
Fischer	fisherman	'fiʃəmən
Fleischer	butcher	'butʃə
Förster	forester	'fɔristə
Friseur	hairdresser,	'hɛədresə,
	(Herren oft) barber	'bɑːbə
Friseuse	hairdresser	'hɛədresə
Gärtner	gardener	'gɑːdnə
Glaser	glazier	'gleizjə
Großhändler	wholesale dealer	'həulseil 'diːlə
Handwerker	artisan, craftsman	ɑːti'zæn, 'krɑːftsmən
Hausfrau	housewife	'hauswaif
Hebamme	midwife	'midwaif
Ingenieur	engineer	endʒi'niə
Installateur	plumber	'plʌmə
Journalist	journalist	'dʒəːnəlist

Kaufmann	shopkeeper,	'ʃɔpkiːpə,
	(Groß-) merchant	'məːtʃənt
Kellner(in)	waiter (waitress)	'weitə ('weitris)
Kindergärtnerin	kindergarten teacher	'kindəgɑːtn 'tiːtʃə
Klempner	plumber	'plʌmə
Koch, Köchin	cook	kuk
Konditor	confectioner,	kən'fektʃnə,
	pastry-cook	'peistrikuk
Kraftfahrer	driver	'draivə
Krankenschwester	nurse	nəːs
Künstler	artist	'ɑːtist
Landwirt	farmer	'fɑːmə
Lehrer(in)	teacher	'tiːtʃə
Lehrling	apprentice	ə'prentis
Maler	painter	'peintə
Maurer	bricklayer	'brikleiə
Mechaniker	mechanic	mi'kænik
Metzger	butcher	'butʃə
Musiker	musician	mjuː'ziʃən
Notar	notary	'nəutəri
Optiker	optician	ɔp'tiʃən
Pfarrer	clergyman	'kləːdʒimən
Politiker	politician	pɔli'tiʃən
Postbeamter	post-office clerk	'pəustɔfis klɑːk
Rechtsanwalt	barrister, solicitor	'bæristə, sə'lisitə
Rentner	(old-age) pensioner	('əuldeidʒ) 'penʃənə
Richter	judge	dʒʌdʒ
Schlosser	locksmith	'lɔksmiθ
Schneider(in)	*(Herren)* tailor,	'teilə,
	(Damen) dressmaker	'dresmeikə
Schriftsteller(in)	writer	'raitə
Schuhmacher	shoemaker	'ʃuːmeikə
Schüler(in)	pupil	'pjuːpl
Sekretärin	secretary	'sekrətri
Student(in)	student	'stjuːdənt
Studienrat, -rätin	secondary-school	'sekəndəriskuːl
	teacher	'tiːtʃə
Techniker	technician	tek'niʃən
Tierarzt	vet(erinary surgeon)	'vet(ərinəri 'səːdʒən)

Tischler	joiner, carpenter	ˈdʒɔinə, ˈkɑːpəntə
Uhrmacher	watchmaker	ˈwɔtʃmeikə
Verkäufer(in)	shop-assistant	ˈʃɔpəsistənt
Vertreter	representative	repriˈzentətiv
Wissenschaftler	*(Natur-)* scientist,	ˈsaiəntist,
	(Geistes-) scholar	ˈskɔlə
Zahnarzt	dentist	ˈdentist

Ausbildung

Was (Wo) studieren Sie?
What are you studying?
(What university are you at?)
wɔt ɑ ju ˈstʌdiiŋ
(wɔt juːniˈvɜːsiti ɑ ju æt)

Ich studiere in ...
I'm at ... university.
aim ət ... juːniˈvɜːsiti

Ich studiere ...
I'm *studying (doing)* ...
aim ˈstʌdiiŋ (ˈduːiŋ) ...

Ich besuche die ... Schule.
I'm at (I go to) ... school.
aim ət (ai gəu tə) ... skuːl

Akademie	academy	əˈkædəmi
– Kunstakademie	academy of art	əˈkædəmi əv ɑːt
– Sportakademie	physical training college	ˈfizikəl ˈtreiniŋ ˈkɔlidʒ
Fakultät	faculty	ˈfækəlti
Hochschule	university, college	juːniˈvɜːsiti, ˈkɔlidʒ
Institut	institute	ˈinstitjuːt
Lehrgang	course	kɔːs
Schule	school	skuːl
– Berufsschule	vocational school, technical college	vəuˈkeiʃnl skuːl, ˈteknikəl ˈkɔlidʒ
– Handelsschule	commercial college	kəˈmɜːʃəl ˈkɔlidʒ
– Kunstgewerbeschule	college of applied arts	ˈkɔlidʒ əv əˈplaid ɑːts
– Oberschule	secondary school	ˈsekəndəri skuːl
Studium	university training	juːniˈvɜːsiti ˈtreiniŋ
– Fernstudium	correspondence course	kɔrisˈpɔndəns kɔːs
Studienfach	subject	ˈsʌbdʒikt
– Anglistik	English	ˈiŋgliʃ
– Archäologie	archeology	ɑːkiˈɔlədʒi
– Architektur	architecture	ˈɑːkitektʃə

– **Betriebswirtschaft** .	business administration	ˈbiznis ədminisˈtreiʃən
– **Biologie**	biology	baiˈɔlədʒi
– **Chemie**	chemistry	ˈkemistri
– **Geographie**	geography	dʒiˈɔgrəfi
– **Geologie**	geology	dʒiˈɔlədʒi
– **Germanistik**	German	ˈdʒəːmən
– **Geschichte**	history	ˈhistəri
– **Jura**	law	lɔː
– **Kunstgeschichte** ...	history of art........	ˈhistəri ˏəv ˏɑːt
– **Malerei**	painting	ˈpeintiŋ
– **Maschinenbau**	constructional engineering	kənˈstrʌkʃənl endʒiˈniəriŋ
– **Mathematik**	mathematics	mæθiˈmætiks
– **Medizin**	medicine...........	ˈmedsin
– **Musik**	music	ˈmjuːzik
– **Pädagogik**	education...........	edjuːˈkeiʃən
– **Pharmazie**	pharmacy...........	ˈfɑːməsi
– **Physik**	physics	ˈfiziks
– **Politologie**	political science	pəˈlitikəl ˈsaiəns
– **Psychologie**	psychology	saiˈkɔlədʒi
– **Romanistik**	Romance languages ...	rəuˈmæns ˈlæŋgwidʒiz
– **Schiffbau**	ship-building	ˈʃipbildiŋ
– **Slawistik**	Slavonic languages ...	sləˈvɔnik ˈlæŋgwidʒiz
– **Soziologie**	sociology	səusiˈɔlədʒi
– **Veterinärmedizin** ..	veterinary science	ˈvetərinəri ˈsaiəns
– **Wirtschafts- wissenschaft**	economics	iːkəˈnɔmiks
– **Zahnmedizin**	dentistry	ˈdentistri
– **Zoologie**	zoology	zəuˈɔlədʒi
Techn. Hochschule ..	technical university....	ˈteknikəl juːniˈvəːsiti
Universität	university	juːniˈvəːsiti
Vorlesungen	lectures	ˈlektʃəz

MIT AUTO, MOTORRAD UND FAHRRAD

Fragen nach dem Weg

Wo *ist (sind)* ...
Where *is (are)* ...
wɛər‿iz (‿ɑː) ...

Wie komme ich nach ...?
How do I get to ...?
hau du‿ai get tə ...

Wieviel Meilen sind es bis zur nächsten Stadt?
How many miles is it to the nearest town?
hau 'meni mailz‿iz‿it tə ðə 'niərist taun

5 miles = 8 km

Ist das die Straße nach ...?
Is this the road to ...?
iz ðis ðə rəud tə ...

Bin ich hier richtig nach ...?
Is this the right road for ...?
iz ðis ðə rait rəud fə ...

Muß ich ... *fahren (gehen)?*
Do I have to go ...?
du‿ai hæv tə gəu ...

Rechts.
On (To) the right.
ɔn (tə) ðə rait

Links.
On (To) the left.
ɔn (tə) ðe left

Geradeaus.
Straight on.
streit‿ɔn

Zurück.
Back.
bæk

Hier.
Here.
hiə

Dort.
There.
ðɛə

In dieser Richtung.
In that direction.
in ðæt di'rekʃən

Bis zu ...
As far as ...
æz fɑːr‿æz

Wie lange?
For how long?
fɔ hau lɔŋ

Wo(hin)?
Where (to)?
wɛə (tu)

Wie weit ist es nach ...
How far is it to ...?
hau fɑːr‿iz‿it tə ...

Zeigen Sie mir das bitte auf der Karte.
Could you show me that on the map, please?
kud ju ʃəu mi ðæt ɔn ðə mæp pliːz

Fahrzeuge

Anhänger	trailer	'treilə
Auto	car	kɑː
– Kombiwagen	estate car, station wagon	is'teit kɑː, 'steiʃən 'wægən
– Lastauto	lorry, truck	'lɔri, trʌk
– Lieferauto	(delivery) van	(di'livəri) væn
– Personenauto	passenger car	'pæsindʒə kɑː

Bus *(Stadt-)*	bus	bʌs
(Reise-)	coach	kəutʃ
Campingwagen	motor caravan	'məutə 'kærəvæn
Fahrrad	bicycle	'baisikl
Fahrzeug	vehicle	'viːikl
Moped	moped	'məuped
Motorrad	motor-bike	'məutəbaik
Motorroller	motor scooter	'məutə 'skuːtə
Pferdewagen	horse-drawn vehicle ...	'hɔːsdrɔːn 'viːikl
Wohnwagen	caravan	kærə'væn

Autovermietung

Wo kann ich ein Auto mieten?   **Ich möchte ein Auto mieten.**
Where can I hire a car?   I want to hire a car.
weə kæn‿ai 'haiər‿ə kaː   ai wɔnt tə 'haiər‿ə kaː

... mit Fahrer.   **... für *2 (6)* Personen.**
... with chauffeur.   ... for *two (six)* (people).
... wið 'ʃəufə   ... fɔ tuː (siks) ('piːpl)

... für *einen Tag (eine Woche, zwei Wochen)*.
... for *a day (a week, a fortnight)*.
... fɔr‿ə dei (‿ə wiːk, ‿ə 'fɔːtnait)

Wieviel kostet es?   **... einschließlich voller Versicherung?**
What will it cost?   ... including a comprehensive insurance?
wɔt wil‿it kɔst   ... in'kluːdiŋ ə kɔmpri'hensiv‿in'ʃuərens

Muß ich das Benzin selbst bezahlen?
Do I have to pay the petrol myself?
du‿ai hæv tə pei ðə 'petrəl mai'self

Wieviel muß ich bei Ihnen hinterlegen?
How much deposit do I have to pay?
hau mʌtʃ di'pɔzit du‿ai hæv tə pei

***Wann (Wo)* kann ich den Wagen abholen?**
When (Where) can I collect the car?
wen (weə) kæn‿ai kə'lekt ðə kaː

Ist jemand da, wenn ich das Auto zurückbringe?
Will there be someone there when I bring the car back?
wil ðeə biː 'sʌmwʌn ðeə wen‿ai briŋ ðə kaː bæk

Fahren

Ich fahre nach ...	Fahren Sie nach ...?
I'm going to ...	Are you going to ...?
aim ˈgəuiŋ tə ...	ɑː ju ˈgəuiŋ tə ...

Mit dem *Auto (Motorrad, Fahrrad)* **fahren.** **Schnell. Langsam.**
To go by *car (motor-bike, bicycle).* Fast. Slow.
tə gəu bai kɑː (ˈməutəbaik, ˈbaisikl) fɑːst sləu

Ampel	(traffic-)lights	(ˈtræfik) laits
Ausfahrt	exit, drive	ˈeksit, draiv
Autobahn	motorway	ˈməutəwei
Automobilklub	automobile *club*	ˈɔːtəməubiːl klʌb
	(association)	(əsəusiˈeiʃən)
Bahnübergang	level crossing........	ˈlevl ˈkrɔsiŋ
Baustelle	roadworks	ˈrəudwəːks
Brücke	bridge	bridʒ
Durchfahrt	thoroughfare	ˈθʌrəfeə
Einfahrt	entry, drive	ˈentri, draiv
Fahrspur..........	lane............	lein
Fahrt	journey...........	ˈdʒəːni
– abbiegen	to turn off	tə təːn ˌɔf
– anhalten	to stop...........	tə stɔp
– aussteigen	to get out	tə get ˌaut
– ausweichen	to avoid	tu əˈvɔid
– bremsen	to brake	tə breik
– sich einordnen.....	to get in lane.....	tə get ˌin lein
– einsteigen	to get in	tə get ˌin
– fahren	to drive	tə draiv
– per Anhalter		
fahren	to hitch-hike	tə ˈhitʃhaik
– halten	to stop	tə stɔp
– parken...........	to park	tə pɑːk
– überholen	to overtake	tu ˌəuvəˈteik
– wenden	to turn	tə təːn
Fahrtroute	route..............	ruːt
Führerschein	driving licence......	ˈdraiviŋ ˈlaisəns
Gefälle	(down-)gradient, ...	(ˈdaun) ˈgreidjənt,
	steep hill	stiːp hil
Geschwindigkeits-		
begrenzung	speed limit	spiːd ˈlimit

Halteverbot	no stopping	nəu ˈstɔpiŋ
Höchstgeschwindigkeit	maximum speed	ˈmæksiməm spiːd
Kreisverkehr	roundabout	ˈraundəbaut
Kreuzung	crossroads	ˈkrɔsrəudz
Kurve	bend	bend
Kurzparkzone	controlled parking zone	kənˈtrəuld ˈpɑːkiŋ zəun
Mittelstreifen	central reservation . . .	ˈsentrəl rezəˈveiʃən
Ortstafel	place-name sign	ˈpleisneim sain
Parkplatz	car park	kɑː pɑːk
Parkscheibe	parking disc	ˈpɑːkiŋ disk
Parkuhr	parking meter	ˈpɑːkiŋ ˈmiːtə
Parkverbot	no waiting	nəu ˈweitiŋ
Paß	pass	pɑːs
Radfahrweg	cycle track	ˈsaikl træk
Rutschgefahr	slippery road	ˈslipəri rəud
Seitenwind	side wind	said wind
Serpentine	winding road	ˈwaindiŋ rəud
Steigung	(up-)gradient, steep hill	(ˈʌp)ˈgreidjənt, stiːp hil
Steinschlag	falling rocks	ˈfɔːliŋ rɔks
Straße	road	rəud
– Einbahnstraße	one-way street	ˈwʌnwei striːt
– Hauptstraße	*main (major)* road	mein (ˈmeidʒə) rəud
– Küstenstraße	coast(al) road	ˈkəust(əl) rəud
– Landstraße	country road	ˈkʌntri rəud
– Querstraße	crossroad	ˈkrɔsrəud
Tunnel	tunnel	ˈtʌnl
Überholverbot	no overtaking	nəu əuvəˈteikiŋ
Umleitung	diversion	daiˈvəːʃən
Verkehr	traffic	ˈtræfik
Verkehrspolizei	traffic police	ˈtræfik pəˈliːs
Verkehrsregeln	traffic regulations . . .	ˈtræfik regjuˈleiʃənz
Verkehrsschild	road sign	rəud sain
Vorfahrt	right of way	rait əv wei
Weg	way, road	wei, rəud
– Fußweg	footpath	ˈfutpɑːθ
Wegweiser	signpost	ˈsainpəust
Zebrastreifen	zebra crossing	ˈziːbrə ˈkrɔsiŋ

Garage, Parkplatz

Wo kann ich meinen Wagen unterstellen?
Where can I garage my car?
wɛə kæn_ai 'gærɑːdʒ mai kɑː

Ist hier in der Nähe eine Garage?
Is there a garage near here?
iz ðɛər_ə 'gærɑːdʒ niə hiə

Haben Sie noch eine *Garage (Box)* frei?
Have you still got a *garage (stall)* free?
hæv ju stil gɔt_ə 'gærɑːdʒ (stɔːl) friː

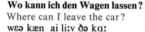

Wo kann ich den Wagen lassen?	**Kann ich ihn hier lassen?**
Where can I leave the car?	Can I leave it here?
wɛə kæn_ai liːv ðə kɑː	kæn_ai liːv_it hiə
Kann ich hier parken?	**Ist der Parkplatz bewacht?**
Can I park here?	Is there a park attendant?
kæn_ai pɑːk hiə	iz ðɛər_ə pɑːk ə'tendənt

Ist noch ein Platz frei?
Is there still room?
iz ðɛə stil rum

Wie lange kann ich hier parken?
How long can I park here for?
hau lɔŋ kæn_ai pɑːk hiə fɔː

Was kostet das Unterstellen *pro Nacht (bis ...)?*
What *does it cost per night (will it cost to leave it here until ...)*?
wɔt dəz_it kɔst pə nait (wil_it kɔst tə liːv it hiər _ən'til ...)

Ist die Garage die ganze Nacht geöffnet?	**Wann schließen Sie?**
Is the garage open all night?	When do you close?
iz ðə 'gærɑːdʒ_'əupən ɔːl nait	wen du ju kləuz

Ich fahre *heute abend (morgen früh um 8)* weiter.
I'm moving on *this evening (at 8 tomorrow morning)*.
aim 'muːviŋ_ɔn ðis 'iːvniŋ (ət_eit tə'mɔrəu 'mɔːniŋ)

Ich möchte meinen Wagen aus der Garage holen.
I want to fetch my car from the garage.
ai wɔnt tə fetʃ mai kɑː frəm ðə 'gærɑːdʒ

Tankstelle, Kundendienst

Wo ist die nächste Tankstelle?
Where's the nearest *petrol- (filling-)*station?
wɛəz ðə 'niərist 'petrəl ('filiŋ)steiʃən

Wie weit ist es?
How far is it?
hau fɑːr ̮iz ̮it

Geben Sie mir bitte 5 Gallonen *Normalbenzin (Super)*.
5 gallons of *regular grade (premium grade, super)*, please.
faiv 'gælənz ̮əv 'regjulə greid ('priːmjəm greid, 'sjuːpə) pliːz

| 1 Gallone = *ca.* 4,5 l |

Ich möchte 9 Gallonen Diesel.
Nine gallons of diesel fuel, please.
nain 'gælənz ̮əv 'diːzəl fjuəl pliːz

Den Tank voll, bitte.
Full, please. (Fill her right up, please.)
ful pliːz (fil hə: rait ̮ʌp pliːz)

Ich brauche Kühl*wasser (-flüssigkeit)*.
I need *water (coolant)*.
ai niːd 'wɔːtə ('kuːlənt)

Füllen Sie bitte Kühlwasser nach.
Would you top up the radiator, please.
wud ju tɔp ̮ʌp ðə 'reidieitə pliːz

Prüfen Sie bitte die Bremsflüssigkeit.
Will you check the brake fluid, please?
wil ju tʃek ðə breik 'fluːid pliːz

Eine Straßenkarte, bitte.
A road map, please.
ə rəud mæp pliːz

Benzin	petrol	'petrəl
Benzinkanister	petrol can	'petrəl kæn
Benzintank	petrol tank	'petrəl tæŋk
Bremsflüssigkeit	brake fluid	breik 'fluːid
Frostschutzmittel	anti-freeze (agent)	'æntifriːz ̮ ('eidʒənt)
Kühlflüssigkeit	coolant	'kuːlənt
Kühlwasser	(cooling) water	('kuːliŋ) 'wɔːtə
Kundendienst	service	'səːvis
Reservetank	reserve tank	ri'zəːv tæŋk
Tankstelle	*petrol- (filling-)*station	'petrəl('filiŋ)steiʃən
Tankwart	attendant	ə'tendənt
Wasser	water	'wɔːtə
– destilliertes Wasser	distilled water	dis'tild 'wɔːtə
Zündkerze	sparking plug	'spɑːkiŋ plʌg

Öl

Prüfen Sie bitte den Ölstand.
Check the oil, please.
tʃek ði‿ɔil pliːz

Ist noch genug Öl da?
Is there enough oil?
iz ðɛər‿iˈnʌf ɔil

Ich brauche *Motoröl (Getriebeöl)*.
I need *engine oil (gear oil)*.
ai niːd ‿ˈendʒin‿ɔil (giər‿ɔil)

... Liter Öl, bitte.
... pints of oil, please.
... paints‿əv‿ɔil pliːz

Füllen Sie bitte Öl nach.
Top up the oil, please.
tɔp‿ʌp ði‿ɔil pliːz

Wechseln Sie bitte das Öl.
Will you change the oil, please?
wil ju tʃeindʒ ði‿ɔil pliːz

Abschmierdienst	greasing service.......	ˈgriːziŋ ˈsəːvis
Getriebeöl	gear oil...............	giər‿ɔil
Motoröl	engine oil	ˈendʒin‿ɔil
Öl	oil	ɔil
– spezial/normal	special/standard	ˈspeʃəl/ˈstændəd
Ölkanne	oil can	ɔil kæn
Ölstand	oil level	ɔil ˈlevl
Ölwechsel..........	oil change	ɔil tʃeindʒ

Reifendienst

Können Sie diesen Reifen *reparieren (runderneuern)*?
Can you *repair (retread)* this tyre?
kæn ju riˈpɛə (riˈtred) ðis ˈtaiə

Können Sie diesen Schlauch noch flicken?
Can the inner tube be patched?
kæn ði‿ˈinə tjuːb bi pætʃt

Wechseln Sie bitte diesen Reifen.
Would you change this tyre, please?
wud ju tʃeindʒ ðis ˈtaiə pliːz

Einen neuen Schlauch, bitte.
A new inner tube, please.
ə njuː ˈinə tjuːb pliːz

Ein Reifen ist geplatzt.
One of my tyres has burst.
wʌn‿əv mai ˈtaiəz həz bəːst

Pumpen Sie bitte den Reservereifen auf.
Would you pump up the spare tyre, please?
wud ju pʌmp‿ʌp ðə spɛə ˈtaiə pliːz

Prüfen Sie bitte den Reifendruck.
Would you check the tyre pressure, please?
wud ju tʃek ðə ˈtaiə ˈpreʃə pliːz

Vorn 1,6, hinten 2,0 atü.
The front tyres 22.7 and the back ones 28.4.
ðə frʌnt ˈtaiəz ˈtwentiˈtu: pɔint ˈsevn ‿ənd ðə bæk wʌnz ˈtwentiˈeit
pɔint fɔ:

Reifendruck-Umrechnungstabelle					
atü	lbs./sq. in.	atü	lbs./sq. in.	atü	lbs./sq. in.
1,2	17.0	1,6	22.7	2,0	28.4
1,3	18.5	1,7	24.2	2,1	29.9
1,4	19.9	1,8	25.6	2,2	31.3
1,5	21.3	1,9	27.1	2,3	32.7

Bereifung	tyres	ˈtaiəz
Rad	wheel	wi:l
– Hinterrad	back wheel	bæk wi:l
– Reserverad	spare wheel	speə wi:l
– Vorderrad	front wheel	frʌnt wi:l
Reifen	tyre	ˈtaiə
– schlauchloser	tubeless tyre	ˈtju:blis ˈtaiə
Reifendruck	tyre pressure	ˈtaiə ˈpreʃə
Reifenpanne	puncture	ˈpʌnktʃə
Reifenwechsel	changing a wheel	ˈtʃeindʒiŋ ‿ə wi:l
Schlauch	inner tube	ˈinə tju:b
Ventil	valve	vælv
Wagenheber	(lifting) jack	(ˈliftiŋ) dʒæk

Wagenwäsche

Säubern Sie bitte *die Windschutzscheibe (die Scheiben)*.
Would you clean the *windscreen (windows)*, please?
wud ju kli:n ðə ˈwindskri:n (ˈwindəuz) pli:z

Waschen Sie mir bitte den Wagen.
Could I have the car washed, please?
kud ‿ai hæv ðə kɑ: wɔʃt pli:z

Reinigen Sie den Wagen bitte auch innen.
Would you clean the car inside as well, please?
wud ju kli:n ðə kɑ:r ‿ˈinˈsaid ‿əz wel pli:z

Panne, Unfall

Ich habe (Wir haben) eine Panne.
I've (We've) had a breakdown.
aiv (wi:v) hæd‿ə ˈbreikdaun

... ist defekt.
... isn't working (is out of order).
... iznt ˈwə:kiŋ (iz‿aut‿əv‿ˈɔ:də)

Ich habe einen Unfall gehabt.
I've had an accident.
aiv hæd‿ən‿ˈæksidənt

Kann ich bei Ihnen telefonieren?
May I use your phone?
mei‿ai ju:z jɔ: fəun

Verständigen Sie bitte die Polizei.
Would you get in touch with the police, please?
wud ju get‿in tʌtʃ wið‿ðə pəˈli:s pli:z

Rufen Sie schnell einen Krankenwagen!
Call an ambulance quickly.
kɔ:l‿ən‿ˈæmbjuləns ˈkwikli

Holen Sie einen Arzt!
Fetch a doctor!
fetʃ‿ə ˈdɔktə

Bitte helfen Sie mir!
Help me, please!
help mi pli:z

Ich brauche Verbandszeug.
I need dressings.
ai ni:d ˈdresiŋz

Können Sie mir ... leihen?
Could you lend me ...?
kud ju lend mi ...

Könnten Sie ...
Could you ...
kud ju ...

– mich ein Stück mitnehmen?
– give me a lift?
– giv mi‿ə lift

– meinen Wagen abschleppen?
– *take my car in tow? (give me a tow?)*
– teik mai kɑːr‿in təu (giv mi‿ə təu)

– mir einen *Mechaniker (Abschleppwagen)* schicken?
– send a *mechanic (breakdown lorry)?*
– send‿ə miˈkænik (ˈbreikdaun ˈlɔri)

– sich um die Verletzten kümmern?
– look after the people who are hurt?
– luk ˈɑːftə ðə ˈpiːpl huː‿ɑ: həːt

Wo ist eine Reparaturwerkstatt?
Where is there a *service garage (repair shop)?*
wɛər‿iz ðɛər‿ə ˈsəːvis ˈgærɑːdʒ (riˈpɛə ʃɔp)

Bitte geben Sie mir Ihren Namen und Ihre Adresse an.
Will you give me your name and address, please?
wil ju giv mi jɔ: neim‿ənd‿əˈdres pli:z

Es ist Ihre Schuld!
It was your fault!
it wɔz jɔː fɔːlt

Ich hatte Vorfahrt.
I had the right of way.
ai hæd ðə rait_əv wei

Es ist niemand verletzt.
Nobody's hurt.
'nəubədiz həːt

Können Sie mein Zeuge sein?
Will you act as a witness for me?
will ju_ækt_əz_ə 'witnis fə miː

Sie haben ... beschädigt.
You've damaged ...
juːv 'dæmidʒd ...

... ist (schwer) verletzt.
... is (badly) hurt.
... iz ('bædli) həːt

Vielen Dank für Ihre Hilfe!
Thank you very much for your help.
'θæŋk ju 'veri mʌtʃ fə jɔː help

Wo ist Ihr Wagen versichert?
Where is your car insured?
wɛər_iz jɔː kɑːr_in'ʃuəd

Abschleppdienst	breakdown service	'breikdaun 'səːvis
Abschleppseil	tow rope	təu rəup
Abschleppwagen	breakdown lorry	'breikdaun 'lɔri
Auffahrunfall	nose-to-tail collision...	'nəuztə'teil kə'liʒən
Aufprall	impact	'impækt
Blechschaden	superficial damage ...	sjuːpə'fiʃəl 'dæmidʒ
Federbruch	broken spring	'brəukən spriŋ
Feuerwehr	fire-brigade	'faiəbrigeid
Hilfe	help	help
Krankenhaus	hospital	'hɔspitl
Krankenwagen	ambulance	'æmbjuləns
Mechaniker	mechanic	mi'kænik
Panne	breakdown	'breikdaun
Polizei	police	pə'liːs
Reperaturwerkstatt	service garage, ...	'səːvis 'gærɑːdʒ,
	repair shop	ri'pɛə ʃɔp
Unfall	accident	'æksidənt
Unfallschaden	damage	'dæmidʒ
Unfallstation	first-aid post, ...	'fəːst'eid pəust,
	(Krankenhaus)	'kæʒjuəlti
	casualty department...	di'pɑːtmənt
Verbandszeug	dressings *pl.*	'dresiŋz
Verletzung	injury	'indʒəri
Versicherung	insurance	in'ʃuərəns
Vertragswerkstatt ..	*(Marke)* garage	'gærɑːdʒ
Vorsicht	Danger! Caution!	'deindʒə, 'kɔːʃən
Zusammenstoß	collision	kə'liʒən

Reparaturwerkstatt

Wo ist die nächste *Reparaturwerkstatt (Vertragswerkstatt von ...)*?
Where is the nearest *service garage (Volkswagen usw. garage)*?
wɛər ̜iz ðə ˈniərist ˈsəːvis ˈgɑːrɑːdʒ (... ˈgɑːrɑːdʒ)

... ist nicht in Ordnung. ... isn't working properly. ... ˈiznt ˈwəːkiŋ ˈprɔpəli	**... ist defekt.** *... is out of order (isn't working).* ... iz ˌaut ̜əv ̜ˈɔːdə (ˈiznt ˈwəːkiŋ)
Können Sie das machen? Can you repair it? kæn ju riˈpɛər ̜it	**Wer kann das machen?** Where can I get it done? wɛə kæn ̜ai get ̜it dʌn
Prüfen Sie bitte ... Would you check ..., please? wud ju tʃek ... pliːz	**Geben Sie mir bitte ...** Would you give me ..., please? wud ju giv mi ... pliːz

Reparieren Sie das, bitte.
Would you repair it, please?
wud ju riˈpɛər ̜it pliːz

Haben Sie Original-Ersatzteile für ...?
Have you got *(Marke)* spares?
hæv ju gɔt ... spɛəz

Wann bekommen Sie die Ersatzteile?
When will you get the spares in?
wen wil ju get ðə spɛəz ̜in

Ich brauche *eine neue (einen neuen, ein neues)* ...
I need a new ...
ai niːd ̜ə nju ...

Kann ich damit noch fahren?
Can I continue to drive it?
kæn ̜ai kənˈtinju tə draiv ̜it

Machen Sie bitte nur die nötigsten Reparaturen.
Just do the essentials, please.
dʒʌst du: ði ̜iˈsenʃəlz pliːz

Wann ist es fertig? When will it be ready? wen wil ̜it bi ˈredi	**Wieviel *kostet es (wird es kosten)*?** How much *is it (will it be)*? hau mʌtʃ ̜iz ̜it (wil ̜it biː)

Fahrzeugteile, Reparaturen

Achse	axle	'æksl
Anlasser	starter	'stɑːtə
Auspuff	exhaust	igˈzɔːst
Automatik	automatic transmission	ɔːtəˈmætik trænzˈmiʃən
Batterie	battery	'bætəri
Beleuchtung	lights	laits
Benzinleitung	fuel pipes	fjuəl paips
Benzinpumpe	petrol pump	'petrəl pʌmp
Birne	bulb	bʌlb
– auswechseln	to put in a new bulb	tə put in ə njuː bʌlb
Blinker	indicator	'indikeitə
Bremsbelag	brake lining	breik 'lainiŋ
Bremsen	brakes	breiks
– Fußbremse	foot brake	fut breik
– Handbremse	hand brake	'hænd breik
– Scheibenbremse	disc brake	disk breik
Bremsflüssigkeit	brake fluid	breik 'fluːid
Bremslichter	brake lights	breik laits
Bremspedal	brake pedal	breik 'pedl
Bremstrommel	brake drum	breik drʌm
Dichtung	sealing, gasket, (Scheibe) washer	'siːliŋ, 'gæskit, 'wɔʃə

Die Batterie *ist leer (muß aufgeladen werden)*.
The battery's *run down (needs charging)*.
ðə 'bætəriz rʌn daun (niːdz 'tʃɑːdʒiŋ)

Die Bremsen sind nicht in Ordnung.
The brakes aren't working properly.
ðə breiks ɑːnt 'wəːkiŋ 'prɔpəli

Sie sind *locker (zu fest)*.
They're *slack (too sharply adjusted)*.
ðeiə slæk (tuː 'ʃɑːpli əˈdʒʌstid)

Die Bremstrommeln werden zu heiß.
The brake drums get too hot.
ðə breik drʌmz get tuː hɔt

Differential	differential	difə'renʃəl
Düse	*(Vergaser)* jet, ...	dʒet,
	(Dieselmotor) nozzle..	'nɔzl
Einspritzpumpe	fuel injector	fjuəl in'dʒektə
Ersatzrad	spare wheel	spɛə wiːl
Ersatzteil	spare part	spɛə pɑːt
Fahrgestell	chassis	'ʃæsi
Feder	spring	spriŋ
Fehlzündung	backfire	'bækfaiə
Fett	grease	griːs
Feuerlöscher	fire-extinguisher	'faiərikstiŋgwiʃə
Freilauf(nabe)	free-wheel (hub)	'friː'wiːl (hʌb)
Frostschutzmittel	anti-freeze (agent)	'ænti'friːz('eidʒənt)
Funke	spark	spɑːk
Gang	gear	giə
– Gang einlegen	to put it into gear	tə put‿it‿'intə giə
– Leerlauf	neutral (gear)	'njuːtrəl (giə)
– Rückwärtsgang	reverse (gear)	ri'vəːs (giə)
Gangschaltung	gear-change	'giətʃeindʒ
Gas	gas	gæs
– Gas geben	to accelerate	tə ək'seləreit
– Gas wegnehmen ...	to release the	tə ri'liːs
	accelerator	ði‿ək'seləreitə
Gaspedal	accelerator	ək'seləreitə
Getriebe	gear-box, ...	'giəbɔks,
	transmission	trænz'miʃən

Der ... Gang springt raus.
It won't stay in ... gear.
it wəunt stei‿in ... giə

Die Gangschaltung muß nachgesehen werden.
The gear-change needs checking.
ðə 'giətʃeindʒ niːdz 'tʃekiŋ

Aus dem Getriebe tropft Öl.
Oil is leaking from the gear-box.
ɔil‿iz 'liːkiŋ frəm ðə 'giəbɔks

Gewinde	thread	θred
Griff	handle	'hændl
Heizung	heating	'hiːtiŋ
Hupe	horn	hɔːn
– Lichthupe	flashing signal	'flæʃiŋ 'signl
Isolierung	insulation	insju'leiʃən
Kabel	cable	'keibl
Kardanwelle	propeller shaft	prə'pelə ʃɑːft
Karosserie	body	'bɔdi
Keilriemen	fan belt	fæn belt
Kette	chain	tʃein
– Schneeketten	(snow) chains	(snəu) tʃeinz
Kilometerzähler	mileage indicator,	'mailidʒ 'indikeitə
	odometer	o'dɔmitə
Kofferraum	boot	buːt
Kolben	piston	'pistən
Kolbenring	piston ring	'pistən riŋ
Kompression	compression	kəm'preʃən
Kondensator	condenser	kən'densə
Kontakt	contact	'kɔntækt
Kontrollampe	control-lamp,	kən'trəullæmp,
	indicator light	'indikeitə lait
Kotflügel	mudguard, wing	'mʌdgɑːd, wiŋ
Kugellager	ball-bearings	'bɔːlbɛəriŋz
Kühler	radiator	'reidieitə
Kühlergrill	radiator grille	'reidieitə gril
Kupplung	clutch	klʌtʃ
Kupplungspedal	clutch pedal	klʌtʃ 'pedl

Die Heizung funktioniert nicht.
The heating isn't working.
ðə 'hiːtiŋ 'iznt 'wəːkiŋ

Aus dem Kühler tropft Wasser.
The radiator's leaking.
ðə 'reidieitəz 'liːkiŋ

Die Kupplung *rutscht durch (trennt nicht)*.
The clutch *slips (won't disengage)*.
ðə klʌtʃ slips (wəunt 'disin'geidʒ)

Kurbelwelle	crankshaft	ˈkræŋkʃɑːft
Kurzschluß	short-circuit	ˈʃɔːtˈsəːkit
Lack(ierung)	paintwork	ˈpeintwəːk
Lampe, Birne	lamp, bulb	læmp, bʌlb
Lager	bearing	ˈbɛəriŋ
Lenkrad	steering-wheel	ˈstiəriŋwiːl
Lenkung	steering	ˈstiəriŋ
Lichtmaschine	dynamo, generator	ˈdainəməu, ˈdʒenəreitə
löten	to solder	tə ˈsɔldə
Luftfilter	air filter	ɛə ˈfiltə
Luftpumpe	air pump	ɛə pʌmp
Motor	engine	ˈendʒin
– Dieselmotor	diesel engine	ˈdiːzəl ˈendʒin
– Heckmotor	rear engine	riər ˈendʒin
– Zweitaktmotor	two-stroke engine	ˈtuːstrəuk ˈendʒin
Nabe	hub	hʌb
Nationalitätszeichen	nationality plate	næʃəˈnæliti pleit
Nockenwelle	camshaft	ˈkæmʃɑːft
Nummernschild	number plate	ˈnʌmbə pleit
Öleinfüllstutzen	oil-filler tube	ˈɔilfilə tjuːb
Ölmeßstab	dip-stick	ˈdipstik
Ölpumpe	oil pump	ɔil pʌmp
Pedal	pedal	ˈpedl
Pleuellager	connecting-rod bearing	kəˈnektiŋrɔd ˈbɛəriŋ
Pleuelstange	connecting rod	kəˈnektiŋ rɔd
Rad	wheel	wiːl

Die Lichtmaschine gibt keinen Strom.
The dynamo isn't charging.
ðə ˈdainəməu ˈiznt ˈtʃɑːdʒiŋ

Der Motor zieht nicht.	**– läuft sich heiß.**
The engine lacks power.	– is overheating.
ðiˍˈendʒin læks ˈpauə	– iz ˍəuvəˈhiːtiŋ

– klopft.	**– setzt plötzlich aus.**	**– stottert.**
– knocks.	– stalls suddenly.	– misses (at speed).
– nɔks	– stɔːlz ˈsʌdnli	– ˈmisiz (ət spiːd)

Radkappe	hub-cap	'hʌbkæp
Reparatur	repair	ri'pɛə
Reservekanister	spare can	spɛə kæn
Rückspiegel	rear-view mirror	'riəvjuː 'mirə
Schalter	switch	switʃ
Schalthebel	gear lever	giə 'liːvə
Scheibenwaschanlage	windscreen washer	'windskriːn 'wɔʃə
Scheibenwischer	windscreen wiper	'windskriːn 'waipə
Scheinwerfer	headlights	'hedlaits
– Abblendlicht	dipped headlights	dipt 'hedlaits
– Fernlicht	full beam	ful biːm
– Schlußlicht	rear light	riə lait
– Standlicht	side (parking) lights	said ('paːkiŋ) laits
Schiebedach	sliding (sun, sunshine) roof	'slaidiŋ (sʌn, 'sʌnʃain) ruːf
Schlauch	tube, pipe	tjuːb, paip
Schraube	screw, bolt	skruː, bəult
– Schraubenmutter	nut	nʌt
Schwimmer	float	fləut
Sicherheitsgurt	safety belt	'seifti belt
Sicherung	fuse	fjuːz
Sitz	seat	siːt
– Rücksitz	back seat	bæk siːt
– Vordersitz	front seat	frʌnt siːt
Speiche	spoke	spəuk
Steuerung	steering	'stiəriŋ
Stoßdämpfer	shock-absorber	'ʃɔkəbzɔːbə

Der Scheibenwischer *schmiert (ist abgebrochen)*.
The windscreen wiper *smears (has broken off)*.
ðə 'windskriːn 'waipə smiəz (həz 'brəukən ͜ɔːf)

Diese Schraube muß *angezogen (gelockert)* werden.
This screw needs *tightening (loosening)*.
ðis skruː niːdz 'taitniŋ ('luːsniŋ)

Die Sicherung ist durchgebrannt.
The fuse has blown.
ðə fjuːz həz bləun

Stoßstange	bumper	'bʌmpə
Tachometer	speedometer	spiː'dɔmitə
Thermostat	thermostat	'θəːməstæt
Türschloß	door-lock	'dɔːlɔk
Unterbrecher	interrupter	intə'rʌptə
Ventil	valve	vælv
Ventilator	fan	fæn
Verdeck	roof, top	ruːf, tɔp
Vergaser	carburettor	'kɑːbjuretə
Verteiler	distributor	dis'tribjuːtə
Wagenschlüssel	car keys	kɑː kiːz
Warndreieck	advance-warning triangle	əd'vɑːnswɔːniŋ 'traiæŋgl
Wasserpumpe	water pump	'wɔːtə pʌmp
Windschutzscheibe	windscreen	'windskriːn
Zündanlage	ignition system	ig'niʃən 'sistim
Zündkabel	ignition cable	ig'niʃən 'keibl
Zündkerze	sparking plug	'spɑːkiŋ plʌg
Zündschloß	ignition lock	ig'niʃən lɔk
Zündschlüssel	ignition key	ig'niʃən kiː
Zündung	ignition	ig'niʃən
Zylinder	cylinder	'silində
Zylinderkopf	cylinder head	'silində hed
Zylinderkopfdichtung	cylinder-head gasket	'silindəhed 'gæskit

Biegen Sie bitte die Stoßstange gerade.
Would you straighten up the bumper, please?
wud ju 'streitn ʌp ðə 'bʌmpə pliːz

Würden Sie bitte den Vergaser *überprüfen (reinigen)*?
Would you *check (clean)* the carburettor, please?
wud ju tʃek (kliːn) ðə 'kɑːbjuretə pliːz

Wechseln Sie bitte die Zündkerzen aus.
Would you change the sparking plugs, please?
wud ju tʃeindʒ ðə 'spɑːkiŋ plʌgz pliːz

Werkzeug

Können Sie mir ... leihen?   **Ich brauche ...**
Could you lend me ... ?   I need ...
kud ju lend mi ...   ai ni:d ...

Bindfaden	string	striŋ
Bohrer	drill, gimlet	dril, 'gimlit
Draht	wire	'waiə
– ein Stück Draht ..	a piece of wire	ə pi:s_əv 'waiə
Feile	file................	fail
Hammer	hammer	'hæmə
Kabel	cable	'keibl
Luftpumpe	air pump	ɛə pʌmp
Meißel	chisel	't∫izl
Prüflampe	test lamp	test læmp
Schmirgelpapier	emery paper	'eməri 'peipə
Schraube	screw, bolt	skru:, bəult
– Schraubenmutter ..	nut	nʌt
Schraubenschlüssel ..	spanner, wrench	'spænə, rent∫
Schraubenzieher	screwdriver	'skru:draivə
Steckschlüssel	box spanner,	bɔks 'spænə,
	box wrench	bɔks rent∫
Trichter	funnel	'fʌnl
Tuch, Lappen	cloth	klɔθ
Wagenheber	jack................	dʒæk
Werkzeug.........	tool	tu:l
Werkzeugkasten	tool *box (kit)*	tu:l bɔks (kit)
Zange	pliers *pl.*, ...	'plaiəz,
	(Kneif-) pincers *pl.*....	'pinsəz

Verkehrshinweise

BOX JUNCTION	**CAR PARK**
Nicht in die Kreuzung einfahren, wenn Ausfahrt nicht frei	**Parkplatz**

CROSSING NO GATES	**CROSS-ROADS**	**DIVERSION**
Unbeschrankter Bahnübergang	**Kreuzung**	**Umleitung**

DRIVE SLOWLY	**DUAL CARRIAGEWAY**	**GET IN LANE**
Langsam fahren	**Zweispurige Fahrbahn**	**Bitte einordnen**

GIVE WAY	**HALT AT MAJOR ROAD AHEAD**
Vorfahrt beachten	**Stop – Vorfahrt beachten**

HOSPITAL	**KEEP CLEAR**	**NO ENTRY**
Krankenhaus	*(Ausfahrt usw.)* **Freihalten**	**Einfahrt verboten**

NO WAITING	**NO RIGHT TURN**	**NO THROUGH ROAD**
Parken verboten	**Rechts abbiegen verboten**	**Keine Durchfahrt**

NO U-TURN	**NO STOPPING THIS SIDE TODAY**
Wenden verboten	**Halteverbot heute auf dieser Straßenseite**

ONE-WAY STREET	**REDUCE SPEED NOW**	**SCHOOL**
Einbahnstraße	**Langsamer fahren**	**Schule**

ROAD NARROWS	**ROAD WORKS**
Straßenverengung	**Straßenarbeiten**

SINGLE FILE TRAFFIC	**SLOW MAJOR ROAD AHEAD**
Einspurige Fahrbahn	**Vorfahrt beachten**

SPEED LIMIT 20MPH
Geschwindigkeitsbegrenzung 20 Meilen (= ca. 30 km) pro Stunde

STOP CHILDREN CROSSING	**SLOW**
Halt – Kinder überqueren die Straße	**Langsam fahren**

WAITING LIMITED TO 20 MINS. IN ANY HOUR
Parkdauer höchstens 20 Minuten (Tag und Nacht)

Die mit A Road *oder* B Road *bezeichneten Straßen ent-sprechen ungefähr unseren Bundesstraßen.* Motorway *ist die Bezeichnung der englischen Autobahn.*

MIT DEM BUS

Wo ist die nächste Bushaltestelle?
Where is the nearest bus stop?
wɛəʳ_iz ðə ˈniərist bʌs stɔp

Wo halten die Busse nach . . . ?
Where do the buses *for (to)* . . . stop?
wɛə du ðə ˈbʌsiz fə (tə) . . . stɔp

Ist das weit?
Is that far?
iz ðæt fɑː

Wann fährt *ein (der erste/letzte)* Bus nach . . . ?
When is *there a (the first, the last)* bus to . . . ?
wen_iz ðɛəʳ_ə (ðə fəːst, ðə lɑːst) bʌs tə . . .

Welcher Bus fährt nach . . . ?
Which bus goes to . . . ?
witʃ bʌs gəuz tə . . .

Wohin fährt der Bus?
Where does the bus go to?
wɛə dəz ðə bʌs gəu tu

Fährt *ein (dieser)* Bus nach . . . ?
Is there a bus (Does this bus go) to . . . ?
iz ðɛəʳ_ə bʌs (dəz ðis bʌs gəu) tə . . .

Wann sind wir in . . . ?
When do we get to . . . ?
wen du wi get tə . . .

Muß ich nach . . . umsteigen?
Do I have to change for . . . ?
du_ai hæv tə tʃeindʒ fə . . .

Wo muß ich umsteigen?
Where do I have to change?
wɛə du_ai hæv tə tʃeindʒ

***Eine (Zwei)* Rückfahrkarte(n) bitte.**
A return (Two returns), please.
ə riˈtəːn (tuː riˈtəːnz) pliːz

Einmal und ein Kind nach . . .
One and a half to . . ., please.
ˈwʌn ənd_ə hɑːf tə . . . pliːz

Bus	bus	bʌs
Endstation	terminus, terminal	ˈtəːminəs, ˈtəːminl
Fahrer	driver	ˈdraivə
Fahrschein	ticket	ˈtikit
Gepäck	luggage	ˈlʌgidʒ
Haltestelle	stop	stɔp
Linie	route	ruːt
Richtung	direction	diˈrekʃən
Schaffner	conductor	kənˈdʌktə
Umsteigefahrschein	transfer (ticket)	trænsˈfəː (ˈtikit)

"Request stop" [riˈkwest stɔp] Bedarfshaltestelle. *Hier hält der Bus nur auf Wunsch (Zeichen) des Fahrgastes.*

MIT DER EISENBAHN

Bahnhof

Wo ist der *Bahnhof (Hauptbahnhof)* ?
Where is the *station (main station)* ?
wɛər‿iz ðə ˈsteiʃən (mein ˈsteiʃən)

Wo ist . . . ?
Where *is (are)* . . . ?
wɛər‿iz (‿ɑː) . . .

das Auskunftsbüro ..	the information office	ðiˈinfəˈmeiʃən ˈɔfis
Bahnsteig 2	platform 2	ˈplætfɔːm tuː
der Fahrkartenschalter	the ticket office	ðə ˈtikit ˈɔfis
ein Fahrplan	a timetable	ə ˈtaimteibl
die Gepäck-	the left-	ðə left-
aufbewahrung	luggage office	ˈlʌgidʒ ˈɔfis
die Gepäckausgabe	the luggage delivery office	ðə ˈlʌgidʒ diˈlivəri ˈɔfis
das Restaurant	the restaurant	ðə ˈrestərɔ̃ːŋ
der Sanitätsraum	the first-aid post	ðə ˈfɑːstˈeid pəust
die Toilette	the lavatories	ðə ˈlævətəriz
der Wartesaal	the waiting room	ðə ˈweitiŋ rum
eine Wechselstube ...	the exchange office ...	ðiˈiksˈtʃeindʒ ˈɔfis
der Zimmernachweis	the accommodation bureau	ðiˈəkɔməˈdeiʃən bjuəˈrəu

Fahrplan

Abfahrt/Ankunft	departure/arrival	diˈpɑːtʃə/əˈraivəl
Anschlußzug	connection	kəˈnekʃən
Autoreisezug	motorail service	ˈməutəreil ˈsəːvis
Eilzug	fast train	fɑːst trein
Fernschnellzug	express (train)	iksˈpres (trein)
Gleis	platform, track	ˈplætfɔːm, træk
Kursbuch	railway guide	ˈreilwei gaid
Kurswagen	through carriage	θruː ˈkæridʒ
Liegewagen	couchettes	kuːˈʃets
Personenzug	slow train	sləu trein
Schlafwagen	sleeping car, sleeper ...	ˈsliːpiŋ kɑː, sliːpə
Schnellzug, D-Zug ..	express (train)	iksˈpres (trein)
Speisewagen	*dining (restaurant)* car	ˈdainiŋ (ˈrestərɔ̃ːŋ)
Triebwagen	rail car	reil kɑː [kɑː
Vorortzug	suburban train	səˈbəːbən trein

zuschlagpflichtig .... supplementary fares   sʌpli'mentəri fɛəz
              payable .... 'peiəbl

Auskunft

Wann fährt ein *Personenzug (Schnellzug)* nach ... ?
When is there *a slow train (an express)* to ... ?
wen_iz ðɛər_ə sləu trein (ən_iks'pres) tə ...

Wo ist der Zug nach ... ?   **Ist das der Zug nach... ?**
Where is *the train to ... (the ... train)?*   Is this the train to ... ?
wɛər_iz ðə trein tə ... (ðə ... trein)   iz ðis ðə trein tə ...

Fährt dieser Zug über ... ?   **Hält dieser Zug in ... ?**
Does this train go via ... ?   Does this train stop at ... ?
dʌz ðis trein gəu 'vaiə ...   dʌz ðis trein stɔp_ət ...

Hat der Zug aus ... Verspätung?   **Wieviel?**
Is *the train from ... (the ... train)* late? How many minutes?
iz ðə trein frəm ... (ðə ... trein) leit   hau 'meni 'minits

Haben wir Anschluß nach ... ? Wann ist er in ... ?
Is there a connection for ... ? When does it get to ... ?
iz ðɛər_ə kə'nekʃən fə ...   wen dʌz_it get tə ...

Müssen wir umsteigen?   **Wo?**
Do we have to change?   Where?
du wi hæv tə tʃeindʒ   wɛə

Hat der Zug einen *Speisewagen (Schlafwagen)?*
Is there a dining car (Are there sleepers) on the train?
iz ðɛər_ə 'dainiŋ kɑːr (ɑː ðɛə 'sliːpəz) _ɔn ðə trein

Kann ich die Fahrt in ... unterbrechen?
Can I break my journey in ... ?
kæn_ai breik mai 'dʒɜːni in ...

Auf welchem Bahnsteig kommt der Zug aus ... an?
What platform does the train from ... arrive at?
wɔt 'plætfɔːm dʌz ðə trein frəm ... ə'raiv_ət

Von welchem Bahnsteig fährt der Zug nach ... ab?
What platform does the train to ... leave from?
wɔt 'plætfɔːm dʌz ðə trein tə ... liːv frəm

Fahrkarten

Bitte *eine Karte (zweimal und zwei Kinder)* nach ...
A single (Two and two halves) to ..., please.
ə 'siŋgl (tuː‿ənd tuː haːvz) tə ... pliːz

– hin und zurück.	– einfach.	– erster Klasse.	– zweiter Klasse.
– return.	– single.	– 1st class.	– 2nd class.
– ri'təːn	– 'siŋgl	– fəːst klɑːs	– 'sekənd klɑːs

Ich möchte eine Platzkarte für den 12-Uhr-Zug nach ...
I want *to book a seat on (a seat reservation for)* the 12 o'clock train
to ...
ai wɔnt tə buk‿ə siːt‿ɔn (ə siːt rezə'veiʃən fɔ) ðə twelv‿ə'klɔktrein
tə ...

Wie lange ist die Karte gültig?
How long is the ticket valid (for)?
hau lɔŋ‿iz ðə 'tikit 'vælid (fɔ)

Ich möchte die Fahrt in ... unterbrechen.
I'd like to break my journey in ...
aid laik tə breik mai 'dʒəːni in ...

Ich möchte ... vorbestellen.   **Reservieren Sie bitte 2 Plätze.**
I'd like to book ...   Would you book two seats, please?
aid laik tə buk ...   wud ju buk tuː siːts pliːz

Was kostet die Fahrt nach ... ?
How much is a ticket to ... ?
hau mʌtʃ‿iz‿ə 'tikit tə ...

Bahnsteigkarte	platform ticket	'plætfɔːm 'tikit
Fahrkarte	ticket	'tikit
– einfache Fahrkarte	single	'siŋgl
– ermäßigte Fahrkarte	cheap ticket	tʃiːp 'tikit
Tagesrückfahrkarte	day return	dei ri'təːn
Fahrpreis	price	prais
Kinderfahrkarte(n) ..	half (halves)	hɑːf (hɑːvz)
Platzkarte	seat reservation	siːt rezə'veiʃən
Rückfahrkarte	return (ticket)	ri'təːn ('tikit)
Sammelfahrschein ...	party ticket	'pɑːti 'tikit
Schlafwagenkarte ...	sleeper reservation	'sliːpə rezə'veiʃən
Zuschlagkarte	supplementary ticket ..	sʌpli'mentəri 'tikit

Gepäck

Ich möchte ...	**– dieses Gepäck nach ... aufgeben.**
I'd like to ...	– register this luggage through to ...
aid laik tə ...	– 'redʒistə ðis 'lʌgidʒ θruː tə ...

– dieses Gepäck hierlassen.
– leave this luggage here.
– liːv ðis 'lʌgidʒ hiə

– mein Gepäck *versichern (abholen)*.
– *insure (collect)* my luggage
– in'ʃuə (kə'lekt) mai 'lʌgidʒ

Hier ist der Gepäckschein.
Here is the left-luggage *ticket (receipt, slip)*.
hiər iz ðə 'left 'lʌgidʒ 'tikit (ri'siːt, slip)

Es sind zwei Koffer und eine Tasche.
There are two cases and a (travelling) bag.
ðɛər ɑ tuː 'keisiz ənd ə ('trævliŋ) bæg

Geht das Gepäck mit demselben Zug ab?	**Wann ist es in ...?**
Does the luggage travel by the same train?	When will it get to ...?
dʌz ðə 'lʌgidʒ 'trævl bai ðə seim trein	wen wil it get tə ...

Das sind nicht meine Sachen.	**Es fehlt ein Koffer.**
These aren't mine.	A case is missing.
ðiːz ɑːnt main	ə keis iz 'misiŋ

Gepäck	luggage, baggage	'lʌgidʒ, 'bægidʒ
Gepäckabfertigung ..	*(Ausland)* registered-luggage office, *(Inland)* luggage in advance....	'redʒistəd 'lʌgidʒ 'ɔfis, 'lʌgidʒ in əd'vɑːns
Gepäckannahme	left-luggage deposits ..	'left 'lʌgidʒ di'pɔzits
Gepäckaufbewahrung	left-luggage office	'left 'lʌgidʒ 'ɔfis
Gepäckausgabe	left-luggage withdrawals..........	'left 'lʌgidʒ wið'drɔːəlz
Gepäckschein.......	left-luggage *ticket (receipt, slip)*	'left 'lʌgidʒ 'ɔfis 'left 'lʌgidʒ
Schließfach	luggage locker.......	'lʌgidʒ 'lɔkə
Handgepäck........	hand luggage........	hænd 'lʌgidʒ
Koffer	case.................	keis
(Reise)Tasche	(travelling) bag	('trævliŋ) bæg

Gepäckträger

Gepäckträger....... porter............. ˈpɔːtə

Dieses Gepäck (Diesen Koffer) bitte ...
This *luggage (case)*, please ...
ðis ˈlʌgidʒ (keis) pliːz ...

– zum Zug nach ...	– zum Bahnsteig 2.
– to the ... train.	– to platform 2.
– tə ðə ... trein	– tə ˈplætfɔːm 2
– zur Aufbewahrung.	– zum Ausgang.
– to the left-luggage office.	– to the exit.
– tə ðə ˈleftˈlʌgidʒ ˈɔfis	– tə ðiˏˈeksit
– zum Taxi.	– zum Bus nach ...
– to the taxis.	– to the ... bus.
– tə ðə ˈtæksiz	– tə ðə ... bʌs

Wieviel bekommen Sie?
How much?
hau mʌtʃ

Auf dem Bahnsteig

Ist das der Zug *nach (aus)* ... ?
Is this the train *to (from)* ... ?
iz ðis ðə trein tə (frəm) ...

Wo ist...?
Where *is (are)* ... ?
wɛərˏiz (ˏɑː) ...

– die erste Klasse?	– der Kurswagen nach ... ?
– the 1st class?	– the through carriage to ... ?
– ðə fəːst klɑːs	– ðə θruː ˈkæridʒ tə ...

– der Liegewagen?	– der Schlafwagen?	– der Speisewagen?
– the couchettes?	– the sleepers?	– the dining car?
– ðə kuːˈʃets	– ðə ˈsliːpəz	– ðə ˈdainiŋ kɑː

– der Gepäckwagen?	– Wagen Nr. ... ?
– the luggage van?	– carriage no. ... ?
– ðɔ ˈlʌgidʒ væn	– ˈkæridʒ ˈnʌmbə ...

Dort.	**Vorn.**	**In der Mitte.**
There.	At the front (*portion*).	In the middle (*portion*).
ðɛə	ət ðə frʌnt (ˈpɔːʃən)	in ðə ˈmidl (ˈpɔːʃən)

Am Ende.
At the rear (*portion*).
ət ðə riə (ˈpɔːʃən)

Wann kommt der Zug an?
When does the train get in?
wen dəz ðə trein get in

STATION SUPERINTENDENT		INFORMATION
Aufsicht		**Auskunft**

EXIT	TO THE TRAINS	REFRESHMENTS
Ausgang	**Zu den Bahnsteigen**	**Erfrischungen**

LEFT-LUGGAGE DEPOSITS	PLATFORM
Gepäckannahme	**Gleis**

FIRST-AID POST	DRINKING WATER
Sanitätsstelle	**Trinkwasser**

LAVATORIES	GENTLEMEN	LADIES
Toiletten	**Herren**	**Damen**

BRIDGE	WAITING ROOM	SUBWAY
Übergang	**Wartesaal**	**Unterführung**

Im Zug

Ist dieser Platz frei?
Is this seat taken?
iz ðis siːt ˈteikən

Das ist mein Platz.
That's my seat.
ðæts mai siːt

Darf ich das Fenster *öffnen (schließen)*?
May I *open (shut)* the window?
mei ai ˈəupən (ʃʌt) ðə ˈwindəu

Gestatten Sie?
(beim Vorbeigehen) Excuse me. *(sonst)* May I?
iksˈkjuːz mi   mei ai

Können Sie mir bitte helfen?
Could you help me, please?
kud ju help mi pliːz

Können wir die Plätze tauschen?
Could we change places?
kud wi tʃeindʒ ˈpleisiz

Ich kann nicht rückwärts fahren.
I can't travel with my back to the engine.
ai kɑːnt ˈtrævl wið mai bæk tə ðiˈendʒin

*Die Fahrkarten, bitte!
Tickets, please!
ˈtikits pliːz

Ich möchte *zuzahlen (nachlösen)*.
I'd like to *pay the excess fare (take a supplementary ticket, pay now)*.
aid laik tə pei ðiˈikˈses fɛə (teik ə sʌpliˈmentəri ˈtikit, pei nau)

Wie viele Stationen sind es noch bis ...?
How many stops are there before we get to ...?
hau ˈmeni stɔps ɑː ðɛə biˈfɔː wi get tə ...

Sind wir pünktlich in ...?
Are we going to be in ... on time?
ɑː wi ˈgəuiŋ tə biˈin ... ɔn taim

Wo sind wir jetzt?
Where are we now?
wɛər ɑː wi nau

Wie lange haben wir Aufenthalt?
How long do we stop for?
hau lɔŋ duː wi stɔp fɔ

Erreiche ich den Zug nach ...?
Am I going to be in time to get the train to ...?
æmˈai ˈgəuiŋ tə biˈin taim tə get ðə trein tə ...

*Umsteigen, bitte!
All change, please!
ɔːl tʃeindʒ pliːz

*Reisende nach ... in ... umsteigen!
Passengers for .. change at ...!
ˈpæsindʒəz fə ... tʃeindʒ ət ...

*Kurswagen nach ... *im vorderen Teil (am Ende) des Zuges.*
Passengers for ... in the *front (rear)* of the train.
ˈpæsindʒəz fə ... in ðə frʌnt (riər) əv ðə trein

NON-SMOKER	SMOKER	EMERGENCY BRAKE
Nichtraucher	Raucher	Notbremse

RESTAURANT CAR	SLEEPING CAR
Speisewagen	Schlafwagen

LAVATORY	VACANT	ENGAGED
Toilette	Frei	Besetzt

abfahren	to leave	tə liːv
Abfahrt	departure	diˈpɑːtʃə
Abteil	compartment	kəmˈpɑːtmənt
ankommen	to arrive	tu̯ əˈraiv
Ankunft	arrival	əˈraivəl
Anschluß	connection	kəˈnekʃən
Aufenthalt	stop	stɔp
Ausgang	exit, way out	ˈeksit, wei̯ aut
Auskunft	information	infəˈmeiʃən
aussteigen	to get out, to alight . .	tə get aut, tu̯ əˈlait
Bahnhof	station	ˈsteiʃən
Bahnhofsvorsteher . .	station-master	ˈsteiʃənmɑːstə
Bahnsteig	platform	ˈplætfɔːm
Eingang	entrance	ˈentrəns
einsteigen	to get in	tə get in
Eisenbahn	railway	ˈreilwei
Ermäßigung	reduction	riˈdʌkʃən
Fahrgast	passenger	ˈpæsindʒə
Fahrkarte	ticket	ˈtikit
Fahrpreis	fare	fɛə
Fensterplatz	window seat	ˈwindəu siːt
Gepäck	luggage	ˈlʌgidʒ
Gepäcknetz	luggage rack	ˈlʌgidʒ ræk
Gepäckwagen	luggage van	ˈlʌgidʒ væn
Gleis	platform, track	ˈplætfɔːm, træk
Güterbahnhof	goods station	gudz ˈsteiʃən
Heizung	heating	ˈhiːtiŋ
– kalt	cold	kəuld
– warm	hot	hɔt
Kursbuch	railway guide	ˈreilwei gaid
Lokomotive	engine	ˈendʒin
Schaffner	guard	gɑːd
Sperre	barrier	ˈbæriə
Strecke	route	ruːt
umsteigen	to change	tə tʃeindʒ
Wagen, Waggon . . .	carriage	ˈkæridʒ
Wagentür	carriage door	ˈkæridʒ dɔː
Zug	train	trein
Zugführer	(chief) guard	(tʃiːf) gɑːd

MIT DEM FLUGZEUG

Auskunft und Buchung

Gibt es eine (direkte) Flugverbindung nach ... ?
Are there (direct) flights to ... ?
ɑː ðɛə (diˈrekt) flaits tə ...

Wann fliegt *heute (morgen)* ein Flugzeug nach ... ?
When is there a flight to ... *today (tomorrow)?*
wen_iz ðɛər_ə flait tə ... təˈdei (təˈmɔrəu)

Wann fliegt die nächste Maschine nach ... ?
When is the next plane to ... ?
wen_iz ðə nekst plein tə ...

Landet die Maschine in ... zwischen?
Is there a stopover in ...?
iz ðɛər_ə ˈstɔpəuvə in ...

Habe ich Anschluß nach ... ?
Is there a connecting flight to ... ?
iz ðɛər_ə kəˈnektiŋ flait tə ...

Wann sind wir in ... ?	**Sind noch Plätze frei?**
When do we get to ... ?	Are there still seats available?
wen du wi get tə ...	ɑː ðɛə stil siːts_əˈveiləbl

Wieviel kostet ein Flug nach ... (und zurück)?
How much is the (return) flight to ... ?
hau mʌtʃ_iz ðə (riˈtəːn) flait tə ...

Wieviel Gepäck ist frei?
What's the free *luggage (baggage)* allowance?
wɔts ðə friː ˈlʌgidʒ_(ˈbægidʒ)_əˈlauəns

Was kostet das Übergepäck?
What does excess *luggage (baggage)* cost?
wɔt dəz_ikˈses ˈlʌgidʒ (ˈbægidʒ) kɔst

Wie hoch ist die Flughafengebühr?
How much is the airport tax?
hau mʌtʃ_iz ði_ˈɛəpɔːt tæks

Wie komme ich zum Flughafen?	**Wann muß ich dort sein?**
How do I get to the airport?	When do I have to check in?
hau du_ai get tə ði_ˈɛəpɔːt	wen du_ai hæv tə tʃek_in

Bitte für Freitag einen Flug nach …
I'd like to book a seat on the Friday flight to …
aid laik tə buk_ə si:t_on ðə 'fraidi flait tə …

Bitte für den 8. Mai einen Hin- und Rückflug nach …
I'd like to book a return flight to … on May 8th.
aid laik tə buk_ə ri'tə:n flait tə … on ði_eitθ_əv mei

– 1. Klasse.	**– Economy-Klasse.**
– 1st class.	– *Tourist (Economy)* class.
– fə:st klɑːs	– 'tuərist (i:'kɔnəmi) klɑːs

Wie lange ist der Flugschein gültig?
How long is the ticket valid (for)?
hau lɔŋ_iz ðə 'tikit 'vælid (fɔ)

Ich muß diesen Flug *annullieren (umbuchen)*.
I have to *cancel my flight (change my booking)*.
ai hæv tə 'kænsəl mai flait (tʃeindʒ mai 'bukiŋ)

Wie hoch ist die Annullierungsgebühr?
How much is the cancellation fee?
hau mʌtʃ_iz ðə kænsə'leiʃən fiː

Auf dem Flughafen

Kann ich das als Handgepäck mitnehmen?
Can I take this as hand luggage?
kæn_ai teik ðis_əz hænd 'lʌgidʒ

Wo ist *der Warteraum (Ausgang B)*?
Where is *the waiting room (Exit B)*?
wɛər_iz ðə 'weitiŋ rum ('eksit biː)

Wo ist der Informationsschalter?
Where is the information desk?
wɛər_iz ði_infə'meiʃən desk

Wo gibt es hier zollfreie Waren?
Where can one buy duty-free goods?
wɛə kæn wʌn bai 'djuːtiːfriː gudz

Was muß ich zahlen?
How much do I have to pay?
hau mʌtʃ du_ai hæv tə pei

Hat die Maschine nach ... Verspätung?
Is the plane to ... late?
iz ðə plein tə ... leit

Ist die Maschine aus ... schon gelandet?
Has the plane from ... already landed?
hæz ðə plein frəm ... ɔːlˈredi ˈlændid

Im Flugzeug

*Bitte das Rauchen einstellen!
Would you stop smoking, please!
wud ju stɔp ˈsməukiŋ pliːz

* Anschnallen, bitte!
Fasten your seat belts, please.
ˈfɑːsn jɔː siːt belts pliːz

Wie hoch fliegen wir?
What altitude are we flying at?
wɔt ˈæltitjuːd ɑ wi ˈflaiiŋ‿æt

Wo sind wir jetzt?
Where are we now?
wɛər‿ɑː wi nau

Was ist das für ein *Gebirge (Fluß)*?
Which *mountains are those (river is that)*?
witʃ ˈmauntinz‿ɑː ðəuz (ˈrivər‿iz ðæt)

Kann ich ... haben?
Can I have ...?
kæn‿ai hæv ...

Mir ist schlecht.
I feel sick.
ai fiːl sik

Haben Sie ein Mittel gegen Luftkrankheit?
Have you got anything for air-sickness?
hæv ju gɔt ˈeniθiŋ fər‿ˈɛəsiknis

Wann landen wir?
When do we land?
wen du wi lænd

Wie ist das Wetter in ...?
What's the weather like in...?
wɔts ðə ˈweðə laik‿in ...

Abflug.............	take-off	ˈteikɔf
Anflug.............	approach	əˈprəutʃ
Ankunft	arrival	əˈraivəl
anschnallen	to fasten seat belts ...	tə ˈfɑːsn siːt belts
Anschnallgurt	seat belt	siːt belt
aufsteigen	to climb	tə klaim
Auskunft	information	infəˈmeiʃən
Ausgang	exit	ˈeksit
Besatzung.........	crew	kruː
Buchung	booking	ˈbukiŋ
Chartermaschine ...	charter plane	ˈtʃɑːtə plein
Düsenflugzeug	jet (plane)	dʒet (plein)

Fahrwerk	under-carriage	ˈʌndəkærɪdʒ
fliegen	to fly	tə flaɪ
Flug	flight	flaɪt
Fluggast	passenger	ˈpæsɪndʒə
Fluggesellschaft	airline	ˈɛəlaɪn
Flughafen	airport	ˈɛəpɔːt
Flughafengebühr ...	airport tax	ˈɛəpɔːt tæks
Flugplan	(air-service) timetable	(ˈɛəsɜːvɪs)ˈtaɪmteɪbl
Flugschein	ticket	ˈtɪkɪt
Flugstrecke	route ··············	ruːt
Flugzeit	flying time	ˈflaɪɪŋ taɪm
Flugzeug	plane, aircraft ····	pleɪn, ˈɛəkrɑːft
Flugzeugführer	pilot ··············	ˈpaɪlət
Frischluftdüse	air-bleed control ·····	ˈɛəbliːd kənˈtrəul
Gewitter	(thunder)storm ······	(ˈθʌndə)stɔːm
Handgepäck	hand luggage ········	hænd ˈlʌgɪdʒ
Hubschrauber	helicopter ··········	ˈhelɪkɔptə
Informationsschalter	information desk ·····	ɪnfəˈmeɪʃən desk
landen	to land ·············	tə lænd
Landung	landing ·············	ˈlændɪŋ
Linienflug	scheduled flight ·····	ˈʃedjuːld flaɪt
Luftkrankheit	air-sickness ·········	ɛəˈsɪknɪs
Nebel	fog ················	fɔg
Notausgang	emergency exit ······	ɪˈmɜːdʒənsi ˈeksɪt
Notlandung	emergency landing ···	ɪˈmɜːdʒənsi ˈlændɪŋ
Notrutsche	emergency chute ·····	ɪˈmɜːdʒənsi ʃuːt
Rückflug	return flight ·······	rɪˈtɜːn flaɪt
Schwimmweste	life-jacket ·········	ˈlaɪfdʒækɪt
Start	take-off ···········	ˈteɪkɔf
starten	to take off ·········	tə teɪk ɔf
Stewardeß	stewardess ·········	ˈstjuədɪs
Triebwerk	engine ·············	ˈendʒɪn
Übergepäck	excess *luggage*	ɪkˈses ˈlʌgɪdʒ
	(baggage)	(ˈbægɪdʒ)
Warteraum	waiting room ·······	ˈweɪtɪŋ rum
Wetter	weather ············	ˈweðə
Zielflughafen	destination ·········	destɪˈneɪʃən
zollfreie Waren	duty-free goods ·····	ˈdjuːtiˈfriː gudz
Zwischenlandung ...	stopover ···········	ˈstɔpəuvə

MIT DEM SCHIFF

Auskunft, Schiffskarten

Wann fährt *ein Schiff (die Fähre)* nach ... ab?
When does *a boat (the ferry)* leave for ... ?
wen dəz_ə bəut (ðə 'feri) li:v fə ...

Wo?
Where?
wɛə

Wie oft geht die Autofähre nach ... ?
How often does the car ferry to ... run?·
hau_'ɔfn dʌz ðə kɑ: 'feri tə ... rʌn

Wie lange dauert die Überfahrt (von ...) nach ... ?
How long does the crossing (from ...) to ... take?
hau lɔŋ dʌz ðə 'krɔsiŋ (frəm ...) tə ... teik

Wie weit ist der Bahnhof vom Hafen entfernt?
How far is the station from the harbour?
hau fɑ:r_iz ðə 'steiʃən frəm ðə 'hɑ:bə

Welche Häfen werden angelaufen?
What ports do we call at?
wɔt pɔ:ts du wi kɔ:l_æt

Wann legen wir in ... an?
When do we *dock (land)* at ... ?
wen du wi dɔk_ (lænd)_ət ...

Habe ich Anschluß nach ... ?
Is there a connection to ... ?
iz ðɛər_ə kə'nekʃən tə ...

Kann man in ... an Land gehen?
Can one go ashore at ... ?
kæn wʌn gəu_ə'ʃɔ:r_ət ...

Wie lange?
For how long?
fɔ hau lɔŋ

Werden Landausflüge veranstaltet?
Will there be any excursions?
wil ðɛə bi_'eni_iks'kə:ʃənz

Wann müssen wir an Bord sein?
When do we have to be on board?
wen du wi hæv tə bi_ɔn bɔ:d

Wo bekommt man die Karten?
Where can one get tickets?
wɛə kæn wʌn get 'tikits

Ich möchte ...   – einen Schiffsplatz nach ...
I'd like ...   – a passage to ...
aid laik ...   – ə ˈpæsidʒ tə ...

– für morgen zwei Plätze auf der ... nach ...
– two tickets for tomorrow on the ... to ...
– tuː ˈtikits fə təˈmɔrəu ˌɔn ðə ... tə ...

– eine Rundreisekarte von ... nach ... und zurück.
– a ticket for a round trip from ... to ... and back.
– ə ˈtikit fər ə raund trip frəm ... tə ... ənd bæk

– einen Beförderungsschein für ein _Auto (Motorrad, Fahrrad)_.
– a ticket for a _car (motor cycle, bicycle)_.
– ə ˈtikit fər ə kɑː (ˈməutə ˈsaikl, ˈbaisikl)

– eine Einzelkabine.   **– eine _Außen- (Innen-)_Kabine.**
– a single cabin.   – an _outside (inside)_ cabin.
– ə ˈsiŋgl ˈkæbin   – ən ˌautˈsaid (ˈinˈsaid) ˈkæbin

– eine Zweibettkabine.   **1.Klasse.**   **Touristenklasse.**
– a double cabin.   1st class.   Tourist class.
– ə ˈdʌbl ˈkæbin   fəːst klɑːs   ˈtuərist klɑːs

Im Hafen

Wo liegt die „...“?   **Wo legt die „...“ an?**
Where is the "..." lying?   Where does the "..." dock?
wɛər iz ðə ... ˈlaiiŋ   wɛə dəz ðə ... dɔk

Fährt dieses Schiff nach ...?   **Wann legt es ab?**
Is this ship going to ...?   When does it sail?
iz ðis ʃip ˈgəuiŋ tə ...   wen dəz it seil

Wo ist die _Reederei (Hafenpolizei, Zollverwaltung)_?
Where are the _shipping company's (harbour police's, customs
authorities')_ offices?
wɛər iz ðə ˈʃipiŋ kʌmpəniz (ˈhɑːbə pəˈliːsiz, ˈkʌstəmz ɔːˈθɔritiz)
ˈɔfisiz

Wo erhalte ich mein Gepäck?
Where do I get my luggage?
wɛə du ai get mai ˈlʌgidʒ

Ich komme von der „...“.
I come from the "...".
ai kʌm frəm ðə ...

An Bord

Ich suche Kabine Nr. . . .	**Wo ist mein Gepäck?**
I'm looking for no. . . . cabin.	Where is my luggage?
aim ˈlukiŋ fə ˈnʌmbə . . . ˈkæbin	wɛər‿iz mai ˈlʌgidʒ

Haben Sie . . . an Bord?	**Bitte, wo ist . . .**
Have you got . . . on board?	Where is . . ., please?
hæv ju gɔt . . . ɔn bɔːd	wɛər‿iz . . . pliːz

der Aufenthaltsraum	the lounge	ðə laundʒ
die Bar	the bar	ðə bɑː
der Bordfotograf . . .	the ship's photographer	ðə ʃips fəˈtɔgrəfə
der Friseursalon	the hairdresser's	ðə ˈhɛədresəz
der Funkraum	the wireless room	ðə ˈwaiəlis rum
der Leseraum	the reading room	ðə ˈriːdiŋ rum
die Reiseleitung	the courier's office	ðə ˈkuːriəz ˈɔfis
das Schiffshospital . .	the sick bay	ðə sik bei
der Speisesaal	the dining-room	ðə ˈdainiŋrum
der Swimmingpool . .	the swimming-pool . . .	ðə ˈswimiŋpuːl
der Tanzsaal	the ball-room	ðə ˈbɔːlrum
das Zahlmeisterbüro	the purser's office	ðə ˈpəːsəz ˈɔfis

Ich möchte den . . . sprechen.
I want to speak to the . . .
ai wɔnt tə spiːk tə ðə . . .

– Deckoffizier	warrant officer	ˈwɔrənt ˈɔfisə
– Gepäckoffizier	officer in charge	ˈɔfisər‿in tʃɑːdʒ
	of the luggage	əv ðə ˈlʌgidʒ
– Kapitän	captain	ˈkæptin
– Obersteward	chief steward	tʃiːf stjuəd
– Schiffsarzt	ship's doctor	ʃips ˈdɔktə
– Reiseleiter	courier	ˈkuːriə
– Zahlmeister	purser	ˈpəːsə

Steward, bringen Sie mir bitte ...
Steward, would you bring me ..., please.
stjuəd wud ju briŋ mi ... pliːz

Rufen Sie bitte den Schiffsarzt!
Fetch the ship's doctor, please!
fetʃ ðə ʃips 'dɔktə pliːz

Haben Sie ein Mittel gegen Seekrankheit?
Have you got anything for seasickness?
hæv ju gɔt 'eniθiŋ fə 'siːsiknis

Welche Stromspannung ist hier?
What's the voltage here?
wɔts ðə 'vəultidʒ hiə

Abschiedsessen	farewell dinner	'fɛə'wel 'dinə
Anker	anchor	'æŋkə
anlaufen	to call at	tə kɔːl ᵊət
anlegen	to *dock (land)*	tə dɔk (lænd)
Anlegeplatz	landing place, dock ...	'lændiŋ pleis, dɔk
Anlegesteg	landing stage	'lændiŋ steidʒ
ausbooten	to disembark	tə 'disim'baːk
Ausflugsprogramm ..	programme of excursions	'prəugræm ᵊəv iks'kəːʃənz
auslaufen	to sail............	tə seil
Backbord	port	pɔːt
Boje	buoy	bɔi
Boot	boat	bəut
– Barkasse	launch	lɔːntʃ
– Fischerboot	fishing boat	'fiʃiŋ bəut
– Motorboot	motor boat	'məutə bəut
– Rettungsboot	lifeboat...........	'laifbəut
– Segelboot	sailing boat	'seiliŋ bəut
Bord	board	bɔːd
Bordfest	party on board ship...	'paːti ᵊɔn bɔːd ʃip
Brise	breeze	briːz
Bug	bow	bau
Dampfer	steamer	'stiːmə

Deck	deck	dek
– Bootsdeck	boat deck	bəut dek
– Hauptdeck	main deck	mein dek
– Oberdeck	upper deck	'ʌpə dek
– Promenadendeck	promenade deck	'prɔminɑ:d dek
– Salondeck	saloon deck	sə'lu:n dek
– Sonnendeck	sun deck	sʌn dek
– Vordeck	fore-deck	'fɔ:dek
– Zwischendeck	steerage	'stiəridʒ
Decksplatz	place on deck	pleis ͜ ɔn dek
Deckstuhl	deckchair	'dektʃɛə
Fähre	ferry	'feri
– Autofähre	car ferry	kɑ: 'feri
– Eisenbahnfähre	train ferry	trein 'feri
Flagge	flag	flæg
Hafen	harbour	'hɑ:bə
Hafengebühr	harbour dues	'hɑ:bə dju:z
Hafenpolizei	harbour police	'hɑ:bə pə'li:s
Heck	stern	stə:n
Insel	island	'ailənd
Jacht	yacht	jɔt
Kabine	cabin	'kæbin
Kai	quay	ki:
Kajüte	cabin	'kæbin
Kanal	canal	kə'næl
Ärmelkanal	English Channel	'iŋgliʃ 'tʃænl
Kapitän	captain	'kæptin
Kinderspielzimmer	children's playroom	'tʃildrənz 'pleirum
Klimaanlage	air-conditioning	'ɛəkəndiʃniŋ
Knoten	knot	nɔt
Kommandobrücke	bridge	bridʒ
Kreuzfahrt	cruise	kru:z
Kurs	course	kɔ:s
Küste	coast	kəust
Landausflug	excursion	iks'kə:ʃən
Landungsbrücke	landing stage	'lændiŋ steidʒ
Lastkahn	barge	bɑ:dʒ
Leuchtturm	lighthouse	'laithaus
Liegestuhl	deckchair	'dektʃɛə
Mannschaft	crew	kru:
Mast	mast	mɑ:st

Matrose	sailor	'seilə
Mole	pier, jetty, mole	piə, 'dʒeti, məul
1. Offizier	1st officer............	fəːst 'ɔfisə
Passagier	passenger	'pæsindʒə
Reederei	shipping company	'ʃipiŋ 'kʌmpəni
Reling	railing..............	'reiliŋ
Rettungsring	life-belt.............	'laifbelt
Ruder	rudder	'rʌdə
Schiff	ship.................	ʃip
– Frachtschiff.......	freighter	'freitə
– Kriegsschiff	warship	'wɔːʃip
– Passagierschiff	passenger ship........	'pæsindʒə ʃip
Schiffsagentur	shipping agency	'ʃipiŋ 'eidʒənsi
Schiffsarzt	ship's doctor	ʃips 'dɔktə
Schiffsreise.........	voyage	'vɔiidʒ
Schlepper	tug	tʌg
Schwimmweste	life-jacket	'laifdʒækit
See, Meer	sea	siː
– auf hoher See	on the high seas	ɔn ðə hai siːz
Seegang *(hoher)*	rough sea............	rʌf siː
seekrank	seasick	'siːsik
Seekrankheit	seasickness..........	'siːsiknis
Seil, Tau	rope, cable..........	rəup, 'keibl
Steuer	helm	helm
Steuerbord	starboard............	'stɑːbɔːd
Steuermann	helmsman	'helmzmən
Steward	steward	stjuəd
Touristenklasse	tourist class..........	'tuərist klɑːs
Überfahrt	crossing	'krɔsiŋ
Ufer	*(Meer)* shore, ...	ʃɔː,
	(Fluß) bank	bæŋk
Welle	wave	weiv
Wolldecke	rug, *(Bettdecke)* blanket	rʌg, 'blæŋkit

AN DER GRENZE

Paßkontrolle

Wann sind wir an der Grenze?
When do we reach the border?
wen du wi ri:tʃ ðə 'bɔ:də

*Ihre Papiere, bitte!
Your (travel) documents, please!
jɔː ('trævl) 'dɔkjuments pli:z

*Ihren Paß, bitte!
Passports, please!
'pɑːspɔ:ts pli:z

Hier, bitte.
Here, please!
hiə pli:z

Ich bleibe *eine Woche (drei Wochen, bis zum ...).*
I'm staying *for a week (for three weeks, until ...).*
aim 'steiiŋ fər ə wi:k (fə θri: wi:ks, ən'til ...)

Ich bin auf *Geschäftsreise (Urlaubsreise)* hier.
I'm *here on business (on holiday here).*
aim hiər ɔn 'biznis (ɔn 'hɔlədi hiə)

Ich besuche *(Wir besuchen)* ...
I'm *(We're)* visiting ...
aim (wiə) 'vizitiŋ ...

Ich habe keinen Impfschein.
I haven't got a vaccination certificate.
ai 'hævnt gɔt ə væksi'neiʃən sə'tifikit

Was soll ich tun?
What do I have to do?
wɔt du ai hæv tə du:

Ich bin (nicht) gegen *Pocken (Cholera)* geimpft.
I *have (haven't)* been *vaccinated against smallpox (inoculated against cholera).*
ai hæv ('hævnt) bin 'væksineitid ə'genst 'smɔ:lpɔks (i'nɔkjuleitid ə'genst 'kɔlərə)

Muß ich das Formular ausfüllen?
Do I have to fill in the form?
du ai hæv tə fil' in ðə fɔ:m

Ich gehöre zu der Reisegruppe von ...
I belong to the ... party.
ai bi'lɔŋ tə ðə ... 'pɑ:ti

Die Kinder sind in meinem Paß eingetragen.
The children are entered in my passport.
ðə 'tʃildrən ɑ:r 'entəd in mai 'pɑ:spɔ:t

Kann ich das Visum hier bekommen?
Can I get the visa here?
kæn ai get ðə 'vi:zə hiə

Kann ich mit meinem Konsulat telefonieren?
Can I phone my consulate?
kæn ai fəun mai 'kɔnsjulit

Ausreise	departure (from the country)	di'pɑːtʃə (frəm ðə 'kʌntri)
Ausreisevisum	exit visa	'eksit 'viːzə
Ausweis	identity card	ai'dentiti kɑːd
Beruf	profession	prə'feʃən
Besondere Kennzeichen	distinguishing marks	dis'tiŋgwiʃiŋ mɑːks
Bestimmungen	regulations	regju'leiʃənz
Einreise	entry (into the country)	'entri ('ihtə ðə 'kʌntri)
Einreisevisum	(entry) visa	('entri) 'viːzə
Familienname	surname	'səːneim
Familienstand	marital status	'mæritl 'steitəs
– ledig	single	'siŋgl
– verheiratet	married	'mærid
– verwitwet	(*Frau*) widow, (*Mann*) widower	'widəu, 'widəuə
Farbe der Augen	colour of eyes	'kʌlər əv aiz
Führerschein	driving licence	'draiviŋ 'laisəns
Geburtsdatum	date of birth	deit əv bəːθ
Geburtsname	maiden name	'meidn neim
Geburtsort	place of birth	pleis əv bəːθ
Grenze	border	'bɔːdə
Größe	height	hait
gültig	valid	'vælid
Haarfarbe	colour of hair	'kʌlər əv hɛə
Impfpaß	international vaccination certificate	intə'næʃənl væksi'neiʃən sə'tifikit
Nationalitäts-kennzeichen	country's identification letter	'kʌntriz aidentifi-'keiʃn 'letə
Nummer	number	'nʌmbə
Paß	passport	'pɑːspɔːt
Paßkontrolle	passport control	'pɑːspɔːt kən'trəul
Staatsangehörigkeit	nationality	næʃə'næliti
Unterschrift	signature	'signitʃə
verlängern	renew, extend	ri'njuː, iks'tend
Versicherungskarte	insurance certificate	in'ʃuərəns sə'tifikit
Vorname	Christian name	'kristjən neim
Wohnort	place of residence	pleis əv 'rezidəns

Zollkontrolle

*Haben Sie etwas zu verzollen?
Have you got anything to declare?
hæv ju gɔt‿'eniθiŋ tə di'kleə

Ich habe nur Sachen für den persönlichen Bedarf.
I've only got articles for my personal use.
aiv 'əunli gɔt‿'ɑːtiklz fə mai 'pəːsnl juːs

Das ist mein Koffer.
That's my case.
ðæts mai keis

Das gehört mir nicht.
That isn't mine.
ðæt‿'iznt main

*Öffnen Sie bitte ...
Would you open ..., please?
wud ju‿'əupən ...pliːz

Das ist ein *Geschenk (Reiseandenken).*
That's a *present (souvenir).*
ðæts‿ə'preznt ('suːvəniə)

Ich habe ... *Zigaretten (eine Flasche Parfüm).*
I've got ... *cigarettes (a bottle of perfume).*
aiv gɔt ... sigə'rets (ə 'bɔtl‿əv 'pəːfjuːm)

*Was ist darin?
What's in here?
wɔts‿in hiə

Das ist alles.
That's all.
ðæts‿ɔːl

*In Ordnung!
Right!
rait

Ich möchte das verzollen.
I want to declare this.
ai wɔnt tə di'kleə ðis

Muß ich das verzollen?
Do I have to pay duty on this?
du‿ai hæv tə pei 'djuːti‿ɔn ðis

Wieviel ist zollfrei?
What's the duty-free allowance?
wɔts ðə 'djuːti'friː‿ə'lauəns

Was muß ich dafür zahlen?
What do I have to pay on it?
wɔt du‿ai hæv tə pei‿ɔn it

Ausfuhrzoll	export duty	'ekspɔːt 'djuːti
Einfuhrzoll	import duty	'impɔːt 'djuːti
Grenzübergang	frontier, border ...	'frʌntiə, 'bɔːdə
Zoll	customs	'kʌstəmz
Zollabfertigung	customs clearance	'kʌstəmz 'kliərəns
Zollamt	customs office	'kʌstəmz‿'ɔfis
Zollbeamter	customs officer	'kʌstəmz‿'ɔfisə
Zollerklärung	customs declaration ...	'kʌstəmz deklə'reiʃən
Zollkontrolle	customs examination ..	'kʌstəmz igzæmi'neiʃən

UNTERKUNFT

Wo ist *das Hotel* . . . *(die Pension* . . .*)* ?
Where is the . . . *hotel (boarding-house)* ?
wɛər‿iz ðə . . . həu'tel ('bɔːdiŋhaus)

Können Sie mir ein gutes Hotel empfehlen?
Could you recommend a good hotel?
kud ju rekə'mend‿ə gud həu'tel

Gibt es in der Nähe . . .?
Is (Are) there . . . near here?
iz (ɑː) ðɛə . . . niə hiə

Apartments	flats, apartments	flæts, ə'pɑːtmənts
Bungalows	bungalows	'bʌŋgələuz
einen Campingplatz	a camping site	ə 'kæmpiŋ sait
einen Gasthof	a boarding-house,	ə 'bɔːdiŋhaus,
	a private hotel	ə 'praivit həu'tel
ein Hotel	a hotel	ə həu'tel
eine Jugendherberge	a youth hostel	ə juːθ 'hɔstəl
ein Motel	a motel	ə məu'tel
eine Pension	a boarding-house	ə 'bɔːdiŋhaus
Privatzimmer	rooms in private houses	rumz‿in 'praivit 'hauziz
eine Unterkunft	accommodation	əkɔmə'deiʃən

— in Strandnähe.
– near the beach.
– niə ðə biːtʃ

– in *ruhiger (zentraler)* Lage.
– in a *quiet (central)* area.
– in‿ə 'kwaiət ('sentrəl) 'ɛəriə

Wie *sind die Preise (ist die Verpflegung)* dort?
What *are the prices (is the food)* like there?
wɔt‿ɑː ðə 'praisiz (‿iz ðə fuːd) laik ðɛə

Am Empfang

Ich habe bei Ihnen ein Zimmer bestellt.		**... vor 6 Wochen**
I have booked a room here.		(I booked ...) six weeks ago.
ai hæv bukt̮ ə rum hiə		(ai bukt ...) siks wi:ks̮ ə'gəu

Das Reisebüro ... hat für *mich (uns)* ein Zimmer reservieren lassen.
The travel agency reserved a room *for me (for us)*.
ðə 'trævl̮ 'eidʒənsi ri'zə:vd̮ ə rum fə mi: (fər̮ ʌs)

Haben Sie ein *Einzelzimmer (Doppelzimmer)* frei?
Have you got a *single (double)* room vacant?
hæv ju gɔt̮ ə 'siŋgl ('dʌbl) rum 'veikənt

Ich hätte gern ...
I would like ...
ai wud laik ...

– ein Appartement...	a flat, an apartment ...	ə flæt, ən̮ ə'pɑ:tmənt
– einen Bungalow ...	a bungalow	ə 'bʌŋgələu
– ein Zimmer	a room	ə rum
– – mit Bad	with a private bath ...	wið̮ ə 'praivit bɑ:θ
– – mit Balkon......	with a balcony	wið̮ ə 'bælkəni
– – mit Dusche	with a shower	wið̮ ə 'ʃauə
– – mit fließend Kalt-	with hot and cold	wið hɔt̮ ən kəuld
und Warmwasser	(running) water	('rʌniŋ) 'wɔ:tə
– – zur Landseite....	facing inland	'feisiŋ in'lænd
– – mit Meerblick ...	overlooking the sea ...	əuvə'lukiŋ ðə si:
– – mit Terrasse	with a terrace	wið̮ ə 'terəs
– – im zweiten Stock	on the second floor ...	ɔn ðə 'sekənd flɔ:
– – für...Personen .	for...(people)........	fə ... ('pi:pl)
– ein ruhiges Zimmer	a quiet room	ə 'kwaiət rum
– ein Zweibettzimmer	a double room	ə 'dʌbl rum

... für *eine Nacht (zwei Tage, eine Woche, vier Wochen)*.
... for *one night (two days, a week, four weeks)*.
... fə wʌn nait (tu: deiz, ə wi:k, fɔ: wi:ks)

Kann ich mir das Zimmer ansehen?
Can I see the room?
kæn_ai si: ðə rum

Es gefällt mir.
It's very nice.
its ˈveri nais

Ich nehme (Wir nehmen) es.
I'll (We'll) take it.
ail (wi:l) teik_it

Können Sie mir noch ein anderes Zimmer zeigen?
Could you show me another room?
kud ju ʃəu mi_əˈnʌðə rum

Können Sie noch *ein Bett (ein Kinderbett)* hereinstellen?
Could you put in *an extra bed (a cot)*?
kud ju put_in_ən_ˈekstrə bed (ə kɔt)

Preis

Wieviel kostet das Zimmer pro *Tag (Woche)*?
How much is the room per *day (week)*?
hau mʌtʃ_iz ðə rum pə dei (wi:k)

– mit Frühstück.	– mit Halbpension.	– mit Vollpension.
– with breakfast.	– with breakfast and dinner.	– with full board.
– wið ˈbrekfəst	– wið ˈbrekfəst_ən ˈdinə	– wið ful bɔːd

Ist *alles (die Bedienung)* inbegriffen?
Is everything included? (Does that include service?)
iz_ˈevriθiŋ_inˈkluːdid (dəz ðæt_inˈkluːd ˈsəːvis)

Wie hoch ist der *Einzelzimmer-Zuschlag (Saisonzuschlag)*?
What's the *surcharge for a single room (seasonal surcharge)*?
wɔts ðə ˈsəːtʃɑːdʒ fər_ə ˈsiŋgl rum (ˈsiːzənl ˈsəːtʃɑːdʒ)

Gibt es für Kinder eine Ermäßigung?
Is there a reduction for children?
iz ðɛər_ə riˈdʌkʃən fə ˈtʃildrən

Wieviel soll ich anzahlen?
How much deposit do I pay?
hau mʌtʃ diˈpɔzit du_ai pei

Wieviel macht es insgesamt?
How much is that altogether?
hau mʌtʃ_iz ðæt ɔːltəˈgeðə

Anmeldung, Gepäck

Ich möchte mich anmelden.
I'd like to register.
aid laik tə 'redʒistə

Brauchen Sie unsere Pässe?
Do you need our passports?
də ju niːd ˈauə ˈpaːspɔːts

Wann wollen Sie das Anmeldeformular zurückhaben?
When do you want the registration form back?
wen də ju wɔnt ðə redʒisˈtreiʃən fɔːm bæk

Was muß ich hier ausfüllen?
What do I have to fill in here?
wɔt du‿ai hæv tə fil‿in hiə

*Ihre Unterschrift genügt.
I just need your signature.
ai dʒʌst niːd jɔː ˈsignitʃə

Können Sie das Gepäck holen lassen?
Could you arrange to have my luggage collected?
kud ju‿əˈreindʒ tə hæv mai ˈlʌgidʒ kəˈlektid

Es ist noch *auf dem Bahnhof (am Flughafen).*
It's still at *the station (the airport).*
its stil‿ət ðə ˈsteiʃən (ði‿ˈɛəpɔːt)

Hier ist der Gepäckschein.
Here's the luggage *receipt (ticket, slip).*
hiəz ðə ˈlʌgidʒ riˈsiːt (ˈtikit, slip)

Wo ist mein Gepäck?
Where's my luggage?
wɛəz mai ˈlʌgidʒ

Ist mein Gepäck schon auf dem Zimmer?
Has my luggage been taken to my room yet?
hæz mai ˈlʌgidʒ bin ˈteikən tə mai rum jet

Kann ich mein Gepäck hierlassen?
Can I leave my luggage here?
kæn‿ai liːv mai ˈlʌgidʒ hiə

Können Sie diese Wertsachen aufbewahren?
Could you look after these valuables for me?
kud ju luk‿ɑːftə ðiːz ˈvæljuəblz fə miː

Haben Sie *eine Garage (einen Parkplatz)?*
Have you got a *garage (car park)?*
hæv ju gɔt‿ə ˈgærɑːdʒ (kɑː paːk)

Wo ist Zimmer Nr. 308?
Where's room number three-o-eight?
wɛəz rum ˈnʌmbə θriː‿əu‿eit

Den Schlüssel, bitte!
The key, please!
ðə kiː pliːz

Nummer ..., bitte!
Number ..., please!
ˈnʌmbə ... pliːz

Hat jemand nach mir gefragt?
Did anyone enquire for me?
did‿ˈeniwʌn‿inˈkwaiə fə miː

Ist Post für mich da?
Are there any letters for me?
ɑ ðɛər‿ˈeni ˈletəz fə miː

Wann kommt die Post?
When does the post come?
wen dəz ðə pəust kʌm

Haben Sie *Briefmarken (Ansichtskarten)?*
Have you got any *stamps (picture postcards)?*
hæv ju gɔt‿ˈeni stæmps (ˈpiktʃə ˈpəustkɑːdz)

Was kostet *eine Postkarte (ein Brief)* **nach Deutschland?**
What does a *postcard (letter)* to Germany cost?
wɔt dəz‿ə ˈpəustkɑːd (ˈletə) tə ˈdʒəːməni kɔst

Wo kann ich ... *mieten (bekommen)?*
Where can I *hire (get)* ...?
wɛə kæn‿ai ˈhaiə (get) ...

Wo kann ich mich für den Ausflug nach ... anmelden?
Where can I book for the excursion to ...?
wɛə kæn‿ai buk fə ði‿iksˈkəːʃən tə ...

Wo kann ich *telefonieren (Geld umwechseln)?*
Where can I *make a phone-call (change some money)?*
wɛə kæn‿ai meik‿ə ˈfəunkɔːl (tʃeindʒ səm ˈmʌni)

Ich möchte ein Ferngespräch nach ... anmelden.
I want a *long-distance (trunk)* call to ...
ai wɔnt‿ə ‿lɔŋˈdistəns (trʌŋk) kɔːl tə ...

Ich erwarte ein Ferngespräch aus Deutschland.
I'm expecting a call from Germany.
aim iksˈpektiŋ‿ə kɔːl frəm ˈdʒəːməni

Wo gibt es deutsche Zeitungen?
Where can I get a German paper?
wɛə kæn ̮ai get ̮ə ˈdʒɜːmən ˈpeipə

Wo ist (sind) ...?
Where is (are) ...?
wɛər ̮iz (̮ɑː) ...

Können Sie mir ... besorgen?
Could you get me ...?
kud ju get mi ...

Wie hoch ist hier die Stromspannung?
What's the voltage here?
wɔts ðə ˈvəultidʒ hiə

Ich bin in 10 Minuten (zwei Stunden) wieder zurück.
I'll be back in ten minutes (a couple of hours).
ail bi bæk ̮in ten ˈminits (̮ə ˈkʌpl ̮əv ˈauəz)

Wir gehen zum Strand (in die Stadt).
We're going down to the beach (into town).
wiə ˈgəuiŋ daun tə ðə biːtʃ (ˈintə taun)

Ich bin im Aufenthaltsraum (an der Bar).
I shall be in the lounge (at the bar).
ai ʃæl bi ̮in ðə laundʒ (̮ət ðə bɑː)

Ich habe den Schlüssel verloren (im Zimmer gelassen).
I've lost the key (left the key in my room).
aiv lɔst ðə kiː (left ðə kiː ̮in mai rum)

Wann sind die Essenszeiten?
At what time are meals served?
ət wɔt taim ̮ɑ miːlz səːvd

Wo ist der Speisesaal?
Where's the dining-room?
wɛəz ðə ˈdainiŋrum

Können wir auf dem Zimmer frühstücken?
Can we have breakfast in our room?
kæn wi hæv ˈbrekfəst in ̮auə rum

Können wir morgen schon um 7 Uhr frühstücken?
Can we have breakfast at 7 o'clock tomorrow?
kæn wi hæv ˈbrekfəst ̮ət ˈsevn ̮əˈklɔk təˈmɔrəu

Für morgen früh bitte ein Lunchpaket.
I would like a packed lunch tomorrow morning, please.
ai wud laik ̮ə pækt lʌntʃ təˈmɔrəu ˈmɔːniŋ pliːz

Wecken Sie mich bitte morgen um 6 Uhr.
Could you wake me at 6 o'clock tomorrow morning, please?
kud ju weik mi ̮ət siks ̮əˈklɔk təˈmɔrəu ˈmɔːniŋ pliːz

Zimmermädchen

Herein!   **Einen Moment, bitte!**
Come in!   Just a minute, please!
kʌm‿in   dʒʌst‿ə ˈminit pliːz

Können Sie noch *5 (10)* Minuten warten?
Could you wait another *five (ten)* minutes?
kud ju weit‿ə'nʌðə faiv (ten) 'minits

Wir gehen in einer *Viertelstunde (halben Stunde)*.
We shall be going in *a quarter of an hour (half an hour)*.
wiː ʃæl bi 'gəuiŋ‿in‿ə 'kwɔːtər‿əv‿ən‿'auə (hɑːf‿ən‿'auə)

Bringen Sie *mir (uns)* bitte ...
Would you bring *me (us)* ..., please.
wud ju briŋ mi (‿ʌs) ... pliːz

einen Aschenbecher .	an ashtray	ən 'æʃtrei
noch eine Decke	another blanket	ə'nʌðə 'blæŋkit
das Frühstück	breakfast	'brekfəst
noch ein Handtuch ..	another towel	ə'nʌðə 'tauəl
ein paar Kleiderbügel	one or two hangers ...	wʌn‿ɔː tuː 'hæŋəz
noch ein Kopfkissen	another pillow	ə'nʌðə 'piləu
ein Scheuertuch	a floor cloth	ə flɔː klɔθ
ein Stück Seife	a piece of soap	ə piːs‿əv səup
eine Wolldecke	a blanket	ə 'blæŋkit

Wie funktioniert das?   **Ist unser Zimmer schon fertig?**
How does this work?   Is our room ready?
hau dəz ðis wəːk   iz‿auə rum 'redi

Können Sie die Wäsche waschen lassen?
Could you arrange to have these things washed for me?
kud ju‿ə'reindʒ tə hæv ðiːz θiŋz wɔʃt fə miː

Können Sie etwas gegen die Mücken im Zimmer tun?
Could you do something about the midges in the room?
kud ju duː 'sʌmθiŋ ə'baut ðə 'midʒiz‿in ðə rum

Vielen Dank!   **Das ist für Sie.**
Thank you very much!   That's for you.
'θæŋkju 'veri mʌtʃ   ðæts fə juː

Beanstandungen

Ich möchte bitte den Geschäftsführer sprechen.
I'd like to speak to the manager, please.
aid laik tə spi:k tə ðə ˈmænidʒə pli:z

Es fehlt ...	**Es fehlen ...**	**... funktioniert nicht.**
There's no ...	There are no ...	... doesn't work.
ðɛəz nəu ...	ðɛər ‿ ɑ nəu ...	... ˈdʌznt wə:k

In meinem Zimmer brennt kein Licht.
There's no light in my room.
ðɛəz nəu lait‿in mai rum

Diese Birne ist durchgebrannt.
This bulb has burnt out.
ðis bʌlb hæz bə:nt‿aut

Die Steckdose ist kaputt.
The wall-*plug (-socket)* is broken.
ðə ˈwɔ:lplʌg‿(sɔkit‿)iz ˈbrəukən

Die Sicherung ist durch-gebrannt.
The fuse has blown.
ðə fju:z hæz bləun

Die *Klingel (Heizung)* funktioniert nicht.
The *bell (heating)* isn't working.
ðə bel‿(ˈhi:tiŋ)‿ˈiznt‿ˈwə:kiŋ

Der Schlüssel paßt nicht.
The key doesn't fit.
ðə ki: ˈdʌznt fit

Es regnet durch.
The rain's coming in.
ðə reinz ˈkʌmin‿in

Das Fenster *schließt schlecht (geht nicht auf)*.
The window *doesn't shut properly (won't open)*.
ðə ˈwindəu ˈdʌznt ʃʌt ˈprɔpəli (wəunt ˈəupən)

Es kommt kein (heißes) Wasser.
There's no (hot) water.
ðɛəz nəu (hɔt) ˈwɔ:tə

Der Hahn tropft.
The tap drips.
ðə tæp drips

Die Spülung geht nicht.
The lavatory won't flush.
ðə ˈlævətəri wəunt flʌʃ

Die Leitung ist undicht.
The pipe's leaking.
ðə paips ˈli:kiŋ

Der Abfluß ist verstopft.
The drain's blocked.
ðə dreinz blɔkt

Abreise

Ich reise morgen ab.
I'm leaving tomorrow.
aim 'li:viŋ tə'mɔrəu

Wir fahren morgen weiter.
We're moving on tomorrow.
wiə 'mu:viŋ ɔn tə'mɔrəu

Machen Sie bitte die Rechnung fertig.
Please have my bill ready.
pli:z hæv mai 'bil 'redi

Kann ich bitte *meine (unsere)* Rechnung haben?
Can I have *my (our)* bill, please?
kæn ai hæv mai ('auə) bil pli:z

Wecken Sie mich bitte morgen früh.
Would you wake me tomorrow morning, please?
wud ju weik mi tə'mɔrə 'mɔ:niŋ pli:z

Bestellen Sie mir bitte für morgen 8 Uhr ein Taxi.
Would you order a taxi for me at 8 o'clock tomorrow morning, please?
wud ju 'ɔːdər ə 'tæksi fə mi ət eit ə'klɔk tə'mɔrəu 'mɔ:niŋ pli:z

Können Sie mein Gepäck zum *Bahnhof (Flughafen)* bringen lassen?
Could you arrange for my luggage to be taken to *the station (the airport)*, please?
kud ju ə'reindʒ fə mai 'lʌgidʒ tə bi 'teiken tə ðə 'steiʃən (ði 'ɛəpɔ:t) pli:z

Wann geht der *Bus (Zug)* nach ...?
When does the *bus (train)* to ... leave?
wen dəz ðə bʌs (trein) tə ... li:v

Senden Sie mir bitte meine Post nach.
Would you send on my letters, please?
wud ju send ɔn mai 'letəz pli:z

Herzlichen Dank für alles!
Thank you very much for everything!
'θæŋkju 'veri mʌtʃ fər 'evriθiŋ

Wir haben uns hier *sehr wohlgefühlt (gut erholt)*.
We *were very comfortable (enjoyed ourselves very much)*.
wi wə 'veri 'kʌmfətəbl (in'dʒɔid 'auəselvz 'veri mʌtʃ)

Abendessen	dinner	ˈdinə
Abreise	departure	diˈpɑːtʃə
Ankunft	arrival	əˈraivəl
Anmeldung	registration	redʒisˈtreiʃən
Anzahlung	deposit	diˈpɔzit
Apartment	flat, apartment	flæt, əˈpɑːtmənt
Aschenbecher	ashtray	ˈæʃtrei
Ausgang	exit, way out	ˈeksit, wei aut
ausziehen	to move out,	tə muːv ˌaut,
	vacate the room	vəˈkeit ðə rum
Badezimmer	bathroom	ˈbɑːθrum
Balkon	balcony	ˈbælkəni
Beanstandung	complaint	kəmˈpleint
Bedienung	service	ˈsəːvis
Beleuchtung	lights, lighting	laits, ˈlaitiŋ
Bett	bed	bed
– Bettdecke	bedspread, blanket	ˈbedspred, ˈblæŋkit
– Kinderbett	cot	kɔt
– Kopfkissen	pillow	ˈpiləu
– Matratze	mattress	ˈmætris
– Wolldecke	blanket	ˈblæŋkit
Bettcouch	divan	diˈvæn
Bettvorleger	bedside rug	ˈbedsaid rʌg
Bettwäsche	bed linen	bed ˈlinin
– Bezug	cover	ˈkʌvə
– Kopfkissenbezug	pillow-case	ˈpiləukeis
– Laken	sheet	ʃiːt
Dusche	shower	ˈʃauə
Eimer	bucket	ˈbʌkit
Eingang	entrance	ˈentrəns
einziehen	to move in	tə muːv ˌin
Empfang	reception	riˈsepʃən
Empfangschef	receptionist	riˈsepʃənist
Erkundigung	enquiry	inˈkwaiəri
Etage	floor, storey	flɔː, ˈstɔːri
Fahrstuhl	lift	lift
Fenster	window	ˈwindəu
Fensterscheibe	window-pane	ˈwindəupein
Frühstück	breakfast	ˈbrekfəst
Frühstücksraum	breakfast room	ˈbrekfəst rum
Glühbirne	(electric light) bulb	(iˈlektrik lait) bʌlb

Grillraum	grill room	gril rum
Halbpension	dinner, bed and	'dinə, bed _ən
	breakfast	'brekfəst
Haus	house	haus
– Apartmenthaus	block of *flats*	blɔk _əv flæts
	(apartments)	(ə'paːtmənts)
Hausschlüssel	house key	haus kiː
Haustür	front door	frʌnt dɔː
Heizkörper	radiator	'reidieitə
Heizung	heating	'hiːtiŋ
Herd	stove	stəuv
Hotel	hotel	həu'tel
– Strandhotel	beach hotel	biːtʃ həu'tel
Hotelhalle	hotel vestibule	həu'tel 'vestibjuːl
Hotelpension	private hotel	'praivit həu'tel
Hotelrestaurant	hotel restaurant	həu'tel 'restərɔ̃ːŋ
Kamin	chimney, fireplace	'tʃimni, 'faiəpleis
Kategorie	category	'kætigəri
Keller	cellar, *(-geschoß)*	'selə,
	basement	'beismənt
Kleiderbügel	coat-hanger	'kəuthæŋə
Klimaanlage	air-conditioning	'ɛəkəndiʃniŋ
Klingel	bell	bel
Kochnische	kitchenette	kitʃi'net
Korridor	corridor	'kɔridɔː
Küche	kitchen	'kitʃin
Kühlschrank	refrigerator	ri'fridʒəreitə
Lampe	lamp	læmp
Lichtschalter	switch	switʃ
Liegestuhl	deckchair	'dektʃɛə
Liegewiese	gardens	'gaːdnz
Lüftung	ventilation	venti'leiʃən
Miete	rent	rent
mieten	*(Gegenstand)* to hire, .	tə 'haiə,
	(Haus usw.) to rent . .	tə rent
Mittagessen	lunch	lʌntʃ
Nachttisch	bedside table	'bedsaid 'teibl
Nachttischlampe	reading lamp	'riːdiŋ læmp
Ofen	heater	'hiːtə
Pension	boarding-house	'bɔːdiŋhaus
Pförtner, Portier . . .	porter	'pɔːtə

Preis	price	prais
Privatstrand	private beach	'praivit bi:tʃ
Rechnung	bill	bil
Reisebüro	travel agency	'trævl 'eidʒənsi
Reiseleiter	courier	'ku:riə
Rezeption	reception	ri'sepʃən
Saison	season	'si:zn
Schlüssel	key	ki:
Schrank	cupboard	'kʌbəd
Schublade	drawer	'drɔ:
Sessel	armchair	'a:mtʃɛə
Sicherung	fuse	fju:z
Sonnenschirm	sunshade,	'sʌnʃeid,
	garden umbrella	'ga:dn ʌm'brelə
Speisesaal	dining-room	'daininŋrum
Spiegel	mirror	'mirə
Steckdose	wall-socket	'wɔ:lsɔkit
Stecker	plug	plʌg
Stromspannung	voltage	'vəultidʒ
Stuhl	chair	tʃɛə
Swimmingpool	swimming-pool	'swimiŋpu:l
Telefon	telephone	'telifəun
Teppich	carpet	'ka:pit
Terrasse	terrace	'terəs
Tisch	table	'teibl
Tischdecke	tablecloth	'teiblklɔθ
Toilette	lavatory, toilet	'lævətəri, 'tɔilit
– Damentoilette	ladies' room	'leidiz rum
– Herrentoilette	gents	dʒents
Toilettenpapier	toilet-paper	'tɔilitpeipə
Topf	pan, pot	pæn, pɔt
Treppe	staircase, stairs *pl.*	'stɛəkeis, stɛəz
Tür	door	dɔ:
Türklinke	door handle	dɔ: 'hændl
Türschloß	lock	lɔk
Übernachtung	night('s	nait(s
	lodging)	'lɔdʒiŋ)
umziehen	to move	tə mu:v
Unterkunft	accommodation	əkɔmə'deiʃən
Ventilator	fan	fæn

Verlängerungsschnur	extension *flex (cord)* ..	iks'tenʃən fleks (kɔːd)
Verlängerungswoche	extra week	'ekstrə wiːk
vermieten	*(Zimmer, Haus)* to let, *(Gegenstand)* to hire out	tə let, tə 'haiər‿aut
Vollpension	full board	ful bɔːd
Vorhang	curtain	'kəːtn
Wand	wall	wɔːl
Waschbecken	wash-basin	'wɔʃbeisn
Wäsche	laundry	'lɔːndri
– bügeln	to iron	tə 'aiən
– trocknen	to dry	tə drai
– waschen	to wash	tə wɔʃ
Wasser	water	'wɔːtə
– heißes	hot	hɔt
– kaltes	cold	kəuld
– Trinkwasser	drinking water	'driŋkiŋ 'wɔːtə
Wasserglas	tumbler, glass	'tʌmblə, glɑːs
Wasserhahn	tap	tæp
Wechselstrom	alternating current . . .	'ɔːltəneitiŋ 'kʌrənt
Wohnung	flat	flæt
Zentralheizung	central heating	'sentrəl 'hiːtiŋ
Zimmer	room	rum
– Kinderzimmer	nursery, playroom	'nəːsri, 'pleirum
– Schlafzimmer	bedroom	'bedrum
– Wohnzimmer	sitting-room	'sitiŋrum
Zimmerdecke	ceiling	'siːliŋ
Zimmermädchen	chamber-maid	'tʃeimbəmeid
Zwischenstecker	adapter	ə'dæptə

Camping, Jugendherberge

Gibt es hier *einen Campingplatz (eine Jugendherberge)?*
Is there a *camping site (youth hostel)* here?
iz ðɛər_ə 'kæmpiŋ sait (juːθ 'hɔstəl) hiə

Können wir hier zelten?
Can we camp here?
kæn wi kæmp hiə

Ist der Platz nachts bewacht?
Is the site guarded at night?
iz ðə sait 'gɑːdid_ət nait

Haben Sie noch Platz (für ein Zelt)?
Have you got any room (for another tent)?
hæv ju gɔt_'eni rum (fər_ə'nʌðə tent)

Wieviel kostet eine Übernachtung?
How much is it per night?
hau mʌtʃ_iz_it pə nait

Wie hoch ist die Gebühr für *das Auto (den Wohnwagen)?*
How much is it for the *car (caravan)?*
hau mʌtʃ_iz_it fɔ ðə kɑː: ('kærəvæn)

Ich bleibe ... *Tage (Wochen).*
I'm staying for ... *days (weeks).*
aim 'steiiŋ fə ... deiz (wiːks)

Kann man hier ...?
Can one ... here?
kæn wʌn ... hiə

Gibt es in der Nähe ein Lebensmittelgeschäft?
Is there a *food shop (general store)* nearby?
iz ðɛər_ə fuːd ʃɔp ('dʒenərəl stɔː) 'niəbai

Kann ich hier Gasflaschen *ausleihen (tauschen)?*
Can I *hire bottled gas (exchange gas canisters)* here?
kæn_ai 'haiə 'bɔtld gæs (iks'tʃeindʒ gæs 'kænistəz) hiə

Wo sind die *Toiletten (Waschräume)?*
Where are the *lavatories (wash-rooms)?*
wɛər_ɑː ðə 'lævətəriz ('wɔʃrumz)

Gibt es hier Stromanschluß?
Are there any electric points?
ɑː ðɛər_'eni_i'lektrik pɔints

Kann man das Wasser trinken?
Is the water drinkable?
iz ðə 'wɔːtə 'driŋkəbl

Kann ich ... ausleihen?
Can I hire ...?
kæn_ai 'haiə

Wo kann man ...?
Where can one ...?
wɛə kæn wʌn

Abmeldung	notice of departure ...	ˈnəutis‿əv diˈpaːtʃə
Anmeldung	registration	redʒisˈtreiʃən
baden	*(in der Wanne)* to bath,	tə baːθ
	(im Meer usw.) to bathe	tə beið
bekommen	to get	tə get
Benutzungsgebühr ..	fee (for the use of ...)	fiː (fə ðə juːs‿əv ...)
bügeln	to iron	tə ˈaiən
Camping	camping	ˈkæmpiŋ
Campingausweis	camping carnet	ˈkæmpiŋ karˈnɛ
Campingliege	camp bed	kæmp bed
Campingplatz	camping site	ˈkæmpiŋ sait
Eßgeschirr	crockery	ˈkrɔkəri
Herbergsausweis	youth-hostel card	ˈjuːθhɔstəl kaːd
Herbergseltern......	(hostel) wardens	(ˈhɔstəl) ˈwɔːdnz
Herbergsmutter	(hostel) warden	(ˈhɔstəl) ˈwɔːdn
Herbergsvater	(hostel) warden	(ˈhɔstəl) ˈwɔːdn
Jugendgruppe	youth group	juːθ gruːp
Jugendherberge	youth hostel	juːθ ˈhɔstəl
kochen	to cook	tə kuk
Kochgeschirr	cooking utensils	ˈkukiŋ ju(ː)ˈtenslz
Kochstelle	cooking stove	ˈkukiŋ stəuv
leihen	to hire	tə ˈhaiə
Leihgebühr	hiring *charge (fee)* ...	ˈhaiəriŋ tʃaːdʒ (fiː)
Mitgliedskarte	membership card	ˈmembəʃip kaːd
parken	to park	tə paːk
Schlafraum	dormitory	ˈdɔːmitri
Schlafsack	sleeping bag	ˈsliːpiŋ bæg
Spielplatz	playground	ˈpleigraund
Tagesraum	recreation room,	rekriˈeiʃən rum,
	day-room	ˈdeirum
Trinkwasser........	drinking water	ˈdriŋkiŋ ˈwɔːtə
Voranmeldung	advance reservation ..	ədˈvaːns rezəˈveiʃən
waschen	to wash	tə wɔʃ
Wohnwagen	caravan	ˈkærəvæn
Zelt...............	tent	tent
zelten	to camp	tə kæmp

ESSEN UND TRINKEN

Bestellung

Gibt es hier ein *gutes (chinesisches, Fisch-)* Restaurant?
Is there a *good (Chinese, fish)* restaurant here?
iz ðɛər ə gud ('tʃai'niːz, fiʃ) 'restərɒ̃ hiə

Reservieren Sie bitte für 20 Uhr einen Tisch für 4 Personen.
Will you reserve a table for four for eight p. m., please?
wil ju riˈzəːv ə 'teibl fə fɔː fərˌeit 'piːem pliːz

Ist dieser *Tisch (Platz)* noch frei?
Is this *table (seat)* free?
iz ðis 'teibl (siːt) friː

Herr Ober!	**Fräulein!**	**Bedienen Sie hier?**
Waiter!	Waitress!	Are you serving here?
'weitə	'weitris	ɑ ju: 'səːviŋ hiə

Ich möchte etwas essen.
I would like something to eat.
ai wud laik 'sʌmθiŋ təˌiːt

Wir möchten etwas trinken.
We would like something to drink.
wi wud laik 'sʌmθiŋ tə driŋk

Die *Speisekarte (Getränkekarte)*, bitte!
Could I have the *menu (wine list)*, please?
kud ˌai hæv ðə 'menjuː (wain list) pliːz

Ein Gedeck, bitte.
A set lunch, please.
ə set lʌntʃ pliːz

Was können Sie uns sofort bringen?
What can we have without waiting?
wɔt kæn wi hæv wiˈðaut 'weitiŋ

Haben Sie ...?
Have you ...?
hæv ju ...

Haben Sie auch *vegetarische Kost (Diätkost)*?
Do you serve *vegetarian (dietary)* food as well?
du ju səːv vedʒiˈtɛəriən ('daiətəri) fuːdˌəz wel

Bringen Sie uns bitte *eine Portion (zwei Portionen)* ...
Would you bring us *a portion (two portions)* of ..., please.
wud ju briŋˌəz ə 'pɔːʃən (tuː 'pɔːʃənz)ˌəv ... pliːz

Bitte *eine Tasse (ein Kännchen, ein Glas, eine Flasche)* ...
A cup (pot, glass, bottle) of ..., please.
ə kʌp (pɔt, glɑːs, 'bɔtl)ˌəv ... pliːz

Tischgerät

Aschenbecher	ashtray	ˈæʃtrei
Besteck	cutlery, knives and forks	ˈkʌtləri, naivz ˍ_ən fɔːks
Brotkorb	bread-basket	ˈbredbɑːskit
Eierbecher	egg-cup	ˈegkʌp
Essig- und Ölständer	cruet-stand	ˈkruːitstænd
Flasche	bottle	ˈbɔtl
Flaschenöffner	bottle-opener	ˈbɔtləupnə
Gabel	fork	fɔːk
Glas	glass	glɑːs
– Schnapsglas	brandy-glass	ˈbrændiglɑːs
– Weinglas	wine-glass	ˈwainglɑːs
Kännchen	jug	dʒʌg
– Milchkännchen	milk-jug	ˈmilkdʒʌg
Kanne	pot	pɔt
– Kaffeekanne	coffee-pot	ˈkɔfipɔt
– Teekanne	tea-pot	ˈtiːpɔt
Karaffe	decanter	diˈkæntə
Korkenzieher	corkscrew	ˈkɔːkskruː
Löffel	spoon	spuːn
– Teelöffel	teaspoon	ˈtiːspuːn
Messer	knife	naif
Pfefferstreuer	pepper-pot	ˈpepəpɔt
Platte	serving dish	ˈsəːviŋ diʃ
Salzstreuer	salt-cellar	ˈsɔltselə
Sauciere	sauce-boat	ˈsɔːsbəut
Schüssel	dish, bowl	diʃ, bəul
Senfglas	mustard-pot	ˈmʌstədpɔt
Serviette	napkin	ˈnæpkin
Tablett	tray	trei
Tasse	cup	kʌp
– Untertasse	saucer	ˈsɔːsə
Teller	plate	pleit
– kleiner Teller	bread-plate	ˈbredpleit
– Suppenteller	soup-plate	ˈsuːppleit
Tischtuch	tablecloth	ˈteiblklɔθ
Zahnstocher	toothpick	ˈtuːθpik
Zuckerdose	sugar-bowl	ˈʃugəbəul

Frühstück

Brot (eine Scheibe)	(a slice of) bread	(ə slais_əv) bred
– dunkles Brot	brown bread	braun bred
– Weißbrot	white bread	wait bred
Brötchen, Semmel	roll	rəul
Butter	butter	'bʌtə
Ei	egg	eg
– hartgekocht	hard-boiled	'hɑ:d'bɔild
– weichgekocht	soft-boiled	'sɔft 'bɔild
– mit Schinken	ham and eggs	hæm_ənd_egz
– mit Speck	bacon and eggs	'beikən_ənd_egz
– Rührei	scrambled eggs	'skræmbld_egz
– Spiegeleier	fried eggs	fraid_egz
– verlorene Eier	poached eggs	pəutʃt egz
Fruchtsaft	fruit juice	fru:t dʒu:s
Frühstück	breakfast	'brekfəst
Getreideflocken	cereal	'siəriəl
Haferbrei	porridge	'pɔridʒ
Hörnchen	croissant	krwɑ'sã
Honig	honey	'hʌni
Kaffee	coffee	'kɔfi
– mit Sahne	coffee with cream	'kɔfi wið kri:m
– schwarzer	black coffee	blæk 'kɔfi
– koffeinfreier	decaffeinated coffee	'di:'kæfiineitid 'kɔfi
Kakao	cocoa	'kəukəu
Marmelade	jam	dʒæm
– Orangenmarmelade	marmalade	'mɑ:məleid
Milch	milk	milk
– Kondensmilch	condensed milk	kən'dɛnst milk
Räucherhering	kipper	'kipə
Schellfisch, geräuchert	smoked haddock	sməukt 'hædək
Tee	tea	ti:
– mit Zitrone	tea with lemon	ti: wið 'lemən
Toast	toast	təust
Tomatensaft	tomato juice	tə'mɑ:təu dʒu:s
Wurst	sausage	'sɔsidʒ
– Würstchen mit Speck	sausage and bacon	'sɔsidʒ_ən 'beikən
Zucker	sugar	'ʃugə
Zwieback	rusk	rʌsk

Mittag- und Abendessen

Ich möchte (Wir möchten) ...
I (We) would like ...
ai (wi) wud laik ...

Können Sie uns ... bringen?
Could you bring us ... ?
kud ju briŋ_əz ...

Würden Sie mir bitte ... reichen
Would you pass ..., please?
wud ju pɑːs ... pliːz

Wie heißt dieses Gericht?
What's this dish called?
wɔts ðis diʃ kɔːld

***Möchten Sie noch etwas?**   **Ja, bitte!**   **Gern.**
A little more?   Yes, please.   Yes, please.
ə 'litl mɔː   jes pliːz   jes pliːz

Nur ein wenig.
Just a little.
dʒʌst_ə 'litl

Danke, das ist genug.
That's enough, thank you.
ðæts_i'nʌf 'θæŋkju

Nein, danke!   **Ich bin satt.**   **Nichts mehr, danke!**
No, thank you.   I have had enough.   Nothing more, thank you.
nəu 'θæŋkju   ai həv hæd_i'nʌf   'nʌθiŋ mɔː 'θæŋkju

***Hat es Ihnen geschmeckt?**   **Ausgezeichnet!**
Did you enjoy it?   It was excellent!
did ju_in'dʒɔi_it   it wəz_'eksələnt

***Trinken Sie Ihr Glas aus!**   **Zum Wohl!**
Finish your glass!   Cheers!
'finiʃ jɔː glɑːs   tʃiəz

Dieses Gericht (Der Wein) ist vorzüglich!
This dish (The wine) is excellent!
ðis diʃ_(ðə wain)_iz 'eksələnt

Ich darf (möchte) keinen Alkohol trinken.
I'm not allowed alcohol (I don't want anything alcoholic).
aim nɔt ə'laud 'ælkəhɔl (ai dəunt wɔnt 'eniθiŋ ælkə'hɔlik)

Der Wunsch ,,Guten Appetit" u. ä. sowie das Anstoßen beim Trinken sind in Großbritannien nicht üblich.

Zubereitung

durchgebraten	well done	wel dʌn
fett	fat	fæt
frisch	fresh	freʃ
gebacken	baked	beikt
gebraten	roasted	'rəustid
– am Spieß	on the spit	ɔn ðə spit
– vom Grill	grilled	grild
– in der Pfanne	fried	fraid
gedämpft	steamed	sti:md
gedünstet	steamed	sti:md
gefüllt	stuffed	stʌft
gegrillt	grilled	grild
gekocht	boiled	bɔild
gepökelt	pickled, salted	'pikld, 'sɔːltid
geräuchert	smoked	sməukt
geröstet	roasted, grilled	'rəustid, grild
gesalzen	salted	'sɔːltid
geschmort	braised, stewed	breizd, stjuːd
gespickt	larded	'lɑːdid
getrocknet	dried	draid
gewürzt	seasoned	'siːznd
halbroh	rare	rɛə
Füllung	stuffing	'stʌfiŋ
hart	hard	hɑːd
heiß	hot	hɔt
kalt	cold	kəuld
mager	lean	liːn
roh	raw	rɔː
saftig	juicy	'dʒuːsi
weich	soft	sɔft
zäh	tough	tʌf
zart	tender	'tendə

Zutaten

Butter	butter	'bʌtə
Dill	dill	dil
Essig	vinegar	'vinigə
Fett	fat	fæt

Gelee	jelly	ˈdʒeli
Gewürz	seasoning, spice	ˈsiːzniŋ, spais
Gewürzgurken	pickled gherkins	ˈpikld ˈgəːkinz
Gurke	cucumber	ˈkjuːkʌmbə
– saure Gurken	pickled cucumbers	ˈpikld ˈkjuːkəmbəz
Kapern	capers	ˈkeipəz
Knoblauch	garlic	ˈgɑːlik
Korinthen	currants	ˈkʌrənts
Kräuter	herbs	həːbz
Kümmel	caraway (seeds)	ˈkærəwei (siːdz)
Lorbeerblätter	bay leaves	bei liːvz
Margarine	margarine	mɑːdʒəˈriːn
Mayonnaise	mayonnaise	meiəˈneiz
Meerrettich	horse-radish	ˈhɔːsrædiʃ
Muskatnuß	nutmeg	ˈnʌtmeg
Nelken	cloves	kləuvz
Öl	oil	ɔil
Oliven	olives	ˈɔlivz
Paprika	paprika	ˈpæprikə
Petersilie	parsley	ˈpɑːsli
Pfeffer	pepper	ˈpepə
Pilze	mushrooms	ˈmʌʃrumz
Rosinen	raisins	ˈreiznz
Rosmarin	rosemary	ˈrəuzməri
Salz	salt	sɔːlt
Schmalz	lard, dripping	lɑːd, ˈdripiŋ
Schnittlauch	chives pl.	tʃaivz
Senf	mustard	ˈmʌstəd
Soße	sauce	sɔːs
– Bratensoße	gravy	ˈgreivi
– Rahmsoße	cream sauce	kriːm sɔːs
– Remouladensoße	tartar sauce	ˈtɑːtə sɔːs
– Tomatensoße	tomato sauce	təˈmɑːtəu sɔːs
– Vanillesoße	custard	ˈkʌstəd
Speck	bacon	ˈbeikən
Tomatenketchup	tomato ketchup	təˈmɑːtəu ˈketʃəp
Zimt	cinnamon	ˈsinəmən
Zitrone	lemon	ˈlemən
Zwiebel	onion	ˈʌnjən

SPEISEKARTE

Vorspeisen

anchovies	ˈæntʃəviz	**Sardellen**
artichokes	ˈɑːtitʃəuks	**Artischocken**
aspic	ˈæspik	**Fleischsülze**
avocado	ævəuˈkɑːdəu	**Avocado**
caviar(e)	ˈkæviɑː	**Kaviar**
cold meat (slices pl. of)	(ˈslaisiz əv) kəuld miːt	**Aufschnitt**
crab	kræb	**Krabben**
crayfish	ˈkreifiʃ	**Krebse**
edible snails	ˈedibl sneilz	**Weinbergschnecken**
eel, smoked	sməukt iːl	**Räucheraal**
eggs à la Russe	egz ɑːlɑː rys	**Russische Eier**
fish salad	fiʃ ˈsæləd	**Fischsalat**
gammon	ˈgæmən	**geräucherter Schinken**
ham, boiled	bɔild hæm	**gekochter Schinken**
ham, raw	rɔː hæm	**roher Schinken**
ham, smoked	sməukt hæm	**geräucherter Schinken**
hors d'œuvres	ɔːˈdəːvr	**Vorspeise**
lobster	ˈlɔbstə	**Hummer**
grapefruit (juice)	ˈgreipfruːt (dʒuːs)	**Grapefruit(saft)**
mayonnaise	meiəˈneiz	**Mayonnaise**
melon	ˈmelən	**Melone**
olives	ˈɔlivz	**Oliven**
orange juice	ˈɔrindʒ dʒuːs	**Orangensaft**
oysters	ˈɔistəz	**Austern**
pâté de foie gras	pɑːˈte də ˈfwɑ grɑ	**Gänseleberpastete**
pineapple juice	ˈpainæpl dʒuːs	**Ananassaft**
prawn	prɔːn	**Steingarnele**
salmon (smoked)	(sməukt) ˈsæmən	**(Räucher)Lachs**
sardines	sɑːˈdiːnz	**Ölsardinen**
sausage, slices pl. of continental	ˈslaisiz əv kɔntiˈnentl ˈsɔsidʒ	**Wurstaufschnitt**
shrimps	ʃrimps	**Garnelen**
tomato juice	təˈmɑːtəu dʒuːs	**Tomatensaft**
vol-au-vent	ˈvɔləuˈvãːŋ	**Blätterteigpastete**

Suppen

asparagus soup	əs'pærəgəs su:p	**Spargelsuppe**
bean soup	bi:n su:p	**Bohnensuppe**
bouillon	'bu:jõ:ŋ	**Fleischbrühe**
broth	brɔθ	**Fleischbrühe**
– with an egg	wið_ən_eg	**mit Ei**
– with rice	wið rais	**mit Reiseinlage**
– with vermicelli	wið vəːmi'seli	**mit Nudeleinlage**
chicken broth	'tʃikinbrɔθ	**Hühnerbrühe**
consommé	kən'sɔmei	**klare Suppe**
fish soup	fiʃ su:p	**Fischsuppe**
julienne	dʒu:li'en	**Gemüsesuppe**
lentil soup	'lentil su:p	**Linsensuppe**
meat broth	mi:t brɔθ	**Fleischbrühe**
mockturtle soup	'mɔk'təːtl su:p	**falsche Schildkrötensuppe**
mushroom soup	'mʌʃrum su:p	**Pilzsuppe**
onion soup	'ʌnjən su:p	**Zwiebelsuppe**
oxtail soup	'ɔksteil su:p	**Ochsenschwanzsuppe**
pea soup	pi: su:p	**Erbsensuppe**
potato soup	pə'teitəu su:p	**Kartoffelsuppe**
Scotch broth	skɔtʃ brɔθ	*(dicke Gemüsesuppe mit Hammelfleisch)*
soup	su:p	**Suppe**
thick soup	θik su:p	**legierte Suppe**
tomato soup	tə'ma:təu su:p	**Tomatensuppe**
turtle soup	'təːtl su:p	**Schildkrötensuppe**
vegetable soup	'vedʒitəbl su:p	**Gemüsesuppe**

Teigwaren

macaroni	mækə'rəuni	**Makkaroni**
noodles	'nu:dlz	**Nudeln**
pasta *pl.*	'pæstə	**Teigwaren**
ribbon macaroni	'ribən mækə'rəuni	**Bandnudeln**
spaghetti	spə'geti	**Spaghetti**
vermicelli	vəːmi'seli, -'tʃeli	**Fadennudeln**
Yorkshire pudding	'jɔːkʃiə 'pudiŋ	*gebackener Eierteig*

Fische

carp	kɑːp	**Karpfen**
cod	kɔd	**Dorsch**
cod(fish)	'kɔd(fiʃ)	**Kabeljau**
dried cod	draid kɔd	**Stockfisch**
eel	iːl	**Aal**
fish	fiʃ	**Fisch**
flounder	'flaundə	**Flunder**
fresh-water fish	'freʃwɔːtə fiʃ	**Süßwasserfisch**
haddock	'hædək	**Schellfisch**
halibut	'hælibət	**Heilbutt**
herring	'heriŋ	**Hering**
lamprey	'læmpri	**Neunauge**
mackerel	'mækrəl	**Makrele**
mullet	'mʌlit	**Barbe**
perch	pəːtʃ	**Barsch**
pike	paik	**Hecht**
plaice	pleis	**Scholle**
salmon	'sæmən	**Lachs**
salt-water fish	'sɔːltwɔːtə fiʃ	**Seefisch**
sole	səul	**Seezunge**
sturgeon	'stəːdʒən	**Stör**
tench	tenʃ	**Schlei**
trout	traut	**Forelle**
tunny, tuna	'tʌni, 'tjuːnə	**Thunfisch**
turbot	'təːbət	**Steinbutt**

Andere Seetiere

clams	klæmz	**Muscheln**
crabs	kræbz	**Krabben**
crayfish	'kreifiʃ	**Languste**
crustaceans, shell-fish	krʌs'teiʃənz, 'ʃelfiʃ	**Schalentiere**
hard-shell crabs	hɑːd ʃel kræbz	**Krabben**
lobster	'lɔbstə	**Hummer**
mussels	'mʌslz	**Muscheln**
oysters	'ɔistəz	**Austern**
prawns	prɔːnz	**Garnelen**
sea-food	'siːfuːd	**Seetiere**

shellfish	ˈʃelfiʃ	Krebs
shrimps	ʃrimps	Garnelen
spiny lobster	ˈspaini ˈlɔbstə	Languste
turtle	ˈtəːtl	Schildkröte

Geflügel

capon	ˈkeipən	Kapaun
chicken	ˈtʃikin	Hähnchen
chicken breast	ˈtʃikin brest	Hühnerbrust
chicken, fried	fraid ˈtʃikin	Backhuhn
chicken, roast	rəust ˈtʃikin	Brathuhn
black grouse	blæk graus	Birkhuhn
duck	dʌk	Ente
fowl	faul	Geflügel
giblets *pl.*	ˈdʒiblits	Gänse-, Hühnerklein
goose	guːs	Gans
guinea-fowl	ˈginifaul	Perlhuhn
partridge	ˈpɑːtridʒ	Rebhuhn
pheasant	ˈfeznt	Fasan
pigeon	ˈpidʒin	Taube
poultry	ˈpəultri	Geflügel
quail	kweil	Wachtel
snipe	snaip	Schnepfe
turkey	ˈtəːki	Pute, Truthahn

Fleischgerichte

beef	biːf	Rindfleisch
beef olives	biːf ˈɔlivz	Rindsrouladen
boiled	bɔild	gekocht
brains	breinz	Hirn
braised	breizd	geschmort
brisket	ˈbriskit	Brust
calf's head	kɑːfs hed	Kalbskopf
chop	tʃɔp	Kotelett
collared beef	ˈkɔləd biːf	Roulade
cutlet	ˈkʌtlit	Kotelett
fillet	ˈfilit	Filet
forcemeat, roasted	ˈrəustid ˈfɔːsmiːt	falscher Hase
fricassee	frikəˈsiː	Fricassee

fried	fraid	**in der Pfanne gebraten**
game	geim	**Wild**
goulasch	'guːlæʃ	**Gulasch**
ham	hæm	**Schinken**
hamburger	'hæmbəːgə	**Dt. Beefsteak**
hare	heə	**Hase**
hash	hæʃ	**Ragout**
joint	dʒɔint	**Braten**
kidneys	'kidniz	**Nieren**
knuckle	'nʌkl	**Haxe**
lamb	læm	**junges Hammelfleisch**
leg	leg	**Keule**
liver	'livə	**Leber**
loin	lɔin	**Lende**
loin, roast	rəust lɔin	**Nierenbraten**
meat	miːt	**Fleisch**
meat balls	miːt bɔːlz	**Fleischklößchen**
meat dish	miːt diʃ	**Fleischgericht**
minced meat	minst miːt	**Hackfleisch**
minced raw beef	minst rɔː biːf	**Tatar**
pie	pai	*s. Kasten*
pork	pɔːk	**Schweinefleisch**
rabbit	'ræbit	**Kaninchen**
ragout	'ræguː	**Ragout**
rissole	'risəul	**Frikadelle**
roast	rəust	**gebraten**
rump steak	rʌmp steik	**Rumpsteak**
saddle	'sædl	**Rücken**
salted	'sɔːltid	**gepökelt**
sausages, pork	pɔːk 'sɔsidʒiz	**Schweinswürstchen**
shepherd's pie	'ʃepədz pai	*Auflauf aus Hack- fleisch u. Kartoffeln*
shoulder	'ʃəuldə	**Schulter**
sirloin	'səːlɔin	**Lende**
smoked	sməukt	**geräuchert**
stag	stæg	**Hirsch**
steak	steik	**Steak**
steamed	stiːmd	**gedämpft**
stew	stjuː	**Eintopf**
stewed	stjuːd	**geschmort**

sweetbread	ˈswiːtbred	**Kalbsbröschen**
tenderloin	ˈtendələin	**Filet**
toad-in-the-hole	təud‿in ðə həul	***Schweinswürstchen in gebackenem Eierteig***
tongue	tʌŋ	**Zunge**
tripe	traip	**Kutteln**
veal	viːl	**Kalbfleisch**
venison	ˈvenzn	**Reh**
Wienerschnitzel	ˈviːnəʃnitsl	**Wienerschnitzel**
wild boar	waild bɔː	**Wildschwein**

"Meat pies" [miːt paiz] *sind Pasteten aus Mürbe- oder Blätterteig, mit Fleisch oder Geflügel gefüllt.* – "steak and kidney" [steik ənd ˈkidni] *(Rindfleisch mit Nieren)*, "veal and ham" [viːl ənd hæm] *(Kalbfleisch mit Schinken) usw.*

Gemüse

artichokes	ˈɑːtitʃəuks	**Artischocken**
asparagus	əsˈpærəgəs	**Spargel**
beans, butter	ˈbʌtə biːnz	**Wachsbohnen**
beans, French	frentʃ biːnz	**grüne Bohnen**
beans, haricot	ˈhærikəu biːnz	**Gartenbohnen**
beans, runner	ˈrʌnə biːnz	**Stangenbohnen**
beetroot	ˈbiːtruːt	**rote Rüben**
Brussels sprouts	ˈbrʌslˈsprauts	**Rosenkohl**
cabbage	ˈkæbidʒ	**Kohl**
cabbage, red	red ˈkæbidʒ	**Rotkohl**
carrots	ˈkærəts	**Mohrrüben**
cauliflower	ˈkɔliflauə	**Blumenkohl**
celery	ˈseləri	**(Bleich)Sellerie**
chicory	ˈtʃikəri	**Chicorée**
chips	tʃips	**Pommes frites**
cress	kres	**Kresse**
cucumber	ˈkjuːkʌmbə	**Gurke**
French fries	frentʃ fraiz	**Pommes frites**
kale	keil	**Grünkohl**

lettuce	'letis	**Kopfsalat**
mushrooms	'mʌʃrumz	**Pilze**
peas	piːz	**Erbsen**
peppers	'pepəz	**Paprikaschoten**
potatoes, boiled	bɔild pə'teitəuz	**Salzkartoffeln**
potatoes, baked	beikt pə'teitəuz	**gebackene Kartoffeln**
potatoes baked	pə'teitəuz beikt	**gebackene**
in their jackets ...	in ðɛə 'dʒækits	**Pellkartoffeln**
potatoes, fried	fraid pə'teitəuz	**Bratkartoffeln**
potatoes, mashed ..	mæʃt pə'teitəuz	**Kartoffelbrei**
potatoes, sauté	'səutei pə'teitəuz	**Schwenkkartoffeln**
salad	'sæləd	**Salat**
savoy	sə'vɔi	**Wirsingkohl**
spinach	'spinidʒ	**Spinat**
swede	swiːd	**weiße Rüben**
sweetcorn	'swiːtkɔːn	**Mais**
tomatoes	tə'mɑːtəuz	**Tomaten**
vegetable marrow ..	'vedʒitəbl 'mærəu ..	**Kürbis**
vegetables	'vedʒitəblz	**Gemüse**

Eierspeisen

bacon and eggs	'beikən ̮ənd ̮egz....	**(Spiegel)Eier mit Speck**
egg dish	eg diʃ	**Eierspeise**
fried eggs	fraid ̮egz	**Spiegeleier**
ham and eggs	hæm ̮ənd ̮egz	**(Spiegel)Eier mit Schinken**
hard-boiled eggs	'hɑːdbɔild ̮egz	**harte Eier**
omelette	'ɔmlit	**Eierkuchen, Omelett**
poached eggs.......	pəutʃt egs	**verlorene Eier**
scrambled eggs	'skræmbld ̮egz	**Rühreier**
soft-boiled eggs.....	'sɔftbɔild ̮egz	**weiche Eier**

Käse

Camembert	'kæməmbɛə	**Camembert**
Cheddar cheese	'tʃedə tʃiːz	**Cheddarkäse**
cheese spread	tʃiːz spred	**Weich-, Schmelzkäse**
Cheshire cheese	'tʃeʃə tʃiːz	**Chesterkäse**
cottage cheese	'kɔtidʒ tʃiːz	**Hüttenkäse**
cream cheese	kriːm tʃiːz	**Hütten-, Weichkäse**
Dutch cheese	dʌtʃ tʃiːz	**Edamer Käse**
grated cheese	'greitid tʃiːz	**geriebener Käse**
Gruyère (cheese)	'gruːjeə (tʃiːz)	**Gruyèrekäse**
Parmesan cheese	'pɑːmizæn tʃiːz	**Parmesankäse**
Stilton (cheese)	'stiltn (tʃiːz)	**Blauschimmelkäse**

Süßspeisen

fruit salad	fruːt 'sæləd	**Obstsalat**
icecream	'aisˈkriːm	**Eis**
mousse	muːs	**Cremespeise**
pancake	'pænkeik	**Pfann-, Eierkuchen**
rice pudding	rais 'pudiŋ	**Reisbrei**
sweets	swiːts	**Süßspeisen**
stewed fruit	stjuːd fruːt	**Kompott**

"Pie" *oder* "tart" *ist eine englische Spezialität: Mürbeteig mit Obstfüllung. Sie wird warm gegessen mit Sahne* (cream [kriːm]) *oder Vanillesoße* (custard ['kʌstəd]). *Englischer* "pudding" ['pudiŋ] *ist eine kuchenartige Süßspeise, die warm gegessen wird.*

Obst

almonds	ˈɑːməndz	**Mandeln**
apple	ˈæpl	**Apfel**
apricots	ˈeiprikɔts	**Aprikosen**
banana	bəˈnɑːnə	**Banane**
bilberries	ˈbilbəriz	**Blaubeeren, Heidelbeeren**
blackberries	ˈblækbəriz	**Brombeeren**
blackcurrants	blækˈkʌrənts	**schwarze Johannisbeeren**
cherries	ˈtʃeriz	**Kirschen**
chestnuts	ˈtʃesnʌts	**Kastanien**
coconut	ˈkəukənʌt	**Kokosnuß**
cranberries	ˈkrænbəriz	**Preiselbeeren**
damsons	ˈdæmzənz	**Zwetschgen**
dates	deits	**Datteln**
figs	figz	**Feigen**
fruit	fruːt	**Obst**
gooseberries	ˈguːzbəriz	**Stachelbeeren**
grapefruit	ˈgreipfruːt	**Grapefruit**
grapes	greips	**Weintrauben**
greengages	ˈgriːngeidʒiz	**Reineclauden**
hazel-nuts	ˈheizlnʌts	**Haselnüsse**
melon	ˈmelən	**Melone**
nuts	nʌts	**Nüsse**
orange	ˈɔrindʒ	**Apfelsine**
peach	piːtʃ	**Pfirsich**
peanuts	ˈpiːnʌts	**Erdnüsse**
pear	pɛə	**Birne**
pineapple	ˈpainæpl	**Ananas**
plums	plʌmz	**Pflaumen**
prunes	pruːnz	**Backpflaumen**
quince	kwins	**Quitte**
raspberries	ˈrɑːzbəriz	**Himbeeren**
redcurrants	redˈkʌrənts	**rote Johannisbeeren**
rhubarb	ˈruːbɑːb	**Rhabarber**
strawberries	ˈstrɔːbəriz	**Erdbeeren**
tangerine	tændʒəˈriːn	**Mandarine**
walnuts	ˈwɔːlnʌts	**Walnüsse**

GETRÄNKEKARTE

Wein

Wein	wine	wain
– abgelagerter	mature	məˈtjuə
– alter	old	əuld
– herber	dry	drai
– junger	new	njuː
– kräftiger	heavy	ˈhevi
– leichter	light	lait
– naturreiner	vintage	ˈvintidʒ
– saurer	sour	ˈsauə
– süßer	sweet	swiːt
– verschnittener	blended	ˈblendid
Apfelwein	cider	ˈsaidə
Burgunder	Burgundy	ˈbəːgəndi
Dessertwein	dessert wine	diˈzəːt wain
Glühwein	mulled claret	mʌld ˈklærət
Moselwein	Moselle (wine)	məuˈzel (wain)
Muskatellerwein	muscatel (wine)	mʌskəˈtel (wain)
Rheinwein	hock, Rhenish wine	hɔk, ˈriːniʃ wain
Rotwein	red wine	red wain
roter Bordeaux	claret	ˈklærət
Sekt	champagne	ʃæmˈpein
Tischwein	dinner wine	ˈdinə wain
Weißwein	white wine	wait wain
Wermut(wein)	verm(o)uth	ˈvəːməθ

Bier

Bier	beer	biə
– deutsches *dunkles*	German *dark*	ˈdʒəːmən dɑːk
– *(helles)* Bier	*(light)* beer	(lait) biə
– englisches dunkles B.	stout, *(schwächer)* porter	staut, ˈpɔːtə
– englisches helles B.	pale ale	peil ‿eil
ein Glas Bier	a glass of beer	ə glɑːs ‿əv biə
Bier vom Faß	draught beer	drɑːft biə
Dosenbier	canned beer	kænd biə
Flaschenbier	bottled beer	ˈbɔtld biə
Lagerbier	lager	ˈlɑːgə

Andere alkoholische Getränke

alkoholisches Getränk	alcoholic drink	ælkə'hɔlic driŋk
Gin	gin	dʒin
Grog	grog	grɔg
Kognak	cognac, brandy	'kɔnjæk, 'brændi
Likör	liqueur	li'kjuə
– Aprikosenlikör	apricot brandy	'eiprikɔt 'brændi
– Benediktiner	Benedictine	beni'diktin
– Eierlikör	advocaat	'ædvəkɑ:t
– Kirschlikör	cherry brandy	'tʃeri 'brændi
Magenbitter	bitters	'bitəz
Most	cider	'saidə
Punsch	punch	pʌntʃ
Rum	rum	rʌm
Weinbrand	brandy	'brændi
Whisky	whisky	'wiski
Wodka	vodka	'vɔdkə

Alkoholfreie Getränke

Kaffee, Tee, Schokolade, Milch siehe Seite 113–114.

alkoholfreies Getränk	soft drink	soft driŋk
Fruchtsaft	fruit juice	fru:t dʒu:s
– Grapefruitsaft	grapefruit juice	'greipfru:t dʒu:s
– schwarzer Johannis-	blackcurrant juice	'blæk'kʌrənt
beersaft		dʒu:s
– Orangensaft	orange juice	'ɔrindʒ dʒu:s
– Zitronensaft	lemon juice	'lemən dʒu:s

„Apfelsaft" findet man in Großbritannien hauptsächlich in alkoholischer Form, d. h. als "cider" [ˈsaidə]. *Es gibt aber besondere, alkoholfreie Marken.*

Limonade	pop	pɔp
– Brauselimonade	fizzy lemonade	'fizi lemə'neid
– Zitronenlimonade	lemon squash	'lemən skwɔʃ
Milchmixgetränk	milk shake	milk ʃeik
Orangeade	orangeade	'ɔrin'dʒeid
Saft	juice	dʒu:s

Tonic	tonic	'tɔnik
Wasser	water	'wɔːtə
– Mineralwasser	mineral water	'minərəl 'wɔːtə
– Soda	soda	'səudə

Café und Konditorei

Ich möchte ...
I would like ...
ai wud laik ...

ein Stück Kuchen	a piece of cake	ə piːs_əv keik
einen Kaffee	a cup of coffee	ə kʌp_əv 'kɔfi
eine Portion Eis	an ice(-cream)	ən_ais(-'kriːm)
– mit (ohne) Sahne	*with (without) cream*	wið (wi'ðaut) kriːm
ein Glas Orangensaft	a glass of orange juice	ə glɑːs_əv 'ɔrindʒ dʒuːs
Café	café	'kæfei
Eis	ice(-cream)	ais('kriːm)
– Erdbeereis	strawberry ice	'strɔːbəri ais
– gemischtes Eis	mixed ice	mikst ais
– Halbgefrorenes	parfait	pɑː'fei
– Schokoladeneis	chocolate ice	'tʃɔklit ais
– Vanilleeis	vanilla ice	və'nilə ais
– Zitroneneis	lemon ice	'lemən ais
Eisbecher	sundae	'sʌndei
– mit Pfirsich	peach melba	piːtʃ 'melbə
– mit Banane	banana split	bə'nɑːnə split
Eisdiele	ice-cream *bar (parlour)*	'aiskriːm bɑː ('pɑːlə)
Eiskaffee	iced coffee	aist 'kɔfi
Eisschokolade	iced chocolate	aist 'tʃɔklit
Eiswaffeln	(ice-cream) wafers	('aiskriːm) 'weifəz
Gebäck	pastries	'peistriz
Kaffee *(s. a. Seite 98)*	coffee	'kɔfi
Kakao	cocoa	'kəukəu
Kekse	biscuits	'biskits
Konditorei	confectionery	kən'fekʃnəri
Krapfen (mit Sahne)	(cream) doughnuts	(kriːm) 'dəunʌts
Kuchen	cake	keik
– Apfelkuchen	apple tart	'æpl tɑːt

– **Apfel im Schlafrock**	apple turnover	ˈæpl ˈtəːnəuvə
– **Biskuitrolle**	*sponge (Swiss)* roll ...	spʌndʒ (swis) rəul
– **Englischer Kuchen**	*sultana (fruit)* cake ...	səlˈtɑːnə(fruːt) keik
– **Kirschkuchen**	cherry cake	ˈtʃeri keik
– **Leb-(Pfeffer)kuchen**	gingerbread	ˈdʒindʒəbred
– **Pflaumenkuchen**	plum flan	plʌm flæn
– **Sandkuchen**	madeira cake	məˈdiərə keik
Kuchenbrötchen	bun	bʌn
Makronen	macaroons	mækəˈruːnz
Plätzchen	biscuits	ˈbiskits
– **gemischte**	*assorted (mixed)* biscuits	əˈsɔːtid (mikst) ˈbiskits
– **Schokoladen-**	chocolate biscuits ...	ˈtʃɔklit ˈbiskits
Pralinen	chocolates	ˈtʃɔklits
Milch	milk	milk
– **kalte / heiße**	cold / hot	kəuld / hɔt
– **Kondensmilch**	*condensed (evaporated)* milk	kənˈdenst (iˈvæpə-reitid) milk
Milchbar	milk bar	milk bɑː
Sahne	cream	kriːm
Sahnebaiser	meringue	məˈræŋ
Schlagsahne	whipped cream	wipt kriːm
Schokolade	chocolate	ˈtʃɔklit
Süßigkeiten	sweets	swiːts
Tee *(s. a. Seite 98)* .	tea	tiː
Teegebäck	scones, tea-cakes *pl.* ...	skɔnz, ˈtiːkeiks
Torte	gâteau, pastry, ... fancy cake	gɑːˈtəu, ˈpeistri, ˈfænsi keik
– **Schokoladentorte** .	chocolate cake	ˈtʃɔklit keik
– **Obsttorte**	fruit flan	fruːt flæn
Zucker	sugar	ˈʃugə
– **Würfelzucker**	lump sugar	lʌmp ˈʃugə

Eine englische Spezialität ist das verschiedenartige Teegebäck. Es wird mit Butter gegessen, evtl. auch mit Marmelade und Schlagsahne. Außerdem gibt es Mürbe- oder Blätterteig mit verschiedenen Füllungen (z. B. Apfel, Marmelade, aber auch Würstchen oder Schinken).

Beanstandungen, Bezahlen

Hier fehlt noch *eine Portion (ein Besteck, ein Glas)*
We need another *portion (knife and fork, glass)*.
wi niːd ə'nʌðə 'pɔːʃən (naif ənd fɔːk, glɑːs)

Dies wollte ich nicht.
This isn't what I wanted.
ðis 'iznt wɔt ai 'wɔntid

Ich wollte ...
I wanted ...
ai 'wɔntid ...

Das ist ...
This is ...
ðis iz ...

nicht mehr frisch	not fresh	nɔt freʃ
zu fett	too fat	tuː fæt
zu hart	too hard	tuː hɑːd
zu heiß	too hot	tuː hɔt
zu kalt	too cold	tuː kəuld
zu salzig	*too salty (over-salted)*	tuː 'sɔːlti ('əuvə'sɔːltid)
zu sauer	too sour	tuː 'sauə
zu scharf	too *highly seasoned (hot)*	tuː 'haili 'siːznd (hɔt)
zu zäh	too tough	tuː tʌf

Ich möchte zahlen!
The bill, please!
ðə bil pliːz

Die Rechnung, bitte!
The bill, please!
ðə bil pliːz

Ich zahle alles zusammen.
All together, please.
ɔːl tə'geðə pliːz

Wir zahlen getrennt.
Separate bills, please.
'seprit bilz pliːz

Das scheint nicht zu stimmen.
This doesn't seem to be right.
ðis 'dʌznt siːm tə bi rait.

Das haben wir nicht gehabt.
We didn't have that.
wi 'didnt hæv ðæt

Vielen Dank!
Thank you very much!
'θæŋkju 'veri mʌtʃ

Das ist für Sie.
That's for you.
ðæts fə juː

IN DER STADT

Auf der Straße

Wo ist ... ?
Where is ... ?
wɛər_iz ...

der Bahnhof	the station	ðə ˈsteiʃən
die Bank	the bank	ðə bæŋk
die Bushaltestelle . . .	the bus stop	ðə bʌs stɔp
der Flugplatz	the airport	ði_ˈɛəpɔːt
der Hafen	the harbour	ðə ˈhɑːbə
das ...-Hotel	the ... hotel	ðə ... həuˈtel
die katholische Kirche	the Catholic Church . . .	ðə ˈkæθəlik tʃəːtʃ
die Paulskirche	St. Paul's church	snt ˈpɔːlz tʃəːtʃ
das Museum	the museum	ðə mjuˈziəm
der ...-Platz	... Square ·	... skwɛə
das Polizeirevier	the police station	ðə pəˈliːs ˈsteiʃən
das Postamt	the post office	ðə pəust ˈɔfis
das Rathaus	the town hall, *(City of London:)* Guildhall . . .	ðə taun hɔːl, ˈgildhɔːl
die ...-Straße	... Road, Street	... rəud, striːt
ein Taxistand	a taxi rank	ə ˈtæksi ræŋk

Ist es weit?
Is it far?
iz_it fɑː

Wie weit ist es *zum (zur)* ... ?
How far is it to the ... ?
hau fɑːr_iz_it tə ðə ...

Wie viele Minuten zu Fuß?
How many minutes on foot?
hau ˈmeni ˈminits ɔn fut

Ziemlich (nicht) weit.
A good distance (Not far).
ə gud ˈdistəns (nɔt fɑː)

In welcher Richtung liegt ... ?
What direction is ... in?
wɔt diˈrekʃən_iz ... in

In welcher Straße ist ... ?
What road is ... in?
wɔt rəud_iz ... in

Dort.	**Geradeaus**	**Nach rechts.**	**Nach links.**
There.	Straight on.	To the right.	To the left.
ðɛə	streit_ɔn	tə ðə rait	tə ðə left

Bus, Taxi

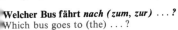

Kann ich mit dem Bus fahren?
Can I go by bus?
kæn‿ai gəu bai bʌs

Welcher Bus fährt *nach (zum, zur)* ...?
Which bus goes to (the) ...?
witʃ bʌs gəuz tə (ðə) ...

Wie viele Haltestellen sind es?
How many stops is it?
hau 'meni stɔps iz‿it

Muß ich umsteigen?
Do I have to change?
du: ai hæv tə tʃeindʒ

Wo muß ich *aussteigen (umsteigen)*?
Where do I have to *get off (change)*?
wɛə du‿ai hæv tə get‿ɔf (tʃeindʒ)

Sagen Sie mir bitte, wenn wir dort sind!
Could you tell me when we get there, please?
kud ju tel mi wen wi get ðɛə pli:z

Einen *einfachen (Umsteige-)*Fahrschein nach ...
A *single (transfer)* to ...
ə 'siŋgl ('trænsfə) tə ...

Wo bekomme ich ein Taxi?
Where can I get a taxi?
wɛə kən‿ai get‿ə 'tæksi

Fahren Sie mich *zum (zur)* ...
Take me to ..., please.
teik mi tə ... pli:z

Zum Bahnhof, bitte!
To the station, please!
tə ðə 'steiʃən pli:z

Wieviel kostet es *nach (zum, zur)* ...?
How much is the fare to (the) ...?
hau mʌtʃ‿iz ðə fɛə tə (ðə) ...

Können Sie uns einige Sehenswürdigkeiten zeigen?
Could you show us some of the sights?
kud ju ʃəu‿ʌs sʌm‿əv ðə saits

Warten *(Halten)* Sie hier bitte einen Augenblick.
Would you *wait (stop)* here for a minute, please?
wud ju weit (stɔp) hiə fər‿ə 'minit pli:z

Ausflüge und Besichtigungen

Für morgen bitte zwei Plätze nach ...
Two tickets to ... for tomorrow, please.
tu: 'tikits tə ... fə tə'mɔrəu pli:z

Ist das Mittagessen im Preis inbegriffen?
Is lunch included in the price?
iz lʌntʃ in'klu:did ̣in ðə prais

Wann (Wo) treffen wir uns?
When (Where) do we meet?
wen (wɛə) du wi mi:t

Wir treffen uns ...
We're meeting ...
wiə 'mi:tiŋ ...

Wann geht es los?
When do we start?
wen du wi stɑ:t

Besichtigen wir auch ...?
Are we going to visit ... too?
ɑ: wi 'gəuiŋ tə 'vizit ... tu:

Haben wir Zeit zur freien Verfügung?
Have we got some free time?
hæv wi gɔt sʌm fri: taim

Wieviel?
How much?
hau mʌtʃ

Können wir Einkäufe machen?
Can we do some shopping?
kæn wi du sʌm 'ʃɔpiŋ

Wann kommen wir zurück?
When do we come back?
wen du wi kʌm bæk

Wie lange bleiben wir in ...?
How long do we stay in ...?
hau lɔŋ du wi stei in ...

Kommen wir auch nach ...?
Do we go to ... too?
du wi gəu tə ... tu:

Welche Sehenswürdigkeiten gibt es in ...?
What is there worth seeing in ...?
wɔts ðɛə wə:θ 'si:iŋ ̣in ...

Wann wird ... *geöffnet (geschlossen)*?
When does ... *open (close)*?
wen dəz ... 'əupən (kleuz)

Wieviel kostet *der Eintritt (die Führung)*?
How much is the entrance fee? (What does the conducted tour cost?)
hau mʌtʃ ̣iz ði ̣'entrəns fi: (wɔt dəz ðə kən'dʌktid tuə kɔst)

Gibt es einen Fremdenführer, der Deutsch spricht?
Is there a German-speaking guide?
iz ðɛər ̣ə 'dʒə:mənspi:kiŋ gaid

Ich würde mir gern ... ansehen.
I'd like to see ...
aid laik tə si: ...

Kann man heute ... besichtigen?
Can one visit ... today?
kæn wʌn 'vizit ... tə'dei

die Ausstellung	the exhibition	ði_eksi'biʃən
die Burg	the castle	ðə 'kɑːsl
die Galerie	the gallery	ðə 'gæləri
die Kirche	the church	ðə tʃəːtʃ
das Museum	the museum..........	ðə mjuˈziəm
den Palast	the palace	ðə 'pælis
das Schloß	the castle	ðə 'kɑːsl
den Zoo	the zoo	ðə zuː

Wann beginnt die Führung?
When does the tour begin?
wen dəz ðə tuə bi'gin

Darf man fotografieren?
Is one allowed to take photographs?
iz wʌn_ə'laud tə teik 'fəutəgrɑːfs

Was für ein *Gebäude (Denkmal)* ist das?
What *building (monument)* is that?
wɔt 'bildiŋ ('mɔnjumənt) iz ðæt

Von wem stammt *dieses Bild (diese Statue)*?
Who's the *painter (sculptor)*?
huːz ðə 'peintə ('skʌlptə)

Aus welchem Jahrhundert stammt ...?
What period does this ... date from?
wɔt 'piəriəd dəz ðis ... deit frɔm

Wann wurde ... gebaut?
When was ... built?
wen wəz ... bilt

Wer hat ... gebaut?
Who built ...?
huː bilt ...

Wo befindet sich ...?
Where is ...?
weər_iz ...

Ist das ...?
Is that ...?
iz ðæt ...

*****Hier *lebte (wurde geboren, starb)* ...**
... *lived (was born, died)* here.
... livd (wəz bɔːn, daid) hiə

Wörter

Allee	avenue	ˈævinjuː
Altstadt	old town	əuld taun
Amt	(government) office	(ˈgʌvənmənt) ˈɔfis
Ausflug	excursion	iksˈkəːʃən
Ausgrabungen	excavations	ekskəˈveiʃənz
Ausstellung	exhibition	eksiˈbiʃən
Badegelegenheit	(opportunity for) bathing, swimming	(ɔpəˈtjuːniti fə) ˈbeiðiŋ, ˈswimiŋ
Bahnhof	station	ˈsteiʃən
Bauernhof	farmhouse	ˈfɑːmhaus
Bedürfnisanstalt	public convenience	ˈpʌblik kənˈviːnjəns
Berg	mountain, hill	ˈmauntin, hil
Besichtigung	sightseeing	ˈsaitsiːiŋ
Bibliothek	library	ˈlaibrəri
Bootsfahrt	boat trip	bəut trip
Botanischer Garten	botanical gardens pl.	bəˈtænikəl ˈgɑːdnz
Botschaft	embassy	ˈembəsi
Brücke	bridge	bridʒ
Brunnen	fountain	ˈfauntin
Burg	castle	ˈkɑːsl
Bürgersteig	pavement	ˈpeivmənt
Bus	bus	bʌs
Denkmal	monument, memorial	ˈmɔnjumənt, miˈmɔːriəl
Dorf	village	ˈvilidʒ
Durchgang	passageway	ˈpæsidʒwei
Ecke	corner	ˈkɔːnə
Einkaufszentrum	shopping centre	ˈʃɔpiŋ ˈsentə
Endhaltestelle	terminus, terminal	ˈtəːminəs, ˈtəːminl
Fabrik	factory	ˈfæktəri
Feuerwehr	fire brigade	ˈfaiə briˈgeid
Flugplatz	airport	ˈɛəpɔːt
Fluß	river	ˈrivə
Fremdenführer	guide	gaid
Friedhof	cemetery, churchyard	ˈsemitri, ˈtʃəːtʃˈjɑːd
Fundbüro	lost-property office	lɔst ˈprɔpəti ˈɔfis

Fußgänger	pedestrian	piˈdestriən
– Fußgängerübergang	pedestrian crossing ···	piˈdestriən ˈkrɔsiŋ
Galerie	gallery	ˈgæləri
Garten	garden	ˈgɑːdn
Gasse	lane, alley	lein, ˈæli
– Sackgasse	cul-de-sac	ˈkuldəˈsæk
Gebäude	building	ˈbildiŋ
Gebirge	mountains	ˈmauntinz
Gegend	district, region, area ···	ˈdistrikt, ˈriːdʒən, ˈɛəriə
Gericht(sgebäude) ··	law courts *(meist pl.)* ·	lɔː kɔːts
Geschäft, Laden	shop	ʃɔp
Grab	grave, tomb ·········	greiv, tuːm
Graben	ditch, *(Burg)* moat ···	ditʃ, məut
Grünanlage	park, gardens *pl.*	pɑːk, ˈgɑːdnz
Hafen	harbour ·············	ˈhɑːbə
Haltestelle	stop	stɔp
Hauptstadt	capital	ˈkæpitl
Hauptstraße	main road	mein rəud
Haus	house	haus
Hausnummer	house number ·······	haus ˈnʌmbə
Hochhaus	tower block, *(Wohn-block)* high-rise flats *pl.*	ˈtauə blɔk, ˈhairaiz flæts
Höhle	cave	keiv
Innenstadt	*city (town)* centre ····	ˈsiti (taun) ˈsentə
Kaserne	barracks *pl.*	ˈbærəks
Kirche	church	tʃəːtʃ
Konsulat	consulate ···········	ˈkɔnsjulit
Kraftwerk	power station ·······	ˈpauə ˈsteiʃən
Krankenhaus	hospital ·············	ˈhɔspitl
Landschaft	countryside···········	ˈkʌntrisaid
Markt	market ·············	ˈmɑːkit
Markthalle	covered market ······	ˈkʌvəd ˈmɑːkit
Mauer	wall ···············	wɔːl
Ministerium	ministry ·············	ˈministri
Museum	museum ·············	mjuˈziəm
Naturschutzgebiet ··	national park, ······· protected area ······· *in England oft:* National Trust property	ˈnæʃənl pɑːk, prəˈtektid ˈɛəriə ˈnæʃənl trʌst ˈprɔpəti
Nebenstraße	side road ···········	said rəud

Oper	opera	'ɔpərə
Palast	palace	'pælis
Park	park	pɑːk
Pavillon	pavilion	pə'viljən
Platz	square	skwɛə
Polizei	police	pə'liːs
Polizeirevier	police station	pə'liːs 'steiʃən
Polizist	policeman	pə'liːsmən
Postamt	post office	pəust 'ɔfis
Rathaus	town hall	taun hɔːl
	(City of London:)	
	Guildhall	gild hɔːl
Reisebüro	travel agency	'trævl 'eidʒənsi
Rettungsstation	first-aid post,	'fəːst'eid pəust,
	(im Krankenhaus)	'kæʒjuəlti
	casualty department	di'pɑːtmənt
Ruine	ruin	'ruːin
Rundfahrt	sightseeing tour	'saitsiːiŋ tuə
Schloß	castle	'kɑːsl
Schnellbahn	suburban express train	sə'bəːbən_iks'pres trein
Schule	school	skuːl
Stadion	stadium	'steidjəm
Stadt	town, city	taun, 'siti
Stadtteil	district, part of town	'distrikt, pɑːt əv tau
Stadtzentrum	*town (city)* centre	taun ('siti) 'sentə
Sternwarte	observatory	əb'zəːvətri
Straße	road, street	rəud, striːt
Synagoge	synagogue	'sinəgɔg
Tal	valley	'væli
Taxi	taxi	'tæksi
Taxistand	taxi rank	'tæksi ræŋk
Tempel	temple	'templ
Theater	theatre	'θiətə
Tor	gate(way)	'geit(wei)
Turm	tower	'tauə
U-Bahn	underground, tube	'ʌndəgraund, tjuːb
Umgebung	surroundings, environs *pl.*	sə'raundiŋz, in'vaiərənz
Universität	university	juːni'vəːsiti
Verkehr	traffic	'træfik

Verkehrsampel	traffic lights *pl.*	ˈtræfik laits
Verkehrsschild	road sign	rəud sain
Vorort	suburb	ˈsʌbəːb
Wanderweg	footpath	ˈfutpɑːθ
Wasserfall	waterfall............	ˈwɔːtəfɔːl
Weg	path	pɑːθ
Zebrastreifen	*zebra (pedestrian)*	ˈziːbrə (piˈdestriən)
	crossing	ˈkrɔsiŋ
Zoo	zoo	zuː.

Kirchen, Gottesdienst

Wo ist die katholische Kirche?
Where is the Catholic church?
wɛər‿iz ðə ˈkæθəlik tʃəːtʃ

... Marienkirche?
... St. Mary's Church?
... snt ˈmɛəriz tʃəːtʃ

Wann findet *der Gottesdienst (das Hochamt)* statt?
What time is *the service (Mass)*?
wɔt taim iz ðə ˈsəːvis (mæs)

Findet heute eine *Trauung (Taufe)* statt?
Is there a *wedding (christening)* today?
iz ðɛər‿ə ˈwediŋ (ˈkrisniŋ) təˈdei

Wer hält die Predigt?
Who's preaching?
huːz ˈpriːtʃiŋ

Werden Kirchenkonzerte veranstaltet?
Do they hold concerts in the church?
duː ðei həuld ˈkɔnsəts in ðə tʃəːtʃ

Waren Sie heute schon in der Kirche?
Have you been to church today?
hæv juː bi(ː)n tə tʃəːtʃ təˈdei

Rufen Sie bitte einen *Geistlichen (Priester)*.
Would you fetch a *clergyman (priest)*, please?
wud juː fetʃ‿ə ˈkləːdʒimən (priːst) pliːz

Ich bin ...	I am a ...	aim‿ə
Buddhist	Buddhist	ˈbudist
Christ	Christian	ˈkristjən
Jude	Jew	dʒuː
Katholik	(Roman) Catholic	(ˈrəumən) ˈkæθəlik

Methodist	Methodist	ˈmeθədist
Mohammedaner	Mohammedan	məuˈhæmidən
Moslem	Moslem	ˈmɔzlem
Protestant	Protestant	ˈprɔtistənt

Ich bin konfessionslos.
I don't belong to any religious body.
ai dəunt biˈlɔŋ tə ˈeni riˈlidʒəs ˈbɔdi

Abendmahl	(Holy) Communion	(ˈhəuli) kəˈmjuːnjən
Abtei	abbey	ˈæbi
Altar	altar	ˈɔːltə
Andacht	prayers *pl.*	ˈprɛəz
barock	Baroque	bəˈrɔk
Beichte	confession	kənˈfeʃən
beichten	to go to confession,	tə gəu tə kənˈfeʃən,
	to confess	tə kənˈfes
Bogen	arch	ɑːtʃ
Christentum	Christianity	kristiˈæniti
christlich	Christian	ˈkristjən
Christus	Christ	kraist
Chor	choir	ˈkwaiə
evangelisch	Protestant	ˈprɔtistənt
Evangelium	Gospel	ˈgɔspəl
Fresko	fresco	ˈfreskəu
Friedhof	cemetery, churchyard	ˈsemitri, ˈtʃəːtʃˈjɑːd
Geistlicher	clergyman	ˈkləːdʒimən
Glaubensbekenntnis	creed	kriːd
Glocke	bell	bel
gotisch	Gothic	ˈgɔθik
Gott	God	gɔd
Gottesdienst	service	ˈsəːvis
Grab	grave, tomb	greiv, tuːm
Hochamt	High Mass	hai mæs
Kanzel	pulpit	ˈpulpit
Kapelle	chapel	ˈtʃæpəl
Kathedrale	cathedral	kəˈθiːdrəl
katholisch	(Roman) Catholic	(ˈrəumən) ˈkæθəlik
Kirche	church	tʃəːtʃ
Kirchendiener	verger,	ˈvəːdʒə,
	(kath.) sacristan	ˈsækristən

Kirchenkonzert	church concert	tʃəːtʃ ˈkɔnsət
Kloster	*(Mönche)* monastery,	ˈmɔnəstəri,
	(Nonnen) convent	ˈkɔnvənt
Konfession	denomination, Church ·	dinɔmiˈneiʃən,
		tʃəːtʃ
Kreuz	cross............	krɔs
Kreuzgang	cloisters *pl.*	ˈklɔistəz
Kruzifix	crucifix............	ˈkruːsifiks
Krypta	crypt	kript
Kuppel	dome, cupola	dəum, ˈkjuːpələ
Leuchter	candlestick..........	ˈkændlstik
Messe	Mass...............	mæs
Mosaik	mosaic	məuˈzeiik
Moschee	mosque	mɔsk
Orgel	organ	ˈɔːgən
Pastor...........	*(Engl. Staatskirche)*	
	rector, vicar; *(Freikir-*	ˈrektə, ˈvikə,
	chen) minister, pastor.	ˈministə, ˈpɑːstə
Pfarrer	clergyman	ˈkləːdʒimən
Pfeiler	pillar............	ˈpilə
Portal	portal, gateway	ˈpɔːtəl, ˈgeitwei
Predigt	sermon	ˈsəːmən
Priester	priest	priːst
protestantisch	Protestant	ˈprɔtistənt
Prozession	procession	prəˈseʃən
Religion	religion............	riˈlidʒən
religiös	religious	riˈlidʒəs
romanisch.........	Romanesque	rəuməˈnesk
Rosenkranz........	rosary	ˈrəuzəri
Sakristei..........	vestry, *(kath.)* sacristy	ˈvestri, ˈsækristi
Sarkophag	sarcophagus	sɑːˈkɔfəgəs
Säule	pillar	ˈpilə
Schiff	nave	neiv
Statue	statue	ˈstætʃuː
Synagoge	synagogue	ˈsinəgɔg
Taufbecken	font...............	fɔnt
Taufe	christening, baptism..	ˈkrisniŋ, ˈbæptizəm
Turm	tower	ˈtauə
Vorhalle	vestibule............	ˈvestibjuːl

EINKÄUFE

Wo kann ich ... *kaufen (bekommen)?*
Where can *I buy (get)* ...?
wɛə kæn_ai bai (get) ...

Gibt es hier ein Fachgeschäft für *Leder (Porzellan)?*
Is there a *leather (china)* shop here?
iz ðɛər_ə ˈleðə (ˈtʃainə) ʃɔp hiə

Haben Sie ...?	*Ich möchte (Wir möchten)* ...
Have you got ...?	*I (We)* would like ...
hæv ju gɔt ...	ai (wi) wud laik ...
Zeigen Sie mir bitte ...	**Ich brauche ...**
Would you show me ..., please?	I need ...
wud ju ʃəu mi ... pliːz	ai niːd ...

Geben Sie mir bitte ...
Would you give me ..., please
wud ju giv mi ... pliːz

eine Dose	a tin	ə tin
eine Flasche	a bottle	ə ˈbɔtl
ein Glas	a glass	ə glɑːs
100 Gramm	(ca.) a quarter	ə ˈkwɔːtə
einen Karton	a box	ə bɔks
ein Kilo	(ca.) two pounds	tuː paundz
ein halbes Kilo	(ca.) a pound	ə paund
ein Liter	(ca.) a quart	ə kwɔːt
ein Meter	(ca.) a yard	ə jɑːd
ein paar, ein Paar	a few, a pair	ə fjuː, ə pɛə
eine Packung	a packet	ə ˈpækit
eine Rolle	a roll	ə rəul
ein Stück	a piece	ə piːs
eine Tube	a tube	ə tjuːb
eine Tüte	a bag	ə bæg

Genug.	**Noch etwas.**	**Noch mehr.**
That's enough.	A little more.	More still.
ðæts_iˈnʌf	ɔ ˈlitl mɔː	mɔː stil

Können Sie es bestellen?
Can you order it?
kæn ju 'ɔːdər it

Wann bekommen Sie es?
When will you get it?
wen wil ju get it

Kann ich es umtauschen?
Can I change it?
kæn ai tʃeindʒ it

Die _Form (Farbe)_ gefällt mir nicht.
I don't like the _shape (colour)_.
ai 'dəunt laik ðə ʃeip ('kʌlə)

Das ist ...
That's ...
ðæts ...

zu breit	too wide............	tuː waid
zu dunkel	too dark............	tuː dɑːk
zu groß	too big	tuː big
zu hell............	too _light (pale)_	tuː lait (peil)
zu klein	too small	tuː smɔːl
zu schmal	too narrow	tuː 'nærəu
zu teuer	too expensive	tuː ˌiks'pensiv
zuviel	too much...........	tuː mʌtʃ
zuwenig	too little	tuː 'litl

Haben Sie etwas _Besseres (Billigeres)_?
Have you got anything _better (cheaper)_?
hæv ju gɔt 'eniθiŋ 'betə ('tʃiːpə)

Das gefällt mir.
I like that.
ai laik ðæt

Ich nehme _es (sie)_.
I'll take it.
ail teik it

Wieviel kostet das?
How much is this?
hau mʌtʃ iz ðis

Danke, das ist alles!
That's all, thank you.
ðæts ɔːl θæŋkju

Können Sie mir die Ware ins Hotel ... schicken?
Could you send the things to the ... hotel for me?
kud ju send ðə θiŋz tə ðə ... həu'tel fə miː

Nehmen Sie _deutsches Geld (Reiseschecks)_?
Do you take _German money (traveller's cheques)_?
du ju teik 'dʒəːmən 'mʌni ('trævləz tʃeks)

Geschäfte

Antiquariat	second-hand bookshop	'sekənd'hænd 'bukʃɔp
Antiquitäten	antique dealer	æn'tiːk 'diːlə
Apotheke	chemist	'kemist
Bäckerei	baker	'beikə
Blumenhandlung	flower shop	'flauə ʃɔp
Boutique	boutique	buː'tiːk
Buchhandlung	bookshop	'bukʃɔp
Drogerie	chemist	'kemist
Eisenwarengeschäft	ironmonger	'aiənmʌŋgə
Elektrohandlung	electrical-equipment shop	i'lektrikəl i'kwipmənt ʃɔp
Färberei	dyer	'daiə
Fischhandlung	fishmonger	'fiʃmʌŋgə
Fleischerei	butcher	'butʃə
Fotogeschäft	photo shop, photographer	'fəutəu ʃɔp, fə'tɔgrəfə
Fotograf	photographer	fə'tɔgrəfə
Friseur	hairdresser, *(Herren)* barber	'hɛədresə, 'baːbə
Gemüsehandlung	greengrocer	'griːngrəusə
Geschäft	shop	ʃɔp
Haushaltswaren	ironmonger	'aiənmʌŋgə
Hutgeschäft	*(Damen)* milliner, *(Herren)* hatter	'millinə, 'hætə
Immobilien	*estate (house)* agent	is'teit (haus) 'eidʒənt
Juwelier	jeweller	'dʒuːələ
Kaufhaus	department store	di'paːtmənt stɔː
Konditorei	confectioner, pastry-cook	kən'fekʃnə, 'peistrikuk
Konfektion	outfitter	'autfitə
Kosmetiksalon	cosmetic *salon (shop)*	kɔz'metik 'sælɔ̃ːŋ (ʃɔp)
Kunsthändler	art dealer	aːt 'diːlə
Kurzwaren	haberdashery	'hæbədæʃəri
Lampengeschäft	lamp shop	læmp ʃɔp
Lebensmittel	grocer, food shop	'grəusə, fuːd ʃɔp
Lederwaren	leather shop	'leðə ʃɔp

Milchgeschäft	dairy	ˈdɛəri
Möbelgeschäft	furniture shop	ˈfɜːnitʃə ʃɔp
Musikalienhandlung .	music shop	ˈmjuːzik ʃɔp
Obstgeschäft	fruiterer, greengrocer .	ˈfruːtərə,
		ˈgriːngrəusə
Optiker	optician	ɔpˈtiʃən
Parfümerie	perfumery	pəˈfjuːməri
Pelzgeschäft	furrier	ˈfɜːriə
Porzellangeschäft . . .	china shop	ˈtʃainə ʃɔp
Reinigung	cleaner	ˈkliːnə
– chem. Reinigung . .	dry cleaner	drai ˈkliːnə
Reiseandenken	souvenir shop	ˈsuːvəniə ʃɔp
Reisebüro	travel agency	ˈtrævl ˈeidʒənsi
Schallplattengeschäft	record shop	ˈrekɔːd ʃɔp
Schneiderei	*(Damen)* dressmaker,	ˈdresmeikə,
	(Herren) tailor	ˈteilə
Schreibwaren	stationer	ˈsteiʃnə
Schuhgeschäft	shoeshop	ˈʃuːʃɔp
Schuhmacher	shoemaker	ˈʃuːmeikə
Selbstbedienung	self-service	ˈselfˈsɜːvis
Spielzeuggeschäft . . .	toyshop	ˈtɔiʃɔp
Spirituosengeschäft . .	off-licence	ˈɔflaisəns
Sportartikel	sports shop	spɔːts ʃɔp
Supermarkt	supermarket	ˈsjuːpəmɑːkit
Süßwaren	sweet shop	swiːt ʃɔp
Tabakladen	tobacconist	təˈbækənist
Textilien	draper	ˈdreipə
Uhrmacher	watchmaker	ˈwɔtʃmeikə
Waffenhandlung	gunsmith	ˈgʌnsmiθ
Warenhaus	store	stɔː
– Schaufenster	shop window	ʃɔp ˈwindəu
Wäschegeschäft	lingerie shop	ˈlæːnʒəriː ʃɔp
Wäscherei	laundry	ˈlɔːndri
Weinhandlung	wine merchant	wain ˈmɜːtʃənt
Zeitungshändler	newsagent	ˈnjuːzeidʒənt

Blumen

Blumen	flowers	'flauəz
Blumenstrauß	bunch of flowers, bouquet	bʌntʃ_əv 'flauəz, 'bukei
Blumentopf	pot of flowers	pɔt_əv 'flauəz
Chrysanthemen	chrysanthemums	kri'sænθəməmz
Flieder	lilac	'lailək
Gladiolen	gladioli	glædi'əulai
Nelken	carnations	kɑː'neiʃənz
Rosen	roses	'rəuziz
Tulpen	tulips	'tjuːlips
Veilchen	violets	'vaiəlits

Buchhandlung

Band	volume	'vɔljum
Biographie	biography	bai'ɔgrəfi
Broschüre	brochure	'brəuʃjuə
Buch	book	buk
Gedichtband	book of *poems* (*poetry, verse*)	buk_əv 'pəuimz ('pəuitri, vəːs)
Katalog	catalogue	'kætəlɔg
Kinderbuch	children's book	'tʃildrənz buk
Kriminalroman	detective story, thriller	di'tektiv 'stɔːri, 'θrilə
Landkarte	map	mæp
Lehrbuch	textbook	'tekstbuk
Märchenbuch	book of fairy-tales	buk_əv 'fɛəriteilz
Reiseführer	guidebook	'gaidbuk
Reiselektüre	something to read on a journey	'sʌmθiŋ tə riːd ɔn_ə 'dʒəːni
Roman	novel	'nɔvəl
Schallplatte	(gramophone) record	('græməfəun) 'rekɔːd
Sprachführer	phrase book	'freizbuk
Stadtplan	town plan, map of the *city (town)*	taun plæn, mæp_əv ðə 'siti (taun)
Straßenkarte	road map	rəud mæp
Taschenbuch	paperback	'peipəbæk
Übersetzung	translation	træns'leiʃən
Wörterbuch	dictionary	'dikʃənri

Fotogeschäft

Entwickeln Sie mir bitte diesen Film.
Could you develop this film for me, please?
kud ju di'veləp ðis film fə mi pliːz

Von jedem Negativ bitte *einen Abzug (eine Vergrößerung)*.
A print (An enlargement) of every negative, please.
ə print (ən in'lɑːdʒmənt) əv 'evri 'negətiv pliːz

– sieben mal zehn.	**– neun mal neun.**
– three by four inches.	– three and a half by three and a half
– θri: bai fɔːr ˏ'intʃiz	inches.
	θri: ənd ə hɑːf bai θri: ənd ə hɑːf
	'intʃiz

– neun mal dreizehn.
– three and a half by five inches.
– θri: ənd ə hɑːf bai faiv ˏ'intʃiz

Können Sie das etwas retuschieren?
Could you touch that up a little?
kud ju tʌtʃ ðæt ʌp ə ˏ'litl

Ich möchte …	**– einen Kassettenfilm.**
I'd like …	– a cartridge film.
aid laik …	– ə 'kɑːtridʒ film

– einen Super-8-Farbfilm	**– einen 16-mm-Farbfilm.**
– a super eight colour film	– a 16 mm colour film.
– ə 'sjuːpər eit 'kʌlə film	– ə 'siksti:n 'milimi:tə 'kʌlə film

– einen Schwarzweißfilm.
– a black-and-white film.
– ə blæk ənd wait film

– einen 35-mm-Film.	**– einen Farbfilm für Dias.**
– a 35 mm film.	– a colour-slide film.
– ə 'θəːti'faiv 'milimi:tə film	– ə 'kʌləslaid film

– einen *36er (20er)* Film.	**Würden Sie mir den Film bitte einlegen?**
– a 36- (20-) exposure film.	Would you put the film in for me,
– ə 'θəːti'siks ('twenti)	please?
iks'pəuʒə film	wud ju put ðə film in fə mi pliːz

Abzug	print	print
– **Farbabzug**	colour print	ˈkʌlə print
Aufnahme	snap, photo	snæp, ˈfəutəu
Auslöser	shutter-release	ˈʃʌtə riˈliːs
– **Selbstauslöser**	automatic shutter-release, self-timer	ɔːtəˈmætik ˈʃʌtə‑riˈliːs, ˈselftaimə
belichten	to expose	tu ˌiksˈpəuz
Belichtungsmesser	exposure meter	iksˈpəuʒə ˈmiːtə
Bild	picture, photo	ˈpiktʃə, ˈfəutəu
Blende	diaphragm, stop	ˈdaiəfræm, stɔp
Blitzlichtbirne	flash bulb	flæʃ bʌlb
Blitzwürfel	flash cube	flæʃ kjuːb
Diapositiv	slide	slaid
Diarähmchen	slide frame	slaid freim
entwickeln	to develop	tə diˈveləp
Entwicklung	development	diˈveləpmənt
Farbfilm	colour film	ˈkʌlə film
Film	film	film
filmen	to film	tə film
Filmkamera	cinecamera	ˈsinikæmərə
Fotoapparat	camera	ˈkæmərə
fotografieren	to photograph	tə ˈfəutəgrɑːf
Gelbfilter	yellow filter	ˈjeləu ˈfiltə
Negativ	negative	ˈnegətiv
Negativ-Farbfilm	colour negative film	ˈkʌlə ˈnegətiv film
Objektiv	lens	lenz
Papier	paper	ˈpeipə
– **glänzend**	glossy	ˈglɔsi
– **matt**	matt	mæt
Rollfilm	roll film	rəul film
Schwarzweißfilm	black-and-white film	ˈblæk‑ənd wait film
Stativ	tripod	ˈtraipɔd
Sucher	view-finder	ˈvjuːfaində
Tageslichtfilm	daylight colour film	ˈdeilait ˈkʌlə film
Umkehrfilm	reversal film	riˈvəːsəl film
Vergrößerung	enlargement	inˈlɑːdʒmənt
Verschluß	shutter	ˈʃʌtə

Juwelier

Anhänger	pendant	'pendənt
Armband	bracelet	'breislit
Bernstein	amber	'æmbə
Brillant	diamond	'daiəmənd
Brosche	brooch	brəutʃ
Ehering	wedding ring	'wediŋ riŋ
Gold	gold	gəuld
Kette	necklace	'neklis
Manschettenknöpfe	cuff-links	'kʌfliŋks
Modeschmuck	costume jewellery	'kɔstjuːm 'dʒuːəlri
Ohrklips	ear-clips	'iəklips
Ohrringe	ear-rings	'iəriŋz
Perlen	pearls	pəːlz
Ring	ring	riŋ
Schmuck	jewellery	'dʒuːəlri
Silber	silver	'silvə
vergoldet	gold-plated, gilded	'gəuld'pleitid, 'gildid
versilbert	silver-plated	'silvə'pleitid

Kleidung, Wäsche

Kann ich es anprobieren?	**Ich habe Größe ...**	**Das ist ...**
Can I try it on?	I take a *(Größe)*.	That's ...
kæn_ai trai_it_ɔn	ai teik_ə ...	ðæts ...●

zu knapp	too tight	tuː tait
zu kurz	too short	tuː ʃɔːt
zu lang	too long	tuː lɔŋ
zu weit	too wide	tuː waid

Kann es geändert werden? ... **paßt *nicht (gut)*.**
Can it be altered? ... *doesn't fit me (fits me very well)*.
kæn_it bi_'ɔːltəd ... 'dʌznt fit mi (fits mi 'veri wel)

Anorak	anorak	ˈænəræk
Anzug	suit	sjuːt
Badeanzug	swimsuit	ˈswimsjuːt
Badehose	bathing trunks *pl.*	ˈbeiðiŋ trʌnks
Bademantel	bathrobe	ˈbɑːθrəub
Bademütze	bathing cap	ˈbeiðiŋ kæp
Bikini	bikini	biˈkiːni
Blue jeans	blue jeans	bluː dʒiːnz
Bluse	blouse	blauz
Büstenhalter	brassiere, bra	ˈbræsiə, brɑː
Freizeithemd	sports shirt	spoːts ʃəːt
Gürtel	belt	belt
Halstuch	scarf	skɑːf
Handschuhe	gloves	glʌvz
Hemd	shirt	ʃəːt
– bügelfrei	drip-dry	ˈdripˈdrai
– mit kurzen Ärmeln	short-sleeved	ˈʃoːtˈsliːvd
Hose	trousers *pl.*	ˈtrauzəz
– kurze Hose	shorts *pl.*	ʃoːts
Hosenanzug	trouser suit	ˈtrauzə sjuːt
Hüfthalter	suspender belt, roll-on	səsˈpendə belt, ˈrəulɔn
Hut	hat	hæt
– Strohhut	straw hat	strɔː hæt
Jacke	jacket	ˈdʒækit
Jackenkleid	dress and jacket, two-piece	dres ‿ənd ˈdʒækit, ˈtuːˈpiːs
Jackett	jacket	ˈdʒækit
Kleid	dress	dres
Kniestrümpfe	knee socks	ˈniːsɔks
Kostüm	suit, costume	sjuːt, ˈkɔstjuːm
Krawatte	tie	tai
Lederjacke	*leather* jacket *(Wildleder: suede)*	ˈleðə ˈdʒækit (sweid)
Ledermantel	leather coat	ˈleðə kəut
Mantel	coat	kəut
Mieder	corset	ˈkɔːsit
Morgenrock	dressing gown	ˈdresiŋ gaun
Mütze	cap	kæp
Nachthemd	nightdress	ˈnaitdres
– Herrennachthemd	night shirt	ˈnaitʃəːt

Oberhemd	shirt	ʃəːt
Pelzjacke	fur jacket	fəː ˈdʒækit
Pelzmantel	fur coat	fəː kəut
Pullover	pullover, jumper, sweater	ˈpuləuvə, ˈdʒʌmpə, ˈswetə
Regenmantel	raincoat	ˈreinkəut
Rock	skirt	skəːt
Sakko	jacket	ˈdʒækit
Schal	scarf	skɑːf
Schihose	ski trousers *pl.*	skiː ˈtrauzəz
Schlüpfer, Slip	panties *pl.*, *(mit Bein)* knickers *pl.*	ˈpæntiz, ˈnikəz
Schürze	apron	ˈeiprən
Shorts	shorts *pl.*	ʃɔːts
Socken	socks	sɔks
Sommerkleid	summer dress	ˈsʌmə dres
Sporthemd	sports shirt	spɔːts ʃəːt
Stola	stole	stəul
Strickjacke	cardigan, knitted jacket	ˈkɑːdigən, ˈnitid ˈdʒækit
Strümpfe	stockings, *(Herren)* socks	ˈstɔkiŋz, sɔks
Strumpfhaltergürtel	suspender belt	səsˈpendə belt
Strumpfhose	tights *pl.*	taits
Taschentuch	handkerchief	ˈhæŋkətʃif
Trainingsanzug	track suit	træk sjuːt
Unterhemd	vest	vest
Unterhose	underpants *pl.*, briefs *pl.*	ˈʌndəpænts, briːfs
Unterrock	slip, petticoat	slip, ˈpetikəut
Unterwäsche	underwear, *(Damen-)* lingerie	ˈʌndəwɛə, ˈlæ̃ːnʒəriː
Weste	waistcoat	ˈweiskəut
Wildlederjacke	suede jackets	sweid ˈdʒækit
Wildledermantel	suede coat	sweid kəut
Windjacke	windcheater	ˈwindtʃiːtə

Kurzwaren, Zubehör

Band	*(Taft, Samt)* ribbon,	'ribən,
	(Baumwolle) tape	teip
Druckknopf	press-stud	'prestʌd
Faden	thread	θred
Fingerhut	thimble	'θimbl
Futter	lining	'lainiŋ
Gummiband	elastic	i'læstik
Gürtel	belt	belt
Haken u. Ösen	hooks and eyes	huks_ənd_aiz
Hosenträger	braces *pl.*	'breisiz
Knopf	button	'bʌtn
Knopflochseide	buttonhole silk	'bʌtnhəul silk
Kurzwaren	haberdashery	'hæbədæʃəri
Nähgarn	thread, cotton	θred, 'kɔtn
Nähnadel	needle	'niːdl
Nähseide	sewing silk	'səuiŋ silk
Reißverschluß	zip (fastener)	zip ('faːsnə)
Schere	scissors *pl.*	'sizəz
Schnalle	buckle	'bʌkl
Schweißblatt	dress-shield	'dresʃiːld
Sicherheitsnadel	safety pin	'səifti pin
Stecknadel	pin	pin
Stopfgarn	darning cotton	'daːniŋ 'kɔtn
Stopfwolle	darning wool	'daːniŋ wul
Strumpfhalter	suspender	səs'pendə
synthetisches Nähgarn	synthetic thread	sin'θetik θred
Wolle	wool	wul
Zentimetermaß	tape measure	teip 'meʒə
Zubehör	accessories	ək'sesəriz
Zwirn	thread, cotton	θred, 'kɔtn

Stoffe

Baumwolle	cotton	'kɔtn
Flanell	flannel	'flænl
Jersey	jersey	'dʒəːzi
Kammgarn	worsted	'wustid
Kordsamt	corduroy	'kɔːdərɔi
Kunstfaser	synthetic fibre	sin'θetik 'faibə

Leinen	linen	ˈlinin
Nylon	nylon	ˈnailən
Samt	velvet	ˈvelvit
Seide...............	silk	silk
– Kunstseide........	artificial silk	ɑːtiˈfiʃəl silk
Stoff	material	məˈtiəriəl
– bunt	colourful............	ˈkʌləful
– einfarbig	self-colour	ˈselfˈkʌlə
– gemustert	patterned	ˈpætənd
– gestreift	striped	straipt
– kariert...........	checked	tʃekt
Tuch	cloth................	klɔθ
Wolle	wool	wul
– reine Wolle	pure wool	pjuə wul

Reinigung, Reparaturen

Ich möchte *dieses Kleid (diesen Anzug)* reinigen lassen.
I'd like to have this *dress (suit)* cleaned.
aid laik tə hæv ðis dres (sjuːt) kliːnd

Ich möchte diese Wäsche waschen lassen.
I'd like to have these things laundered.
aid laik tə hæv ðiːz θiŋz ˈlɔːndəd

Können Sie *dies aufbügeln (diesen Fleck entfernen)*?
Could you *press this (remove this stain)*?
kud ju pres ðis (riˈmuːv ðis stein)

Können Sie *dies stopfen (diesen Knopf annähen)*?
Could you *mend this (sew on this button)*?
kud ju mend ðis (səu ɔn ðis ˈbʌtn)

Würden Sie mir diese Maschen aufnehmen?
Would you mend this ladder for me?
wud ju mend ðis ˈlædə fə mi

Können Sie das etwas *länger (kürzer)* machen?
Could you *lengthen (shorten)* this?
kud ju ˈleŋθən (ˈʃɔːtən) ðis

Optiker

Können Sie diese Brille reparieren?
Can you repair these *glasses (spectacles)*?
kæn ju ri'pɛə ðiːz 'glɑːsiz ('spektəklz)

Ich brauche Gläser mit ... Dioptrien.
I need lenses of ... diopters.
ai niːd 'lenziz‿əv ... dai'ɔptəz

Ich bin *kurzsichtig (weitsichtig)*.
I'm *short-sighted (long-sighted)*.
aim 'ʃɔːtsaitid ('lɔŋsaitid)

Brille	glasses *pl.*, spectacles *pl.*	glɑːsiz, 'spektəklz
Brillenetui	spectacle-case	'spektəklkeis
Brillenfassung	spectacle-frames *pl.* ...	'spektəklfreimz
Fernglas	binoculars *pl.*	bai'nɔkjuləz
Kompaß	compass	'kʌmpəs
Kontaktlinsen	contact lenses	'kɔntækt 'lenziz
Lupe	magnifying glass	'mægnifaiiŋ glɑːs
Sonnenbrille	sunglasses *pl.*	'sʌnglɑːsiz

Schreibwaren

Bleistift	pencil	'pensl
Briefpapier	writing paper	'raitiŋ 'peipə
Briefumschlag	envelope	'envələup
Buntstifte	crayons	'kreiənz
Füllfederhalter	fountain pen	'fauntin pen
Klebstoff..........	glue	gluː
Kohlepapier	carbon paper	'kɑːbən 'peipə
Kugelschreiber	ball-point pen	'bɔːlpɔint pen
– Mine	ball-point refill	'bɔːlpɔint 'rifiːl
Notizblock	scribbling block	'skribliŋ blɔk
Papier	paper	'peipə
– Packpapier	brown paper	braun 'peipə
– Seidenpapier	tissue paper	'tiʃuː 'peipə
Radiergummi	(india)rubber	('indiə)'rʌbə
Tinte	ink	iŋk
Zeichenblock	*drawing (sketch)* block	'drɔːiŋ (sketʃ) blɔk

Schuhe

Ich habe Größe ...	**Ich möchte ein Paar ...**
I take size ...	I'd like a pair of ...
ai teik saiz ...	aid laik ͜ ə pɛər ͜ əv

Badeschuhe	bathing shoes	'beiðiŋ ʃuːz
Damenschuhe........	ladies' shoes	'leidiz ʃuːz
Gummistiefel	rubber boots,	'rʌbə buːts,
	wellingtons	'weliŋtənz
Halbschuhe	*(low-heeled, light*	('ləuhiːld, lait
	walking) shoes	'wɔːkiŋ) ʃuːz
Hausschuhe	(bedroom) slippers	('bedrum) 'slipəz
Kinderschuhe	children's shoes	'tʃildrənz ʃuːz
Sandalen	sandals	'sændlz
Stiefel	boots	buːts
Strandschuhe	beach shoes	biːtʃ ʃuːz
Turnschuhe	gym shoes	dʒim ʃuːz

Sie sind zu *eng (weit)*.	**Hier drücken sie.**
They're too *narrow (wide)*.	They pinch me here.
ðeə tuː 'nærəu (waid)	ðei pintʃ mi hiə

Würden Sie mir diese Schuhe reparieren?

Could you repair these shoes for me?
kud ju ri'pɛə ðiːz ʃuːz fə mi

Absatz	heel ...., ...	hiːl
– flach............	flat, low	flæt, ləu
– hoch	high	hai
besohlen	to sole	tə səul
Einlegesohle	in-sole	'insəul
Kreppsohle.........	crêpe sole	kreip səul
Leder	leather	'leðə
– Wildleder	suede	sweid
Ledersohle	leather sole	'leðə səul
Schnürsenkel	shoe laces	ʃuː 'leisiz
Schuhanzieher	shoe horn	ʃuː hɔːn
Schuhkrem	shoe cream	ʃuː kriːm
Sohle	sole	səul

Tabakwaren

Ein Päckchen ... Zigaretten (Tabak).
A packet of ... *cigarettes (tobacco)*.
ə ˈpækit̮ əv sigəˈrets (təˈbækəu)

Haben Sie deutsche Zigaretten?
Have you got any German cigarettes?
hæv ju gɔt ˈeni ˈdʒɜːmən sigəˈrets

Zwanzig Zigarren, bitte.
Twenty cigars, please.
ˈtwenti siˈgɑːz pliːz

Würden Sie mir bitte das Feuerzeug füllen?
Would you fill my lighter for me, please?
wud ju fil mai ˈlaitə fə mi pliːz

Eine Schachtel Streichhölzer, bitte.
A box of matches, please.
ə bɔks əv ˈmætʃiz pliːz

Haben Sie bitte Feuer?
Could you give me a light, please?
kud ju giv mi ə lait pliːz

Feuerstein	flint	flint
Feuerzeug	lighter	ˈlaitə
Feuerzeugbenzin	lighter fuel	ˈlaitə fjuəl
Filterzigarette	filter-tipped cigarette	ˈfiltə-tipt sigəˈret
Gasfeuerzeug	gas lighter	gæs ˈlaitə
Pfeife	pipe	paip
Pfeifenreiniger	pipe cleaner	paip ˈkliːnə
Streichhölzer	matches	ˈmætʃiz
Tabak	tobacco	təˈbækəu
Zigarette	cigarette	sigəˈret
– ohne Filter	without filter	wiˈðaut ˈfiltə
Zigarillo	small cigar, cigarillo	smɔːl siˈgɑː, sigəˈriləu
Zigarre	cigar	siˈgɑː

Toilettenartikel

Augenbrauenstift	eyebrow pencil	ˈaibrau ˈpensl
Badesalz	bath salts	bɑːθ sɔːlts
Bürste	brush	brʌʃ

Damenbinden	sanitary towels	ˈsænitəri ˈtauəlz
Deodorant	deodorant	diːˈəudərənt
Färbemittel	dye	dai
Farbfestiger	*coloured (tinted)* setting lotion	ˈkʌləd (ˈtintid) ˈsetiŋ ˈləuʃən
Haarbürste........	hairbrush	ˈhɛəbrʌʃ
Haarfestiger	setting lotion	ˈsetiŋ ˈləuʃən
Haarklemmen	hairgrips	ˈhɛəgrips
Haarnadeln	hairpins	ˈhɛəpinz
Haarnetz	hair-net	ˈhɛənet
Haarspray	hair spray	hɛə sprei
Haarwaschmittel...	hair shampoo	hɛə ʃæmˈpuː
Haarwasser	hair *tonic (lotion)* ...	hɛə ˈtɔnik (ˈləuʃən)
Handtuch	towel	ˈtauəl
Hautkrem	(face) cream	(feis) kriːm
Kamm.............	comb	kəum
Kleiderbürste	clothes brush	kləuðz brʌʃ
Kölnisch Wasser	eau de cologne	ˈəudəkəˈləun
Krem	cream	kriːm
Lack	varnish	ˈvɑːniʃ
Lidschatten	eye-shadow	ˈaiʃædəu
Lidstrich........	eye-liner	ˈailainə
Lippenstift	lipstick	ˈlipstik
Lockenwickler	curler	ˈkəːlə
Mundwasser	mouth wash	mauθ wɔʃ
Nagelfeile........	nail file	neil fail
Nagellack.........	nail varnish	neil ˈvɑːniʃ
Nagellackentferner ..	nail-varnish remover ..	neil ˈvɑːniʃ riˈmuːvə
Nagelreiniger	orange stick	ˈɔrindʒ stik
Nagelschere	nail scissors *pl.*	neil ˈsizəz
Papiertaschentücher	paper handkerchiefs...	ˈpeipə ˈhæŋkətʃifs
Parfüm...........	perfume, scent	ˈpəːfjuːm, sent
Pinzette	tweezers *pl.*	ˈtwiːzəz
Puder	powder	ˈpaudə
– **Körperpuder**	talcum powder	ˈtælkəm ˈpaudə
Puderdose	powder compact	ˈpaudə ˈkɔmpækt
Puderquaste.......	powder puff	ˈpaudə pʌf
Rasierapparat	(safety) razor	(ˈseifti) ˈreizə
Rasierklingen......	razor blades	ˈreizə bleidz
Rasierkrem	shaving cream	ˈʃeiviŋ kriːm

Rasiermesser	(cut-throat) razor	('kʌtθrəut) 'reizə
Rasierpinsel	shaving brush	'ʃeiviŋ brʌʃ
Rasierseife	shaving soap	'ʃeiviŋ səup
Rasierwasser	shaving lotion........	'ʃeiviŋ 'ləuʃən
– nach der Rasur ...	after-shave (lotion)	'ɑːftəʃeiv ('ləuʃən)
– vor der Rasur	pre-shave (lotion)......	'priːʃeiv ('ləuʃən)
Reisenecessaire	toilet case	'tɔilit keis
Rouge	rouge	ruːʒ
Sandfeilen	emery boards	'eməri bɔːdz
Schere	scissors *pl.*	'sizəz
Schwamm..........	sponge	spʌndʒ
Seife	soap	səup
Shampoo	shampoo	ʃæm'puː
– mild	mild	maild
Sonnenkrem	sun-tan cream........	'sʌntæn kriːm
Sonnenöl	sun-tan oil..........	'sʌntæn ɔil
Spange	hair-slide	'hɛəslaid
Spiegel	mirror	'mirə
Tampons	tampons	'tæmpənz
Toilettenartikel	toilet articles	'tɔilit 'ɑːtiklz
Toilettenpapier	toilet paper	'tɔilit 'peipə
Trockenrasierer	electric razor........	i'lektrik 'reizə
Waschlappen	face *cloth (flannel)* ...	feis klɔθ ('flænl)
Wimperntusche	mascara	mæs'kɑːrə
Zahnbürste........	toothbrush	'tuːθbrʌʃ
Zahnpasta	toothpaste	'tuːθpeist

Uhrmacher

Können Sie die Uhr reparieren? **Sie geht *vor (nach)*.**
Can you mend this *clock (watch)?* It is *fast (slow)*.
kæn ju mend ðis klɔk (wɔtʃ) it iz fɑːst (sləu)

Wieviel wird die Reparatur kosten?
How much will the repair cost?
hau mʌtʃ wil ðə ri'pɛə kɔst

Armbanduhr	wrist watch	rist wotʃ
Feder	spring	spriŋ
Glas	glass	glɑːs
Stoppuhr	stop-watch	'stɔpwɔtʃ
Uhr	clock, watch	klɔk, wɔtʃ
Uhrenarmband	watch-strap	'wɔtʃstræp
Wecker	alarm-clock	ə'lɑːmklɔk
Zeiger	hand	hænd
Zifferblatt	face	feis

Waffenhandlung

Büchse	rifle	'raifl
Gewehr	gun	gʌn
Jagdgewehr	sporting *rifle (gun)*	'spɔːtiŋ 'raifl (gʌn)
Kaliber	calibre, bore	'kælibə, 'bɔː
Kleinkalibergewehr	small-bore rifle	'smɔːlbɔː 'raifl
Munition	ammunition	æmjuˈniʃən
Patrone	cartridge	'kɑːtridʒ
Pistole	pistol	'pistl
Schrotflinte	shot-gun	'ʃɔtgʌn

Verschiedenes

Aktentasche	briefcase	'briːfkeis
Aschenbecher	ashtray	'æʃtrei
Ball	ball	bɔːl
Batterie	battery	'bætəri
Bild	picture	'piktʃə
Bindfaden	string	striŋ
Bonbons	sweets	swiːts
Brieftasche	wallet	'wɔlit
Büchsenöffner	tin-opener	'tinəupənə
Campingbeutel	beach-bag	'biːtʃbæg
Figur	figure	'figə
Flaschenöffner	bottle-opener	'bɔtləupənə
Fleckenwasser	stain-remover	'steinriˈmuːvə
Gummitier	(inflatable) rubber animal	(inˈfleitəbl) 'rʌbər̩ ˈæniməl

Handarbeiten	fancy-work	'fænsiwə:k
Hängematte	hammock	'hæmək
Holzschnitzerei	wood carving	wud 'kɑ:viŋ
Keramik	ceramics	si'ræmiks
Kerze	candle	'kændl
Kerzenständer	candlestick	'kændlstik
Klebefolie	self-adhesive plastic ...	'selfəd'hi:siv 'plæstik
Koffer	case	keis
Konserven	tinned food	tind fu:d
Kopftuch	head scarf	hed skɑ:f
Korb	basket	'bɑ:skit
Korkenzieher	corkscrew	'kɔ:kskru:
Leine	cord, rope, (dog's) lead	kɔ:d, rəup, (dɔgz) li:d
Papierservietten	paper napkins	'peipə 'næpkinz
Plastikbeutel	plastic bag	'plæstik bæg
Portemonnaie	purse	pə:s
Porzellan	china	'tʃainə
Puppe	doll	dɔl
Regenschirm	umbrella	əm'brelə
Rucksack	rucksack	'ruksæk
Schallplatte	(gramophone) record	('græməfəun) 'rekɔ:d
Schlitten	sledge	sledʒ
Spielkarten	playing cards	'pleiiŋ kɑ:dz
Spielzeug	toy	tɔi
Spirituskocher	spirit stove	'spirit stəuv
Stofftier	soft toy	sɔft tɔi
Tasche	bag	bæg
Taschenlampe	torch	tɔ:tʃ
Taschenmesser	*pocket- (pen-)*knife	'pɔkit (pen) naif
Thermometer	thermometer	θə'mɔmitə
Thermosflasche	thermos flask	'θə:məs flɑ:sk
Tonbandgerät	*'*tape-recorder	'teiprikɔ:də
Untersetzer	*table (beer)*-mat	teibl (biə) mæt
Vase	vase	vɑ:z
Waschpulver	washing powder	'wɔʃiŋ 'paudə

POST, TELEGRAMM, TELEFON

Postamt

Wo ist das Postamt? **Wo ist der Briefkasten?**
Where is the post office? Where is there a *letter-box (pillar-box)?*
wɛər‿iz ðə pəust‿'ɔfis wɛər‿iz ðɛər‿ə 'letəbɔks ('pilǝbɔks)

Was kostet *dieser Brief (diese Karte)?*
What does this *letter (card)* cost?
wɔt dəz ðis 'letə (kɑːd) kɔst

– **nach Deutschland.**	– **nach Österreich.**	– **in die Schweiz.**
– to Germany.	– to Austria.	– to Switzerland.
– tə 'dʒəːməni	– tu‿'ɔstriə	– tə 'switsələnd

Wieviel beträgt das Porto für ...
What's the postage on ...
wɔts ðə 'pəustidʒ ɔn ...

eine Ansichtskarte...	a picture postcard.....	ə 'piktʃə 'pəustkɑːd
diesen Auslandsbrief	this letter for abroad .	ðis 'letə fər‿ə'brɔːd
diese Drucksache ...	this printed matter	ðis 'printid 'mætə
einen Eilbrief	an express letter	ən‿iks'pres 'letə
einen Einschreibebrief	a registered letter	ə 'redʒistəd 'letə
eine Grußkarte	a greetings card	ə 'griːtiŋz kɑːd
einen Inlandsbrief ...	an inland letter	ən‿'inlənd 'letə
eine Inlandskarte....	an inland card	ən‿'inlənd kɑːd
diesen Luftpostbrief .	this air-mail letter	ðis 'ɛəmeil 'letə
dieses Päckchen	this small parcel	ðis smɔːl 'pɑːsl
dieses Paket........	this parcel	ðis 'pɑːsl
eine Postkarte	a postcard	ə 'pəustkɑːd

Bitte fünf Briefmarken zu 20 p.
Five twenty pence stamps, please.
faiv 'twenti pens stæmps pliːz

Haben Sie auch Sondermarken? **Je zwei Stück, bitte.**
Have you got any special-issue stamps? Two of each, please.
hæv ju gɔt 'eni 'speʃl 'iʃuː stæmps tuː‿əv‿iːtʃ pliːz

Diesen Briefmarkensatz, bitte.
This set of stamps, please.
ðis set̮ əv stæmps pliːz

Diesen Brief bitte *per Einschreiben (als Eilbrief)*.
I want to *register (express)* this letter, please.
ai wɔnt tə ˈredʒistə (iksˈpres) ðis ˈletə pliːz

Wie lange geht ein *Brief (Paket)* nach ... ?
How long does a *letter (parcel)* to ... take?
hau lɔŋ dʌz̮ ə ˈletə (ˈpɑːsl) tə ... teik

Eine *Postanweisung (Zahlkarte)*, bitte.
A *postal order (money order)*, please.
ə ˈpəustl̮ ˈɔːdə (ˈmʌni̮ ˈɔːde) pliːz

Kann ich Geld vom Postsparbuch abheben?
Can I draw money from my post-office savings book?
kæn̮ ai drɔː ˈmʌni frɔm mai pəust̮ ˈɔfis ˈseiviŋz buk

Ist Post für mich da?   **Mein Name ist ...**
Are there any letters for me?   My name is ...
ɑː ðɛər̮ ˈeni ˈletəz fə mi   mai neimz ...

Wo ist die *Paketannahme (Paketausgabe)*?
Where can I *send off (collect)* a parcel?
wɛə kæn̮ ai send̮ ɔf (kəˈlekt) ə ˈpɑːsl

Brauche ich eine Zollerklärung?
Do I need a customs declaration?
du̮ ai niːd̮ ə ˈkʌstəmz dekləˈreiʃən

Ich möchte meine Post nachsenden lassen.
I would like to have my mail forwarded.
ai wud laik tə hæv mai meil ˈfɔːwədid

Hier ist meine neue Adresse.   *** Bitte hier unterschreiben.**
This is my new address.   Sign here, please.
ðis̮ iz mai njuː̮ əˈdres   sain hiə ˈpliːz

"Postal orders" [ˈpəustl̮ ˈɔːdəz] *sind Postanweisungen mit Vordruck über bestimmte Beträge, die man bei jedem Postamt kaufen kann. Sie werden vom Empfänger bei seinem Postamt eingelöst. Größere Beträge werden durch* "money-orders" [ˈmʌni̮ ˈɔːdəz] *überwiesen.*

Telegramme

Ein Telegrammformular, bitte!
A telegram form, please!
ə ˈteligræm fɔːm pliːz

Ich möchte ... aufgeben.
I want to send ...
ai wɔnt tə send ...

ein Telegramm	a telegram	ə ˈteligræm
– mit bezahlter Rückantwort	– a reply-paid telegram	– ə riˈplai peid ˈteligræm
ein dringendes Telegramm	a priority telegram	ə praiˈɔriti ˈteligræm
ein Brieftelegramm .	an overnight telegram .	ən ˌəuvəˈnait ˈteligræm
ein Glückwunschtelegramm	a greetings telegram ..	ə ˈgriːtiŋz ˈteligræm

Wieviel kosten zehn Worte nach ...?
What do ten words to ... cost?
wɔt du ten wəːdz tə ... kɔst

Wann ist es in ...?
When will it arrive in...?
wen wil_it_əˈraiv_in ...

Ist das Telegramm heute noch in ...?
Will the telegram get to ... today?
wil ðə ˈteligræm get tə ... təˈdei

Telefon

Wo ist die nächste Telefonzelle?
Where is the nearest call-box?
wɛər_iz ðə ˈniərist ˈkɔːlbɔks

Wo kann ich telefonieren?
Where can I make a telephone call?
wɛə kæn_ai meik_ə (ˈteli)fəun kɔːl

Darf ich bei Ihnen telefonieren?
May I use your (tele)phone?
mei_ai juːz jɔː (ˈteli)fəun

Das Telefonbuch bitte!
The (tele)phone directory, please!
ðə (ˈteli)fəun diˈrektəri pliːz

Kann man nach ... durchwählen?
Can one dial straight through to ...?
kæn wʌn ˈdaiəl streit θruː tə ...

Wie ist die Vorwählnummer von ...?
What number do I dial for ...?
wɔt ˈnʌmbə du_ai ˈdaiəl fə ...

5   6   0   5
five – six – o – five
faiv – siks – əu – faiv

Bitte ein Ferngespräch nach ...
A *trunk (long-distance)* call to ..., please.
ə trʌŋk (lɔŋ ˈdistəns) kɔːl tə ... pliːz

Wie lange wird es dauern?
How long will it be?
hau lɔŋ wil_it biː

Haben Sie Münzen für den Münzfernsprecher?
Have you got any coins for the *telephone- (call-)box?
hæv ju gɔt ˈeni kɔinz fɔ ðə ˈtelifəun (kɔːl) bɔks

Was kostet ein Ortsgespräch (Gespräch nach ...)?
What does a *local call (call to ...)* cost?
wɔt dəz_ə ˈləukəl kɔːl (kɔːl tə ...) kɔst

Ab wieviel Uhr gilt der Nachttarif?
What time does the cheap rate begin?
wɔt_taim dʌz ðə tʃiːp reit biˈgin

***Ihr Gespräch ist in Kabine 4.**
Your call is in box four.
jɔː kɔːl_iz_in bɔks fɔː

***Welche Nummer haben Sie?**
What's your number?
wɔts jɔː ˈnʌmbə

Verbinden Sie mich bitte mit ...
Would you give me ..., please?
wud ju giv mi ... pliːz

Die Leitung ist besetzt (gestört).
The line's *engaged (out of order)*.
ðə lainz_inˈgeidʒd (aut_əv_ˈɔːdə)

Falsch verbunden!
Wrong number!
rɔŋ ˈnʌmbə

Der Teilnehmer meldet sich nicht.
There's no reply (from this number).
ðɛəz nəu riˈplai (frɔm ðis ˈnʌmbə)

Kann ich Herrn (Frau, Fräulein) ... sprechen?
May I speak to *Mr. (Mrs., Miss)* ..., please?
mei_ai spiːk tə ˈmistə (ˈmisiz, mis) ... pliːz

Hier ist ...
This is ... speaking.
ðis_iz ... ˈspiːkiŋ

Wer ist dort?
Who's speaking?
huːz ˈspiːkiŋ

Bleiben Sie am Apparat!
Hold the line, please!
həuld ðə lain pliːz

Bitte streichen Sie das Gespräch.
Will you cancel the call, please?
wil ju ˈkænsəl ðə kɔːl pliːz

Fernsprechamt ..... telephone exchange ... ˈtelifəun iksˈtʃeindʒ

Buchstabiertafel

A	Andrew [ˈændruː]	I	Isaac [ˈaizək]	R	Robert [ˈrɔbət]
B	Benjamin	J	Jack [dʒæk]	S	Sugar [ˈʃugə]
	[ˈbendʒəmin]	K	King [kiŋ]	T	Tommy [ˈtɔmi]
C	Charlie [ˈtʃɑːli]	L	Lucy [ˈluːsi]	U	Uncle [ˈʌŋkl]
D	David [ˈdeivid]	M	Mary [ˈmɛəri]	V	Victor [ˈviktə]
E	Edward [ˈedwəd]	N	Nellie [ˈneli]	W	William [ˈwiljəm]
F	Frederick [ˈfredrik]	O	Oliver [ˈɔlivə]	X	Xmas [ˈkrisməs]
G	George [dʒɔːdʒ]	P	Peter [ˈpiːtə]	Y	Yellow [ˈjelou]
H	Harry [ˈhæri]	Q	Queenie [ˈkwiːni]	Z	Zebra [ˈziːbrə]

Münzfernsprecher

5p- oder 10p-Münze bereithalten.	Have money ready 5p or 10p.
Hörer abnehmen.	Lift receiver.
Wählzeichen (Summton) abwarten.	Listen for continuous purring.
(Vorwähl- und) Teilnehmernummer wählen.	Dial number or code and number.
Wenn Zahlzeichen (rasch aufeinanderfolgende kurze, hohe Töne) ertönt, Münze einwerfen.	When you hear rapid pips, press in coin.
Zur Fortsetzung eines Gesprächs oder wenn Zahlzeichen wieder ertönt, weitere Münze(n) einwerfen.	To continue a dialled call put in more money during conversation or when you hear rapid pips again.
Um einen Teilnehmer in London mit einer nur aus Ziffern bestehenden (d. h. mit 01- beginnenden) Nummer zu erreichen, nur die letzten sieben Ziffern hinter dem Bindestrich wählen, z. B. 01 – 992 4321 wählen: 992 4321.	To call a London all-figure number, that is one beginning 01-, dial only the last seven figures, those after the hyphen, e. g. for 01–992 4321 dial 992 4321.
Besetztzeichen (langsam aufeinanderfolgende hohe Töne).	Engaged tone (slow pips) – try again later.
Kein Anschluß unter dieser Nummer (Dauerton).	Number unobtainable tone (steady note) – check number and redial.

Absender	sender	ˈsendə
Adresse	address	əˈdres
Ansichtskarte	picture postcard	ˈpiktʃə ˈpəustkɑːd
Bestimmungsort	destination	destiˈneiʃən
Brief	letter	ˈletə
Briefkasten	*letter-* (*pillar-*) box	ˈletə bɔks, ˈpiləbɔks
Briefmarke	stamp	stæmp
Briefmarkenautomat	stamp machine	stæmp məˈʃiːn
Briefträger	postman	ˈpəustmən
Drucksache	printed matter	ˈprintid ˈmætə
Eilbrief	express letter	iksˈpres ˈletə
einschreiben	to register	tə ˈredʒistə
Empfänger	addressee	ædreˈsiː
frankieren	to stamp	tə stæmp
Gebühr	charge, fee	tʃɑːdʒ, fiː
Luftpost	air mail	ɛə meil
Münzwechsler	coin-changer	ˈkɔintʃeindʒə
Nachnahme	cash on delivery (c.o.d.)	kæʃ ɔn diˈlivəri (siː əu diː)
Päckchen	small parcel	smɔːl ˈpɑːsl
Paket	parcel	ˈpɑːsl
Paketkarte	dispatch *note (form)*	disˈpætʃ nəut (fɔːm)
Post(amt)	post office	pəust ˈɔfis
Postfach	post-office box (P.O.B.)	ˈpəustɔfis bɔks (piː əu biː)
Postkarte	postcard	ˈpəustkɑːd
postlagernd	poste restante	ˈpəust ˈrestãːnt
Postsparbuch	post-office savings book	ˈpəustɔfis ˈseiviŋz buk
Rückporto	return postage	riˈtəːn ˈpəustidʒ
Schalter	counter	ˈkauntə
Sondermarke	special-issue stamp	ˈspeʃl ˈiʃuː stæmp
Telefon	telephone	ˈtelifəun
Telegramm	telegram	ˈteligræm
unfrankiert	unstamped	ˈʌnˈstæmpt
Wertangabe	declaration of value	dekləˈreiʃən əv ˈvæljuː
Wertpaket	registered parcel with value declared	ˈredʒistəd ˈpɑːsl wið ˈvæljuː diˈklɛəd
Zollerklärung	customs declaration	ˈkʌstəmz dekləˈreiʃən

BANK, GELDWECHSEL

Die englische Währung

£1 = 100 p

Banknoten

£ 1 (one pound)	5 p (five pence)
£ 5 (five pounds)	10 p (ten pence)
£ 10 (ten pounds)	20 p (twenty pence)
£ 20 (twenty pounds)	50 p (fifty pence)
£ 50 (fifty pounds)	£ 1 (one pound)
£ 100 (one hundred pounds)	

Münzen

1 p (a penny)
2 p (two pence)

Alte Münzen im Wert
von 1 Schilling (= 5 p)
und 2 Schilling (= 10 p)
sind noch im Umlauf.

Wo kann ich Geld umtauschen?
Where can I change money?
wɛə kæn ‿ai tʃeindʒ 'mʌni

Wo ist die Bank?
Where is the bank?
wɛər ‿iz ðə bæŋk

Ich möchte 100 DM in … umwechseln.
I'd like to change a hundred German marks into …
aid laik tə tʃeindʒ ‿ə 'hʌndrəd 'dʒɜːmən mɑːks 'intə …

Wieviel bekomme ich für … ?
How much do I get for … ?
hau mʌtʃ du ‿ai get fə …

Wie ist der Wechselkurs?
What's the rate of exchange?
wɔts ðə reit ‿əv iks'tʃeindʒ

Können Sie mir … in Deutsche Mark umtauschen?
Can you change … into German marks for me?
kæn ju tʃeindʒ … 'intə 'dʒɜːmən mɑːks fə mi

Bitte auch etwas Kleingeld.
Some small change too, please.
sʌm smɔːl tʃeindʒ tuː pliːz

Können Sie wechseln?
Can you give me change?
kæn ju giv mi tʃeindʒ

Ich möchte diesen *Scheck (Reisescheck)* einlösen.
I'd like to cash this *cheque (traveller's cheque).*
aid laik tə kæʃ ðis tʃɛk ('trævləz tʃɛk)

Ist Geld für mich eingegangen?
Has any money been paid in for me?
hæz ˈeni ˈmʌni biːn peid ˌin fə mi

Aktie	share............	ʃɛə
auszahlen	to pay...........	tə pei
Bank	bank............	bæŋk
Bankanweisung	banker's order	ˈbæŋkəz ˌɔːdə
Bankkonto	bank account	bæŋk əˈkaunt
bar	cash	kæʃ
Bargeld..........	cash	kæʃ
Betrag	amount	əˈmaunt
Devisen..........	foreign currency	ˈfɔrin ˈkʌrənsi
einzahlen	to pay in	tə pei ˌin
Formular	form	fɔːm
Geld	money	ˈmʌni
– D-Mark	German mark(s)......	ˈdʒɜːmən mɑːk(s)
– Schilling	Austrian schilling(s)...	ˈɔstriən ˈʃiliŋ(z)
– Schweizer Franken	Swiss franc(s).........	swis fræŋk(s)
Geldschein	bank note	bæŋk nəut
Geldwechsel	exchange	iksˈtʃeindʒ
Kredit	credit	ˈkredit
– aufnehmen........	to raise a loan........	tə reiz ə ləun
Kreditbrief	letter of credit	ˈletər əv ˈkredit
Kurs	rate of exchange	reit əv iksˈtʃeindʒ
Münze	coin	kɔin
Provision	bank charges	bæŋk ˈtʃɑːdʒiz
Quittung..........	receipt	riˈsiːt
Reisescheck	traveller's cheque	ˈtrævləz tʃek
Scheck	cheque	tʃek
Scheckkarte	cheque card	tʃek kɑːd
Sparbuch	savings book	ˈseiviŋz buk
Sparkasse..........	savings bank	ˈseiviŋz bæŋk
telegrafisch........	telegraphic	teliˈgræfik
Überweisung	remittance, transfer ...	riˈmitəns, ˈtrænsfə
Unterschrift	signature	ˈsignitʃə
Währung	currency	ˈkʌrənsi
Wechselkurs	rate of exchange.....	reit əv iksˈtʃeindʒ
Wertpapier.........	security	siˈkjuəriti
Zahlung	payment	ˈpeimənt

AUF DER POLIZEI
Anmeldung, Paß usw. s. Seite 78, 79, 84.

Anzeige

Ich möchte ... anzeigen.
I want to report ...
ai wɔnt tə riˈpɔːt ...

einen Diebstahl	a theft	ə θeft
eine Erpressung	an attempt at blackmail	ən əˈtempt ət ˈblækmeil
einen Überfall	an attack	ən əˈtæk
einen Unfall	an accident	ən ˈæksidənt
einen Verlust	a loss	ə lɔs

Man hat mir *den (die, das)* ... gestohlen.
My ... has been stolen.
mai ... həz bin ˈstəulən

Ich habe *mein(e)* ... verloren.
I have lost my ...
aiv lɔst mai ...

Aktenmappe	briefcase	ˈbriːfkeis
Armband	bracelet	ˈbreislit
Armbanduhr	wrist-watch	ˈristwɔtʃ
Autoschlüssel	car key	kɑː kiː
Brieftasche	wallet	ˈwɔlit
Fotoapparat	camera	ˈkæmərə
Geld	money	ˈmʌni
Handtasche	handbag	ˈhændbæg
Kette	necklace	ˈneklis
Koffer	case	keis
Portemonnaie	purse	pəːs
Ring	ring	riŋ
Schirm	umbrella	ʌmˈbrelə
Schlüssel	key	kiː
Tasche	bag	bæg
Uhr	watch	wɔtʃ

Ich möchte mit *einem Anwalt (dem Konsulat)* sprechen.
I want to speak to *a solicitor (the consulate)*.
ai wɔnt tə spiːk tu ə səˈlisitə (ðə ˈkɔnsjulit)

Ich habe *damit (mit dieser Sache)* nichts zu tun.
I have nothing to do with *it (the affair)*.
ai hæv ˈnʌθiŋ tə duː wið‿it (ði‿əˈfɛə)

Ich bin unschuldig.   **Das habe ich nicht getan.**
I am innocent.   I didn't do *it (that)*.
aim ˈinəsnt   ai ˈdidnt duː‿it (ðæt)

Wie lange muß ich hierbleiben?
How long do I have to stay here?
hau lɔŋ du ai hæv tə stei hiə

Dieser Mann *belästigt (verfolgt)* mich.
This man is *molesting (following)* me.
ðis mæn‿iz məˈlestiŋ (ˈfɔlouiŋ) mi

beschlagnahmen.....	to confiscate	tə ˈkɔnfiskeit
Dieb	thief	θiːf
Gefängnis	prison	ˈprizn
Gericht............	court.............	kɔːt
Haft	custody	ˈkʌstədi
Kriminalpolizei	(plain clothes) police, criminal investigation department (C. I. D.)	(plein kləuðz) pəˈliːs, ˈkriminl investiˈgeiʃən diˈpaːtmənt (siː‿ai diː)
Polizei	police	pəˈliːs
Polizeirevier.......	police station	pəˈliːs ˈsteiʃən
Polizeiwagen	police car	pəˈliːs kaː
Polizist...........	policeman	peˈliːsmən
Rauschgift	drugs, narcotics	drʌgz, naːˈkɔtiks
Rechtsanwalt	solicitor, barrister ...	səˈlisitə, ˈbæristə
Richter	judge	dʒʌdʒ
Schmuggel	smuggling	ˈsmʌgliŋ
Schuld	guilt	gilt
Überfall	attack	əˈtæk
Untersuchungshaft ..	imprisonment on remand	imˈpriznmənt ɔn riˈmaːnd
Urteil	judgment	ˈdʒʌdʒmənt
Verbrechen........	crime	kraim
Verbrecher	criminal	ˈkriminl
verhaften	to arrest	tu‿əˈrest
Verhaftung	arrest	əˈrest

BEIM FRISEUR

Damenfriseur

Kann ich mich für Sonnabend anmelden?
Can I make an appointment for Saturday?
kæn ai meik ən əˈpɔintmənt fə ˈsætədi

Können Sie mich zur Dauerwelle vormerken?
Can I make an appointment for a perm?
kæn ai meik ən əˈpɔintmənt fɔr ə pəːm

Für morgen?
For tomorrow?
fɔː təˈmɔrəu

Muß ich warten?
Will I have to wait?
wil ai hæv tə weit

Wird es lange dauern?
Will it take long?
wil it teik lɔŋ

Waschen und legen, bitte!
A shampoo and set, please.
ə ʃæmˈpuː ənd set pliːz

Ich möchte eine _Dauerwelle (Wasserwelle)_.
I want a _perm (set)_, please.
ai wɔnt ə pəːm (set) pliːz

Ich brauche eine Abendfrisur.
I'd like a hairdo for the evening.
aid laik ə ˈhɛədu fə ði ˈiːvniŋ

Die Haare bitte ... _färben (tönen)_.
I'd like my hair _dyed (tinted)_ ..., please.
aid laik mai hɛə daid (ˈtintid) pliːz

Schneiden Sie die Haare bitte etwas kürzer.
Could you cut it a bit shorter, please.
kud ju kʌt it ə bit ˈʃɔːtə pliːz

Schneiden Sie bitte nur die Spitzen ab.
Just trim the ends, please.
dʒʌst trim ði endz pliːz

Naß schneiden, bitte!
Would you cut it wet, please?
wud ju kʌt it wet pliːz

Die Haare aufstecken, bitte.
Would you pin it up, please?
wud ju pin it ʌp pliːz

Bitte *oben (seitlich)* etwas toupieren.
Would you back-comb it a bit *on top (at the sides)*, please?
wud ju 'bæk'kəum‿it‿ə bit‿ɔn tɔp (æt ðə saidz) pliːz

Es ist zu heiß unter der Haube.
The drier's too hot.
ðə 'draiəz tuː hɔt

Bitte *keinen Festiger (kein Haarspray)*.
No *setting lotion (hair spray)*, please.
nəu 'setiŋ 'ləuʃən (hɛə sprei) pliːz

Können Sie mir *Maniküre (Pediküre)* machen?
Can you give me a *manicure (pedicure)*?
kæn ju giv mi‿ə 'mænikjuə ('pedikjuə)

Feilen Sie bitte die Nägel *spitz (rund)*.
I'd like the nails *filed to a point (rounded)*, please.
aid laik ðə neilz faild tu‿ə pɔint ('raundid) pliːz

Bitte nur polieren.
Just polish them, please.
dʒʌst 'pɔliʃ ðəm pliːz

Mit *(Ohne)* Nagellack.
With (Without) nail varnish.
wið (wi'ðaut) neil 'vɑːniʃ

Die Augenbrauen bitte *nachziehen (ausrasieren)*.
Could you tidy up *(shave)* my eyebrows, please.
kud ju 'taidi‿ʌp (ʃeiv) mai 'aibrauz pliːz

Bitte eine *Gesichtsmaske (Gesichtsmassage)*.
A *face-pack (facial massage)*, please.
ə 'feispæk ('feiʃəl 'mæsɑːʒ) pliːz

Setzen Sie mir bitte *dieses Haarteil (diese Perücke)* auf.
Would you put this *hair-piece (wig)* on for me, please?
wud ju put ðis 'hɛəpiːs (wig) ɔn fə mi pliːz

Ja danke, es ist gut so.
Yes, thank you, that's fine.
jes 'θæŋkju ðæts fain

Sehr gut!
That's very nice.
ðæts 'veri nais

Herrenfriseur

Haarschneiden (und Rasieren), bitte!
A hair-cut (and a shave), please!
ə ˈhɛəkʌt (ənd ˌə ʃeiv) pliːz

Bitte nicht zu kurz.	**(Ganz) Kurz, bitte.**
Not too short, please.	(Very) Short, please.
nɔt tuː ʃɔːt pliːz	(ˈveri) ʃɔːt pliːz

– hinten.	**– oben.**	**– vorn.**	**– an den Seiten.**
– at the back.	– on top.	– in front.	– at the sides.
– æt ðə bæk	– ɔn tɔp	– in frʌnt	– æt ðə saidz

Bitte einen Messerformschnitt!	*Ohne (Mit)* **Scheitel, bitte.**
A razor cut, please!	*No parting (A parting)*, please.
ə ˈreizə kʌt pliːz	nəu ˈpɑːtiŋ (ə ˈpɑːtiŋ) pliːz

Den Scheitel bitte *links (rechts)*.
The parting on the *left (right)*, please.
ðə ˈpɑːtiŋ ɔn ðə left (rait) pliːz

Die Haare bitte auch waschen!	**Eine Kopfmassage, bitte!**
Will you shampoo it as well, please?	A scalp massage, please!
wil ju ʃæmˈpuː ˌit æz wel pliːz	ə skælp ˈmæsɑːʒ pliːz

Den *Bart (Schnurrbart)* bitte etwas stutzen.
Would you trim my *beard (moustache)* a bit, please?
wud ju trim mai biəd (məˈstɑːʃ) ə bit pliːz

Bitte nur rasieren!	**Rasieren Sie bitte nicht gegen den Strich.**
Just a shave, please!	Don't shave against the beard, please.
dʒʌst ˌə ʃeiv pliːz	dəunt ʃeiv əˈgenst ðə biəd pliːz

Mit Haarwasser *(Etwas Brillantine)*, bitte!
Some hair lotion (A little brilliantine), please.
sʌm hɛə ˈləuʃən (ə ˈlitl briljənˈtiːn) pliːz

Bitte trocken lassen.
Leave it dry, please.
liːv ˌit drai pliːz

Ja danke, so ist es recht.
Yes, thank you, that's fine.
jes ˈθæŋkju ðæts fain

Bart	beard	biəd
Brillantine	brilliantine	briljən'ti:n
Damenfriseur	ladies' hairdresser	'leidiz 'hɛədresə
Dauerwelle	perm	pə:m
färben	to dye	tə dai
Friseur	hairdresser, *(Herren oft)* barber	'hɛədresə, 'ba:bə
frisieren	to do a person's hair	tə du:‿ə 'pə:snz hɛə
Frisur	hairstyle	'hɛəstail
Haar	hair	hɛə
– fettig	greasy	'gri:zi
– trocken	dry	drai
Haarausfall	loss of hair	lɔs‿əv hɛə
Haarschnitt	hair-cut	'hɛəkʌt
Haarteil	hair-piece	'hɛəpi:s
Herrenfriseur	barber, gentlemen's hairdresser	'ba:bə, 'dʒentl- mənz 'hɛədresə
Kaltwelle	cold perm	kəuld pə:m
kämmen	to comb	tə kəum
Kopfmassage	scalp massage	skælp 'mæsa:ʒ
Koteletten	sideburns	'saidbə:nz
legen	to set	tə set
Locken	curls	kə:lz
Maniküre	manicure	'mænikjuə
Pediküre	pedicure	'pedikjuə
Perücke	wig	wig
Pony(frisur)	fringe	frindʒ
rasieren	to shave	tə ʃeiv
Scheitel	parting	'pa:tiŋ
schneiden	to cut	tə kʌt
Schnurrbart	moustache	mə'sta:ʃ
Schönheitssalon	beauty salon	'bju:ti 'sælɔ̃:ŋ
Schuppen	dandruff	'dændrʌf
Strähne	strand, wisp	strænd, wisp
tönen	to tint	tə tint
toupieren	to back-comb	tə 'bæk'kəum
Trockenhaube	(hair-)drier	('hɛə)'draiə
waschen	to wash	tə wɔʃ
Wasserwelle	set	set

(s. a. „Toilettenartikel" S. 140)

GESUNDHEIT

Apotheke

Wo ist die nächste Apotheke?
Where is the nearest chemist?
wɛər‿iz ðə 'niərist 'kemist

Welche Apotheke hat Nachtdienst?
Is there a chemist open at night?
iz ðər‿ə 'kemist 'əupən‿ət nait

Dieses Medikament, bitte.
I'd like *this medicine (these pills)*, please.
aid laik ðis 'medsin (ði:z pilz) pli:z

Ich möchte ...
I'd like ...
aid laik ...

Geben Sie mir bitte etwas gegen ...
Can you give me something for ...
kæn ju giv mi 'sʌmθiŋ fə ...

Ist die Arznei rezeptpflichtig?
Do I need a prescription for the medicine?
du‿ai ni:d‿ə pri'skripʃən fə ðə 'medsin

Können Sie mir dieses Medikament besorgen?
Can you get *this medicine (these pills)* for me?
kæn ju get ðis 'medsin (ði:z pilz) fə mi

Wann kann ich es bekommen?
When can I collect it?
wen kæn‿ai kə'lekt‿it

Kann ich warten?
Can I wait?
kæn‿ai weit

äußerlich	for external use
innerlich	for internal use
vor dem Essen	before meals
nach dem Essen	after meals
dreimal täglich	three times a day
nach Anweisung des Arztes	according to doctor's instructions
auf nüchternen Magen ...	on an empty stomach

Medikamente und Verbandszeug

Abführmittel	laxative	'læksətiv
Alkohol	alcohol	'ælkəhɔl
Ampulle	ampule	'æmpuːl
Antibabypillen	contraceptive pills	kɔntrə'septiv pilz
Aspirin	aspirin	'æspirin
Augensalbe	eye ointment	ai 'ɔintmənt
Augentropfen	eye drops	ai drɔps
Baldriantropfen	valerian drops	və'liəriən drɔps
Beruhigungsmittel	tranquillizer	'træŋkwilaizə
Binde	bandage	'bændidʒ
blutstillendes Mittel	styptic	'stiptik
Borsalbe	boracic ointment	bə'ræsik 'ɔintmənt
Brandsalbe	burn ointment	bəːn 'ɔintmənt
Brechmittel	emetic	i'metik
Chinin	quinine	kwi'niːn
Damenbinden	sanitary towels	'sænitəri 'tauəlz
Desinfektionsmittel	disinfectant	disin'fektənt
Einlauf	enema	'enimə
Einreibemittel	liniment	'linimənt
Elastikbinde	elastic bandage	i'læstik 'bændidʒ
fiebersenkendes Mittel	antipyretic	'æntipai'retik
Fieberthermometer	(clinical) thermometer	('klinikəl) θə'mɔmitə
Gegengift	antidote	'æntidəut
Glyzerin	glycerine	glisə'riːn
Gummistrumpf	elastic stocking	i'læstik 'stɔkiŋ
Gurgelwasser	gargle	'gaːgl
Heftpflaster	adhesive plaster	əd'hiːsiv 'plaːstə
Hühneraugenpflaster	corn plaster	kɔːn 'plaːstə
Hustenmittel	something for a cough	'sʌmθiŋ fɔr_ə kɔf
Hustensaft	cough mixture	kɔf 'mikstʃə
Insektenmittel	insect repellent	'insekt ri'pelənt
Jodtinktur	tincture of iodine	'tiŋktʃər_əv 'aiədain
Kamillentee	camomile tea	'kæməmail tiː
Kohletabletten	(medicinal) charcoal tablets	(me'disinl) 'tʃaːkəul 'tæblits
Kopfschmerztabletten	headache pills	'hedeik pilz

Kreislaufmittel	something for the circulation	ˈsʌmθiŋ fɔ ðə səːkjuˈleiʃən
Magentabletten	digestive tablets	diˈdʒestiv ˈtæblits
Magentropfen	digestive tonic	diˈdʒestiv ˈtɔnik
Mittel	remedy, medicine	ˈremidi, ˈmedsin
Mullbinde	gauze bandage	gɔːz ˈbændidʒ
Mundwasser	mouth wash	mauθ wɔʃ
Natron, doppelt- kohlensaures	bicarbonate of soda . . .	baiˈkɑːbənit ˌəv ˈsəudə
Ohrentropfen	ear-drops	ˈiədrɔps
Pfefferminze	peppermint	ˈpepəmint
Pillen	pills	pilz
Präservativ	condom	ˈkɔndəm
Puder	powder	ˈpaudə
Pulver	powder	ˈpaudə
Rizinusöl	castor oil	ˈkɑːstər ɔil
Salbe	ointment	ˈɔintmənt
Schlaftabletten	sleeping pills	ˈsliːpiŋ pilz
Schmerztabletten	anodyne, pain-killing tablets	ˈænəudain, ˈpein-kiliŋ ˈtæblits
Schnellverband	adhesive dressing	ədˈhiːsiv ˈdresiŋ
schweißtreibendes Mittel	diaphoretic	daiəfoˈretik
Spritze	injection	inˈdʒekʃən
Stärkungsmittel	tonic	ˈtɔnik
Tablette	tablet, pill	ˈtæblit, pil
Talkumpuder	talcum powder	ˈtælkəm ˈpaudə
Tinktur	tincture	ˈtiŋktʃə
Traubenzucker	glucose	ˈgluːkəus
Tropfen	drops	drɔps
Vaseline	vaseline	ˈvæsiliːn
Verbandszeug	first-aid kit	ˈfəːstˈeid kit
Vitamintabletten	vitamin pills	ˈvitəmin pilz
Wasserstoffsuperoxyd	hydrogen peroxide . . .	ˈhaidridʒən pəˈrɔksaid
Watte	cotton wool	ˈkɔtn wul
Wundsalbe	ointment for a *cut* (*graze*)	ˈɔintmənt fɔr ˌə kʌt (greiz)
Zäpfchen	suppository	səˈpɔzitəri

Beim Arzt

Rufen Sie bitte schnell einen Arzt!
Please get a doctor quickly!
pliːz get ə ˈdɔktə ˈkwikli

Ist ein Arzt im Hause?
Is there a doctor in the house?
iz ðɛər ə ˈdɔktər in ðə haus

Holen Sie bitte einen Arzt.
Please fetch a doctor.
pliːz fetʃ ə ˈdɔktə

Wo gibt es hier einen Arzt?
Where is there a doctor?
wɛər iz ðɛər ə ˈdɔktə

Kann er herkommen?
Can he come here?
kæn hi kʌm hiə

Wo ist *ein Krankenhaus (eine Klinik)*?
Where is there a hospital?
wɛər iz ðɛər ə ˈhɔspitl

Wann hat der Arzt Sprechstunde?
What time does the doctor have his *surgery (consulting hours)*?
wɔt taim dʌz ðə ˈdɔktə hæv hiz ˈsəːdʒəri (kənˈsʌltiŋ ˈauəz)

Kommen Sie bitte *zum(zur)* ...
Could you come to the...?
kud ju kʌm tə ðə ...

Ich bin krank.
I am ill.
aim il

***Mein Mann (Meine Frau, Unser Kind)* ist krank.**
My husband (My wife, Our child) is ill.
mai ˈhʌzbənd (mai waif, ˈauə tʃaild) iz il

Ausländer werden auf englischem Boden durch den National
Health Service *kostenlos behandelt.*

Arzt	doctor	ˈdɔktə
Augenarzt	eye specialist	ai ˈspeʃəlist
Chirurg	surgeon	ˈsəːdʒən
Facharzt	specialist	ˈspeʃəlist
Frauenarzt	gynaecologist	gainiˈkɔlədʒist
Hals-, Nasen- und	ear, nose and	iə, nəuz ən
Ohrenarzt	throat specialist	θrəut ˈspeʃəlist
Hautarzt	dermatologist	dəːməˈtɔlədʒist
Internist	specialist for internal diseases	ˈspeʃəlist fɔr inˈtəːnl diˈziːziz
Kinderarzt	child specialist	tʃaild ˈspeʃəlist

Nervenarzt	neurologist	njuəˈrɔlədʒist
Praktischer Arzt ...	general practitioner ...	ˈdʒenərəl prækˈtiʃnə
Urologe	urologist	juəˈrɔlədʒist
Labor	laboratory	ləˈbɔrətəri
Sprechstunde	surgery, consulting hours	ˈsəːdʒəri, kənˈsʌltiŋ ˈauəz
Sprechzimmer	surgery	ˈsəːdʒəri
Wartezimmer	waiting room	ˈweitiŋ rum

Seit einigen Tagen fühle ich mich nicht wohl.
I haven't felt well for some days.
ai ˈhævnt felt wel fə sʌm deiz

Der _Hals (Kopf, Leib)_ tut mir weh.
My _throat_ (äußerlich: _neck_) _(head, abdomen)_ hurts.
mai θrəut (nek,) (hed, ˈæbdəmen) həːts

Hier tut es weh.
It hurts here.
it həːts hiə

Ich habe hier _(starke, stechende)_ Schmerzen.
I have a _(severe, stabbing)_ pain here.
ai hæv ə (siˈviə, ˈstæbiŋ) pein hiə

Ich habe (hohes) Fieber.
I have a (high) temperature.
ai hæv ə (hai) ˈtempritʃə

Ich habe mich erkältet.
I've caught (a) cold.
aiv kɔːt (ə) kəuld

Ich vertrage _die Hitze (das Essen)_ nicht.
The _heat (food)_ doesn't agree with me.
ðə hiːt (fuːd) ˈdʌznt əˈgriː wið mi

Ich habe mir den Magen verdorben.
My stomach is out of order.
mai ˈstʌməks aut əv ˈɔːdə.

Ich habe ... gegessen.
I ate ...
ai et ...

Ich habe mich übergeben.
I was sick.
ai wəz sik

Mir ist schlecht.
I feel sick.
ai fiːl sik

Ich habe _keinen Appetit (Durchfall)._
I have _no appetite (diarrhoea)._
ai hæv nəu ˈæpitait (daiəˈriə).

Ich habe Verstopfung.
I am constipated.
aim ˈkɔnstipeitid

Ich habe *Augenschmerzen (Ohrenschmerzen)*.
My eyes hurt (I've got earache).
mai aiz hə:t (aiv gɔt 'iəreik)

Ich kann nicht schlafen.	**Mir wird oft übel.**
I can't sleep.	I often feel sick.
ai kɑ:nt sli:p	ai 'ɔfn fi:l sik
Ich habe Schüttelfrost.	**Ich kann ... nicht bewegen.**
I have the shivers.	I can't move ...
ai hæv ðə 'ʃivəz	ai kɑ:nt mu:v ...
Ich bin Diabetiker.	**Ich erwarte ein Baby.**
I am a diabetic.	I'm expecting a baby.
aim‿ə daiə'betik	aim‿iks'pektiŋ‿ə 'beibi
Ich bin gestürzt.	**Ich habe mir den Fuß verstaucht.**
I fell.	I've sprained my ankle.
ai fel	aiv spreind mai‿'æŋkl
... ist (sind) geschwollen.	**Ist es schlimm?**
... is (are) swollen.	Is it serious?
... (i)z (ɑ:) 'swəulən	iz‿it 'siəriəs

Ich fühle mich *etwas (bedeutend)* besser.
I feel *a bit (much)* better.
ai fi:l‿ə bit (mʌtʃ) 'betə

Können Sie mir ... verschreiben?
Could you prescribe ... for me?
kud ju pri'skraib ... fə mi

Können Sie mir ein Attest ausstellen?
Could you give me a doctor's certificate?
kud ju giv mi‿ə 'dɔktəz sə'tifikit

Ich möchte mich gegen ... impfen lassen.
I'd like to be immunized against ...
aid laik tə bi 'imjunaizd‿ə'genst ...

Vom Arzt werden Sie hören:

Machen Sie sich bitte frei!
Would you get undressed, please.
wud ju get 'ʌn'drest pliːz

Atmen Sie tief!
Breathe deeply.
briːð 'diːpli

Tut es hier weh?
Does that hurt?
dʌz ðæt həːt

Öffnen Sie den Mund!
Open your mouth.
'əupən jɔː mauθ

Zeigen Sie die Zunge!
Put out your tongue.
puṭ aut jɔː tʌŋ

Husten Sie!
Cough.
kɔf

Was haben Sie gegessen?
What have you been eating?
wɔt hæv ju bin 'iːtiŋ?

Seit wann sind Sie schon krank?
Since when have you been ill?
sins wen hæv ju bin il

Wir müssen *das Blut (den Urin)* untersuchen.
We shall have to do a *blood (urine)* test.
wi ʃəl hæv tə duːə blʌd ('juərin) test

Sie müssen operiert werden.
You will have to have an operation.
jul hæv tə hæv ən ɔpəˈreiʃən

Ich werde Sie an ... überweisen.
I'm going to send you to ...
aim 'gəuiŋ tə send ju tə ...

Sie dürfen nicht *rauchen (trinken)!*
You mustn't *smoke (drink)*.
ju 'mʌsnt sməuk (driŋk)

Ich muß Ihnen *Bettruhe (strenge Diät)* verordnen.
You will have to *stay in bed (keep to a strict diet)*.
jul hæv tə stei in bed (kiːp tuːə strikt 'daiət)

Bleiben Sie einige Tage im Bett!
Stay in bed for a few days.
stei in bed fərə fjuː deiz

Nehmen Sie davon dreimal täglich *zwei Tabletten (zehn Tropfen).*
Take *two tablets (ten drops)* three times a day.
teik tuː 'tæblits (ten drɔps) θriː taimz ə dei

Es ist nichts Ernstes!
It's nothing serious.
its 'nʌθiŋ 'siəriəs

Kommen Sie in acht Tagen wieder.
Come back in a week('s time).
kʌm bæk in ə wiːk(s taim)

Körperteile und -funktionen

Ader	vein, *(Schlag-)* artery	vein, 'ɑːtəri
Achselhöhle	armpit	'ɑːmpit
Arm	arm	ɑːm
Atmung	breathing, respiration	'briːðiŋ, respə'reiʃən
Auge	eye	ai
Augenlid	eyelid	'ailid
Bandscheibe	intervertebral disc	intə'vəːtibrəl disk
Bauch	abdomen	'æbdəmən
Becken	pelvis	'pelvis
Bein	leg	leg
Blase	bladder	'blædə
Blinddarm	appendix	ə'pendiks
Blut	blood	blʌd
Blutdruck	blood-pressure	'blʌdpreʃə
Brust	breast, chest	brest, tʃest
Brustkorb	thorax	'θɔːræks
Darm	intestine	in'testin
Daumen	thumb	θʌm
Drüse	gland	glænd
Ellbogen	elbow	'elbəu
Ferse	heel	hiːl
Finger	finger	'fiŋgə
– kleiner Finger	little finger	'litl 'fiŋgə
Fingernagel	fingernail	'fiŋgəneil
Fuß	foot	fut
Fußsohle	sole of the foot	səul ͜ əv ðə fut
Galle	gall-bladder	'gɔːlblædə
Gaumen	palate	'pælit
Gehirn	brain	brein
Gelenk	joint, *(Hand-)* wrist	dʒɔint, rist
Genick	(back of the) neck	(bæk ͜ əv ðə) nek
Geschlechtsorgane	sex organs, genitals	seks 'ɔːgənz, 'dʒenitlz
Gesicht	face	feis
Glieder	limbs	limz
Haare	hair	hɛə
Hals	neck, *(innen)* throat	nek, θrəut
Hand	hand	hænd

Handgelenk	wrist	wrist
Haut	skin	skin
Herz	heart	hɑːt
Hüfte	hip	hip
Kehle	throat	θrəut
Kehlkopf	larynx	'læriŋks
Kiefer	jaw	dʒɔː
– Oberkiefer	upper jaw	'ʌpə dʒɔː
– Unterkiefer	lower jaw	'ləuə dʒɔː
Kieferhöhle	maxillary sinus	mæk'siləri 'sainəs
Kinn	chin	tʃin
Knie	knee	niː
Kniescheibe	knee cap	niː kæp
Knöchel	ankle	'æŋkl
Knochen	bone	bəun
Kopf	head	hed
Körper	body	'bɔdi
Kreislauf	circulation	səːkju'leiʃən
Leber	liver	'livə
Lippe	lip	lip
Lunge	lung	lʌŋ
Magen	stomach	'stʌmək
Mandeln	tonsils............	'tɔnslz
Menstruation	menstruation	menstru'eiʃən
Milz	spleen	spliːn
Mittelfinger	middle finger	'midl 'fiŋgə
Mund	mouth	mauθ
Muskel	muscle	'mʌsl
Nacken	(nape of the) neck	(neip əv ðə) nek
Nagel	nail	neil
Nase	nose	nəuz
Nerv	nerve	nəːv
Nerven	nerves	nəːvz
Niere	kidney	'kidni
Ohr	ear	iə
Ringfinger	*third (ring)* finger	θəːd (riŋ) 'fiŋgə
Rippe	rib	rib
Rücken	back	bæk
Rückenmark	spinal cord	'spainl kɔːd
Rückgrat	spine	spain
Schädel	skull	skʌl

Schenkel	thigh	θai
– Oberschenkel	thigh	θai
– Unterschenkel	lower leg	'ləuə leg
Schienbein	tibia, shin	'tibiə, ʃin
Schläfe	temple	'templ
Schleimhaut	mucous membrane	'mju:kəs 'membrein
Schlüsselbein	collar-bone	'kɔləbəun
Schulter	shoulder	'ʃəuldə
Schulterblatt	shoulder-blade	'ʃəuldəbleid
Schwangerschaft	pregnancy	'pregnənsi
Sehne	tendon, sinew	'tendən, 'sinju:
Spann	instep	'instep
Stirn	forehead	'fɔrid
Stirnhöhle	frontal *cavity (sinus)*	'frʌntl 'kæviti ('sainəs)
Stoffwechsel	metabolism	me'tæbəlizəm
Stuhlgang	bowel movement	'bauəl 'mu:vmənt
Trommelfell	ear-drum	'iədrʌm
Unterleib	abdomen	'æbdəmən
Urin	urine	'juərin
Vene	vein	vein
Verdauung	digestion	di'dʒestʃən
Wade	calf	kɑ:f
Wange	cheek	tʃi:k
Wirbelsäule	spine, vertebral column	spain, 'və:tibrəl 'kɔləm
Zahn	tooth	tu:θ
Zehe	toe	təu
Zeigefinger	fore-finger	'fɔ:fiŋgə
Zunge	tongue	tʌŋ

Krankheiten

Abszeß	abscess	'æbsis
Allergie	allergy	'ælədʒi
Anfall	attack, fit	ə'tæk, fit
Asthma	asthma	'æsmə
Atembeschwerden	difficulty in breathing	'difikəlti in 'bri:ðiŋ

Augenentzündung ...	inflammation of the eye	inflə'meiʃən_əv ði_ai
Ausschlag	rash	ræʃ
Bindehautentzündung	conjunctivitis........	kəndʒʌŋkti'vaitis
Blinddarmentzündung	appendicitis.........	əpendi'saitis
Blähungen	wind, flatulence	wind, 'flætjuləns
Blutarmut.........	anaemia	ə'ni:mjə
Blutdruck.........	blood pressure	blʌd 'preʃə
– zu *hoher (niedriger)*	too *high (low)*	tu: hai (ləu)
Blutung............	haemorrhage, bleeding	'heməridʒ, 'bli:diŋ
Blutvergiftung	blood poisoning......	blʌd 'pɔizniŋ
Brechreiz	nausea	'nɔːsjə
Bronchitis..........	bronchitis	brɔŋ'kaitis
Cholera	cholera	'kɔlərə
Darmkatarrh	intestinal catarrh	in'testinl kə'tɑː
Diphtherie	diphtheria	dif'θiəriə
Durchfall	diarrhoea...........	daiə'riə
Entzündung	inflammation........	inflə'meiʃən
Erbrechen..........	vomiting	'vɔmitiŋ
Erfrierung	frost-bite	'frɔstbait
Erkältung	cold, chill..........	kəuld, tʃil
Fieber.............	fever, temperature ...	'fiːvə, 'tempritʃə
Furunkel...........	boil...............	bɔil
Gallensteine........	gall-stones	'gɔːlstəunz
Gehirnerschütterung .	concussion	kən'kʌʃən
Gehirnschlag	stroke	strəuk
Gelbsucht..........	jaundice	'dʒɔːndis
Gelenkrheumatismus	arthritis	ɑː'θraitis
Geschlechtskrankheit	venereal disease	vi'niəriəl di'ziːz
Geschwulst	swelling, tumour......	'sweliŋ, 'tjuːmə
Geschwür	ulcer	'ʌlsə
Grippe	influenza, flu	influ'enzə, fluː
Halsschmerzen	sore throat..........	sɔː θrəut
Hämorrhoiden	haemorrhoids, piles ...	'hemərɔidz, pailz
Hautabschürfung ...	graze...............	greiz
Hautkrankheit	skin disease	skin di'ziːz
Heiserkeit	hoarseness	'hɔːsnis
Herzanfall	heart attack	hɑːt ə'tæk
Herzfehler	heart complaint	hɑːt kəm'pleint
Herzinfarkt	cardiac infarction.....	'kɑːdiæk in'fɑːkʃən

Heuschnupfen	hay-fever	ˈheifiːvə
Hexenschuß	lumbago	lʌmˈbeigəu
Husten	cough	kɔf
Ischias	sciatica	saiˈætikə
Keuchhusten	whooping cough	ˈhuːpiŋ kɔf
Kinderlähmung	polio(myelitis)	ˈpəuliəu(maiəˈlaitis)
Knochenbruch	fracture	ˈfræktʃə
Kolik	colic	ˈkɔlik
Krampf	cramp	kræmp
Krankheit	illness, *(langwierige)* disease	ˈilnis, diˈziːz
– ansteckende	infectious disease	inˈfekʃəs diˈziːz
Krebs	cancer	ˈkænsə
Kreislaufstörungen	circulatory disturbance	səːkjuˈleitəri disˈtəːbəns
Lähmung	paralysis	pəˈrælisis
Lebensmittel-vergiftung	food-poisoning	ˈfuːdpɔiznin
Leberleiden	liver complaint	ˈlivə kəmˈpleint
Leukämie	leukaemia	ljuːˈkiːmjə
Luftkrankheit	air-sickness	ˈɛəsiknis
Lungenentzündung	pneumonia	njuːˈməunjə
Mandelentzündung	tonsillitis	tɔnsiˈlaitis
Magengeschwür	peptic ulcer	ˈpeptik ˈʌlsə
Magenschmerzen	stomach pains	ˈstʌmək peinz
Masern	measles	ˈmiːzlz
Migräne	migraine	ˈmiːgrein
Mittelohrentzündung	inflammation of the middle ear	infləˈmeiʃən əv ðə ˈmidl iə
Mumps	mumps	mʌmps
Nasenbluten	nose bleeding	nəuz ˈbliːdin
Nervenschock	shock	ʃɔk
Neuralgie	neuralgia	njuəˈrældʒə
Nierenentzündung	nephritis	neˈfraitis
Nierensteine	kidney-stones	ˈkidnistəunz
Ohnmacht	faint	feint
Pocken	smallpox	ˈsmɔːlpɔks
Quetschung	bruise	bruːz
Rheuma	rheumatism	ˈruːmətizəm
Rippenfellentzündung	pleurisy	ˈpluərisi

Röteln	German measles	'dʒə mən 'miːzlz
Rückenschmerzen	back-ache	'bækeik
Ruhr	dysentery	'disntri
Scharlach	scarlet fever	'skɑːlit 'fiːvə
Schlaflosigkeit	insomnia	in'sɔmniə
Schlaganfall	stroke	strəuk
Schmerzen	pain	pein
Schnupfen	cold	kəuld
Schüttelfrost	shivering fit	'ʃivəriŋ fit
Schwellung	swelling	'sweliŋ
Schwindel	dizziness	'dizinis
Seekrankheit	sea-sickness	'siːsiknis
Sehnenzerrung	pulled tendon	puld 'tendən
Seitenstechen	stitch in the side	stitʃ in ðə said
Sodbrennen	heartburn	'hɑːtbəːn
Sonnenbrand	sunburn	'sʌnbəːn
Sonnenstich	sunstroke	'sʌnstrəuk
Tetanus	tetanus, lockjaw	'tetənəs, 'lɔkdʒɔː
Tuberkulose	tuberculosis	tjuːbəːkju'ləusis
Typhus	typhoid	'taifɔid
Übelkeit	sickness, nausea	'siknis, 'nɔːsjə
Verbrennung	burn	bəːn
Verdauungsstörung	indigestion	indi'dʒestʃən
Vereiterung	suppuration	sʌpjuə'reiʃən
Vergiftung	poisoning	'pɔizniŋ
Verletzung	injury	'indʒəri
Verrenkung	dislocation	disləu'keiʃən
Verstauchung	sprain	sprein
Verstopfung	constipation	kɔnsti'peiʃən
Windpocken	chickenpox	'tʃikinpɔks
Wunde	wound	wuːnd
– Schnittwunde	cut	kʌt
Zuckerkrankheit	diabetes	daiə'biːtiːz

Krankenhaus

Arzt	doctor	ˈdɔktə
Besuchszeit	visiting hours	ˈvizitiŋ ˈauəz
Bett	bed	bed
Bettschüssel	bedpan	ˈbedpæn
Blutbild	blood count	blʌd kaunt
Blutprobe	blood test	blʌd test
Bluttransfusion	blood transfusion	blʌd trænsˈfjuːʒən
Chefarzt	medical superintendent	ˈmedikəl sjuːpərˈinˈtendənt
Chirurg	surgeon	ˈsəːdʒən
Diagnose	diagnosis	daiəgˈnəusis
durchleuchten	to X-ray	tu ˈeksrei
entlassen	to discharge	tə disˈtʃɑːdʒ
Entlassungsschein . . .	certificate of discharge	səˈtifikit əv disˈtʃɑːdʒ
Fieberkurve	temperature chart	ˈtempritʃə tʃɑːt
Krankenhaus	hospital	ˈhɔspitl
Krankenschwester . .	nurse	nəːs
Nachtschwester	night nurse	nait nəːs
Narkose	anaesthetic	ænisˈθetik
Oberin	matron	ˈmeitrən
Oberschwester	sister	ˈsistə
Operation	operation	ɔpəˈreiʃən
Operationssaal	operating theatre	ˈɔpəreitiŋ ˈθiətə
operieren	to operate	tu ˈɔpəreit
Patient(in)	patient	ˈpeiʃənt
Röntgenaufnahme . . .	X-ray	ˈeksrei
Spritze	injection	inˈdʒekʃən
Station	ward	wɔːd
Temperatur	temperature	ˈtempritʃə
untersuchen	to examine	tu igˈzæmin
Untersuchung	examination	igzæmiˈneiʃən

Schwester, geben Sie mir etwas *gegen Schmerzen (zum Einschlafen)*.
Nurse, could I have something *for the pain (to make me sleep)*.
nəːs kud ai hæv ˈsʌmθiŋ fə ðə pein (tə meik mi sliːp)

Wann darf ich aufstehen?	**Wie lautet die Diagnose?**
When may I get up?	What's the diagnosis?
wen mei ai get ʌp	wɔts ðə daiəgˈnəusis

Beim Zahnarzt

Wo gibt es hier einen Zahnarzt?
Whereabouts is there a dentist?
ˈwɛərəˈbauts ɪz ðɛər ə ˈdentist

Ich möchte mich zur Behandlung anmelden.
I'd like to make an appointment..
aid laik tə meik ən əˈpɔintmənt

Ich habe Zahnschmerzen.
I've got toothache.
aiv gɔt ˈtuːθeik

Ich habe hier Schmerzen.
It hurts here.
it həːts hiə

Dieser Zahn tut weh.
This tooth hurts.
ðis tuːθ həːts

– oben.
– up here (the top teeth).
ʌp hiə (ðə tɔp tiːθ)

– unten.
– down here (the bottom teeth).
daun hiə (ðə ˈbɔtəm tiːθ)

Eine Plombe ist herausgefallen.
A filling has fallen out.
ə ˈfiliŋ həz ˈfɔːlən aut

Der Zahn wackelt.
The tooth is loose.
ðə tuːθ ɪz luːs

Muß der Zahn gezogen werden?
Will I have to have the tooth pulled out?
wil ai hæv tə hæv ðə tuːθ puld aut

... ist abgebrochen.
... has broken off.
... həz ˈbrəukən ɔf

Können Sie den Zahn provisorisch behandeln?
Could you do a temporary job on the tooth?
kud ju du ə ˈtempərəri dʒɔb ɔn ðə tuːθ

Können Sie diese Prothese reparieren?
Could you repair these dentures?
kud ju riˈpɛə ðiːz ˈdentʃəz

*Bitte zwei Stunden *nichts essen (nicht rauchen)!*
Don't *eat anything (smoke)* for two hours, please.
ˈdəunt iːt ˈeniθiŋ (sməuk) fə tuː ˈauəz pliːz

Wann soll ich wiederkommen?
When should I come back?
wen ʃud ai kʌm bæk

Abszeß	abscess	ˈæbsis
Backenzahn	molar	ˈməulə
Betäubung	anaesthesia	ænisˈθiːzjə
– örtliche Betäubung	local anaesthesia	ˈləukəl ænisˈθiːzjə
Brücke	bridge	bridʒ
Eckzahn	eye-tooth, canine tooth	ˈaituːθ, ˈkænain tuːθ
Einlage	temporary filling	ˈtempərəri ˈfiliŋ
Ersatz	substitute	ˈsʌbstitjuːt
Füllung	filling	ˈfiliŋ
Gebiß	denture	ˈdentʃə
Gipsabdruck	plaster cast	ˈplɑːstə kɑːst
Injektion	injection	inˈdʒekʃən
Karies	caries	ˈkɛəriiːz
Kiefer	jaw	dʒɔː
Krone	crown	kraun
Nerv	nerve	nəːv
Platte	plate	pleit
Plombe	filling	ˈfiliŋ
plombieren	to fill	tə fil
Prothese	denture	ˈdentʃə
Schneidezahn	incisor	inˈsaizə
Stiftzahn	pivot tooth	ˈpivət tuːθ
Weisheitszahn	wisdom tooth	ˈwizdəm tuːθ
Wurzelbehandlung	root treatment	ruːt ˈtriːtmənt
Zahn	tooth	tuːθ
Zahnarzt	dentist	ˈdentist
Zahnfleisch	gums	gʌmz
Zahnhals	neck of a tooth	nek əv ə tuːθ
Zahnklinik	dental clinic	ˈdentl ˈklinik
Zahnschmerzen	toothache	ˈtuːθeik
Zahnspange	brace	breis
Zahnstein	tartar	ˈtɑːtə
Zahnwurzel	root	ruːt
ziehen	to extract	tu iksˈtrækt

Kuraufenthalt

Bad	bath	bɑ:θ
Badeort	spa, watering place	spɑ:, 'wɔ:tərɪŋ pleis
Bademeister	bath attendant	bɑ:θ ə'tendənt
Bestrahlung	*heat (ray) therapy*	hi:t (rei) 'θerəpi
Brunnen	mineral spring	'minərəl sprɪŋ
Dampfbad	vapour bath	'veipə bɑ:θ
Diät	diet	'daiət
Erholungsheim	convalescent home	kɔnvə'lesənt həum
Gymnastik	gymnastics	dʒim'næstiks
Heilquelle	medicinal spring	me'disinl sprɪŋ
Höhensonne	ultra-violet lamp	'ʌltrə'vaiəlit læmp
inhalieren	to inhale	tu_in'heil
Kur	cure, course of treatment	kjuə, kɔ:s_əv 'tri:tmənt
Kuraufenthalt	stay at a spa	stei_ət_ə spɑ:
Kurort	spa, watering place, health resort	spɑ:, 'wɔ:tərɪŋ pleis, helθ ri'zɔ:t
Kurtaxe	visitors' tax	'vizitəz tæks
Kurzwelle	short wave	ʃɔ:t weiv
Liegekur	rest cure, bed-rest	rest kjuə, 'bedrest
Luftkurort	health resort	helθ ri'zɔ:t
Massage	massage	'mæsɑ:ʒ
Masseur	masseur	mæ'sə:
Masseurin	masseuse	mæ'sə:z
massieren	to massage	tə 'mæsɑ:ʒ
Meerwasser	sea-water	'si:wɔ:tə
Mineralbad	mineral bath	'minərəl bɑ:θ
Mineralien	minerals	'minərəlz
Moorbad	mud-bath	'mʌdbɑ:θ
Packung	pack	pæk
Sanatorium	sanatorium	sænə'tɔ:riəm
Sauna	sauna	'sɔ:nə
Schlamm	mud	mʌd
Sprudel	(hot) spring	(hɔt) sprɪŋ
Trinkhalle	pump room	pʌmp rum
Ultraschall	supersonics, ultrasound	sju:pə'sɔniks, 'ʌltrəsaund

KONZERT, THEATER, KINO

Kartenkauf

Was wird heute abend *gegeben (gespielt)* ?
What are they *doing (playing)* this evening?
wɔt_ɑː ðei ˈduiŋ (ˈpleiiŋ) ðis_ˈiːvniŋ

Wann beginnt *die Vorstellung (das Konzert)* ?
When does the *performance (concert)* begin?
wen dʌz ðə pəˈfɔːməns (ˈkɔnsət) biˈgin

Wo bekommt man Karten?
Where can one get tickets?
wɛə kæn wʌn get ˈtikits

Gibt es Ermäßigung für ... ?
Is there any reduction for ... ?
iz ðɛər_ˈeni riˈdʌkʃən fə ...

Gibt es noch Karten für *heute (morgen)* abend?
Are there still tickets for *tonight (tomorrow night)* ?
ɑː ðɛə stil ˈtikits fə təˈnait (təˈmɔrəu nait)

Bitte einmal *dritte (zehnte)* Reihe.
A ticket for the *third (tenth)* row, please.
ə ˈtikit fə ðə θəːd (tenθ) rəu pliːz

Bitte zwei Plätze im 1. Rang, 3. Reihe.
Two seats in the third row of the dress circle, please.
tuː siːts_in ðə θəːd rəu_əv ðə dres ˈsəːkl pliːz

– in der Mitte. **– an der Seite.**
– in the middle. – at the side.
– in ðə ˈmidl – æt ðə said

Loge	box	bɔks
Parkett	stalls, ...	stɔːlz,
	(hinterste Plätze) pit ..	pit
Platz	seat	siːt
– Plätze	seats	siːts
Rang	circle...............	ˈsəːkl
– 1. Rang.........	dress circle.........	dres ˈsəːkl
– 2. Rang.........	upper circle	ˈʌpə ˈsəːkl
Reihe	row	rəu
Ausverkauft!	Sold out! House full! .	səuld_aut, haus ful

Konzert, Theater

Akt	act	ækt
Alt	contralto	kən'træltəu
Arie	aria	'ɑːriə
Aufführung	performance	pə'fɔːməns
Ballett	ballet	'bælei
Bariton	baritone	'bæritəun
Baß	bass	beis
Beginn	beginning, start	bi'giniŋ, stɑːt
Begleitung	accompaniment	ə'kʌmpənimənt
Beifall	applause	ə'plɔːz
Bühne	stage	steidʒ
Bühnenbild	set, scenery	set, 'siːnəri
Chor	choir	'kwaiə
Dirigent	conductor	kən'dʌktə
Drama	drama	'drɑːmə
Duett	duet	dju:'et
Eintrittskarte	ticket	'tikit
Ende	end	end
Flügel	grand piano	grænd pi'ænəu
Foyer	foyer	'fɔiei
Garderobe	cloakroom	'kləukrum
Garderobenmarke	cloakroom ticket	'kləukrum 'tikit
Gesang	singing	'siŋiŋ
Inszenierung	production	prə'dʌkʃən
Kammermusik	chamber music	'tʃeimbə 'mjuːzik
Kapelle	band	bænd
Kartenverkauf	booking	'bukiŋ
Kasse	booking office	'bukiŋ 'ɔfis
Komödie	comedy	'kɔmidi
Komponist	composer	kəm'pəuzə
Konzert	concert	'kɔnsət
Konzertsaal	concert hall	'kɔnsət hɔːl
Lied	song	sɔŋ
– Volkslied	folk song	fəuk sɔŋ
Liederabend	song recital	sɔŋ ri'saitl
Musical	musical	'mjuːzikəl
Musik	music	'mjuːzik
Musikstück	piece of music	piːs əv 'mjuːzik
Note	note	nəut

Noten	music	'mju:zik
Oper	opera	'ɔpərə
Operette	operetta	'ɔpəretə
Opernglas	opera glasses	'ɔpərə 'glɑ:siz
Orchester	orchestra	'ɔ:kistrə
Ouvertüre	overture	'əuvətjuə
Parkett	stalls	stɔ:lz
Pause	interval	'intəvəl
Pianist	pianist	'piənist
Programmheft	programme	'prəugræm
Regie	production	prə'dʌkʃən
Regisseur	producer	prə'dju:sə
Rolle	part, role	pɑ:t, rəul
– Hauptrolle	leading role	'li:diŋ rəul
Sänger	singer	'siŋə
Sängerin	singer	'siŋə
Schauspiel	play	plei
Schauspieler	actor	'æktə
Schauspielerin	actress	'æktris
Sinfoniekonzert	symphony concert	'simfəni 'kɔnsət
Solist	soloist	'səuləuist
Sopran	soprano	sə'prɑ:nəu
Spielplan	programme	'prəugræm
Tänzer(in)	dancer	'dɑ:nsə
Tenor	tenor	'tenə
Textbuch	text, (Oper) libretto	tekst, li'bretəu
Theater	theatre	'θiətə
Theaterstück	play	plei
Tragödie	tragedy	'trædʒədi
Vorhang	curtain	'kə:tn
Vorstellung	performance	pə'fɔ:məns
Vorverkauf	advance booking	əd'vɑ:ns 'bukiŋ
Werk	work	wə:k

Kino

Was gibt es heute abend im Kino?
What's on at the cinema this evening?
wɔts‿ɔn‿ət ðə 'sinəmə ðis‿'iːvniŋ

Wann beginnt *der Vorverkauf (der Film)*?
When does *booking open (the film begin)*?
wen dəz 'bukiŋ‿'əupən (ðə film bi'gin)

Wie lange dauert die Vorstellung?
How long does the performance last?
hau lɔŋ dʌz ðə pə'fɔːməns lɑːst

Dokumentarfilm	documentary	dɔkju'mentəri
Drehbuch	script	skript
Farbfilm	colour film,	'kʌlə film,
	film in colour	film in 'kʌlə
Film	film	film
Filmfestspiele	film festival	film 'festəvəl
Filmschauspieler	film actor	film 'æktə
Filmvorführung	(film) showing	(film) 'ʃəuiŋ
Freilichtkino	open-air cinema	'əupən‿ɛə 'sinəmə
Kino	cinema	'sinəmə
Kriminalfilm	thriller	'θrilə
Kulturfilm	educational film	edju'keiʃənl film
Kurzfilm	short film	ʃɔːt film
Leinwand	screen	skriːn
Platzanweiserin	usherette	ʌʃə'ret
Programmvorschau	trailer	'treilə
Spielfilm	feature (film)	'fiːtʃə (film)
Synchronisation	synchronization	siŋkrənai'zeiʃən
synchronisiert	synchronized	'siŋkrənaizd
Zeichentrickfilm	cartoon	kɑː'tuːn
Zuschauer	audience	'ɔːdjəns
Zuschauerraum	auditorium, house	ɔːdi'tɔːriəm, haus

ZEITVERTREIB

Zeitvertreib

Wo ist hier ... ?
Where is there ... ?
wɛər‿iz ðɛə ...

eine Bar	a bar...............	ə bɑː
ein Billardraum	a billiard-room	ə ˈbiljədrum
eine Diskothek	a discotheque	ə ˈdiskəutek
eine Eisbahn	an ice rink	ən‿ais riŋk
eine Minigolfanlage .	a miniature-golf course	ə ˈminjətʃəgɔlf kɔːs
ein Nachtklub	a night-club	ə naitklʌb
eine Reitschule	a riding school, riding stables *pl.*	ə ˈraidiŋ skuːl, ˈraidiŋ ˈsteiblz
eine Segelschule	a sailing school	ə ˈseiliŋ skuːl
ein Tennisplatz	a tennis court	ə ˈtenis kɔːt

Ich möchte ...
I'd like to ...
aid laik tə ...

Federball spielen ...	play badminton	plei ˈbædmintən
Minigolf spielen	play miniature golf ...	plei ˈminjətʃə gɔlf
die Modenschau anschauen........	watch the fashion show	wɔtʃ ðə ˈfæʃən ʃəu
Tischtennis spielen ..	play table tennis	plei ˈteibl ˈtenis

Haben Sie Fernsehen?
Do you have television?
du ju hæv ˈteliviʒən

Kann ich hier Radio hören?
Can I listen to the *wireless (radio)* here?
kæn‿ai ˈlisn tə ðə ˈwaiəlis (ˈreidiəu) hiə

Welcher Sender ist das?
What station is that?
wɔt ˈsteiʃən‿iz ðæt

Was wird heute gegeben?
What's on today?
wɔts‿ɔn təˈdei

Spielen Sie Schach (Tischtennis)?
Do you play *chess (table tennis)?*
du ju plei tʃes (ˈteibl ˈtenis)

Bowlingbahn	bowling alley........	ˈbəuliŋ ˈæli
Dame(spiel)	draughts............	drɑːfts
Fernsehen	television	ˈteliviʒən
– Ansager	announcer	əˈnaunsə
– Bildschirm.......	screen	skriːn
– ausschalten	switch off	switʃˌɔf
– einschalten	switch on	switʃˌɔn
– Fernsehspiel	television play	ˈteliviʒən plei
– Nachrichten	news	njuːz
– Programm.......	programme	ˈprəugræm
– Sendung	programme	ˈprəugræm
– Störung	break-down, *(Unter-brechung)* interruption	ˈbreikdaun, intəˈrʌpʃən
Gesellschaftsspiel ...	*party (round)* game...	ˈpɑːti (raund) geim
Kartenspiel........	game of cards	geimˌəv kɑːdz
– abheben.........	to cut	tə kʌt
– geben	to deal	tə diːl
– mischen	to shuffle	tə ˈʃʌfl
– Bube / Dame.....	jack / queen	dʒæk / kwiːn
– König / As......	king / ace	kiŋ / eis
– Herz / Karo	hearts / diamonds....	hɑːts / ˈdaiəməndz
– Kreuz / Pik	clubs / spades........	klʌbz / speidz
– Stich / Joker	trick / joker	trik / ˈdʒəukə
– Trumpf	trump..............	trʌmp
Klub	club	klʌb
eine Partie	a game	ə geim
Plattenspieler......	record-player........	ˈrekɔːdpleiə
Rundfunk	radio, wireless	ˈreidiəu, ˈwaiəlis
– Hörspiel	play	plei
– Kurzwelle	short wave	ʃɔːt weiv
– Langwelle	long wave	lɔŋ weiv
– Mittelwelle	medium wave	ˈmiːdjəm weiv
– UKW...........	ultra-short wave, VHF	ˈʌltrəʃɔːt weiv, viː eitʃ ef
Schach	chess	tʃes
– Bauer	pawn	pɔːn
– Brett	board	bɔːd
– Dame..........	queen	kwiːn
– Feld	square	skwɛə
– Figur	chessman, piece	ˈtʃesmən, piːs
– König	king	kiŋ

– Läufer	bishop	ˈbiʃəp
– Springer	knight	nait
– Turm	rook, castle	ruk, ˈkɑːsl
Schallplatte	(gramophone) record	(ˈgræməfəun) ˈrekɔːd
Schönheitswettbewerb	beauty contest	ˈbjuːti ˈkɔntest
Spiel	game	geim
– Bankhalter	banker	ˈbæŋkə
– Einsatz	stake	steik
– setzen	to stake	tə steik
– spielen	to play, (um Geld) gamble	tə plei, ˈgæmbl
– Stein	piece	piːs
– ziehen	to draw	tə drɔː
– Zug	move	muːv
Spielkasino	casino	kəˈsiːnəu
Spielmarke	chip	tʃip
Tischtennis	table tennis	ˈteibl ˈtenis
Tonband	tape	teip
Tonbandgerät	tape-recorder	ˈteiprikɔːdə
Unterhaltung	amusement	əˈmjuːzmənt
– sich unterhalten	to amuse oneself	tuˈ_əˈmjuːz wʌnˈself
Volksfest	fair, public festival	fɛə, ˈpʌblik ˈfestəvəl
Würfel	dice	dais
– würfeln	to dice, to throw (the) dice	tə dais, tə θrəu (ðə) dais
Zeitschrift	magazine	mægəˈziːn
– Illustrierte	(illustrated) magazine	(ˈiləstreitid) mægəˈziːn
– Modezeitschrift	fashion magazine	ˈfæʃn mægəˈziːn
Zeitung	(news)paper	(ˈnjuːs)ˈpeipə
Zeitvertreib	pastime	ˈpɑːstaim
Zirkus	circus	ˈsəːkəs

Tanz, Flirt

Darf ich mich zu Ihnen setzen?
May I join you?
mei‿ai dʒɔin ju

Darf ich Sie zu *einem Kaffee (Tee, Drink)* einladen?
Will you (come and) have a *cup of coffee (cup of tea, drink)*?
wil ju (kʌm‿ənd) hæv‿ə kʌp‿əv ˈkɔfi (kʌp‿əv tiː, driŋk)

Haben Sie für heute abend schon etwas vor?
Are you doing anything this evening?
ɑː ju ˈduiŋ ˈeniθiŋ ðis‿ˈiːvniŋ

Wollen wir tanzen? Gibt es hier *eine Diskothek (ein Tanzlokal)*?
Shall we dance?   Is there a *discotheque (dance-hall)* here?
ʃæl wi dɑːns   iz ðər‿ə ˈdiskəutek (ˈdɑːnshɔːl) hiə?

Darf ich (um den nächsten Tanz) bitten?
May I have the pleasure? (May I have the next dance?)
mei‿ai hæv ðə ˈpleʒə   (mei‿ai hæv ðə nekst dɑːns)

Sie tanzen sehr gut.   **Tanzen wir noch einmal?**
You dance very well.   Shall we dance again?
ju dɑːns ˈveri wel   ʃæl wi dɑːns ‿əˈgen

Hier können wir uns ungestört unterhalten.
Here we can talk undisturbed.
hiə wi kən tɔːk ˈʌndisˈtəːbd

***Gehen (Fahren)* wir ein bißchen spazieren?**
Shall we go for a *walk (drive)*?
ʃæl wi gəu fər‿ə wɔːk (draiv)

Darf ich Sie zu einer Party einladen?
May I invite you to a party?
mei‿ai inˈvait ju tu‿ə‿ˌpɑːti

***Ich erwarte Sie bei (am, in)* ...**
I'll meet you *at (in)* ...
ail miːt ju æt (in) ...

Dieses Kleid steht Ihnen sehr gut.
That dress suits you.
ðæt dres sjuːts ju

Wann kommen Sie mich mal besuchen?
When are you *going to pay me a visit (coming to see me)*?
wen ɑː ju ˈgəuiŋ tə pei mi‿ə ˈvizit (ˈkʌmiŋ tə siː mi)

Wann können wir uns wiedersehen?
When can we meet again?
wen kæn wi miːt ə'gen

Darf ich Sie nach Hause fahren?
May I drive you home?
mei‿ai draiv ju həum

Wo wohnen Sie?
Where do you live?
wɛə du ju liv

Darf ich Sie noch ein Stück begleiten?
May I walk part of the way with you?
mei‿ai wɔːk paːt‿əv ðə wei wið ju

Vielen Dank für den netten Abend.
Thank you very much for the pleasant evening.
θæŋk ju 'veri mʌtʃ fə ðə 'plezənt 'iːvniŋ

begleiten	to accompany, to go with	tu‿ə'kʌmpəni, tə gəu wið
besuchen	to visit	tə 'vizit
Diskothek	discotheque	'diskəutek
einladen	to invite	tu‿in'vait
jemanden erwarten ..	to expect somebody...	tu‿iks'pekt 'sʌmbədi
Flirt	flirt	fləːt
Kuß	kiss	kis
küssen.............	to kiss	tə kis
Liebe	love..................	lʌv
lieben	to love	tə lʌv
Party	party.................	'paːti
spazierengehen......	to go for a walk	tə gəu fər‿ə wɔːk
Tanz	dance	daːns
tanzen	to dance	tə daːns
Tanzlokal	dance-hall	'daːnshɔːl
sich treffen........	to meet.............	tə miːt
sich unterhalten	to amuse oneself......	tu‿ə'mjuːz wʌn'self
sich wiedersehen	to meet again	tə miːt‿ə'gen
wohnen	to live	tə liv

Am Strand

Wo kann man hier baden?
Where can one swim?
wɛə kæn wʌn swim

Darf man hier baden?
Can one swim here?
kæn wʌn swim hiə

Bitte zwei Eintrittskarten (mit Kabine).
Two tickets (with dressing cubicles), please.
tu: 'tikits (wið 'dresiŋ 'kju:biklz) pli:z

Wie *tief (warm)* ist das Wasser?
How deep (What temperature) is the water?
hau di:p (wɔt 'tempritʃə) iz ðə 'wɔ:tə

Ist es für Kinder gefährlich?
Is it dangerous for children?
iz_it 'deindʒərəs fɔ 'tʃildrən

*Baden verboten!
No bathing! (Bathing prohibited!)
nəu 'beiðiŋ ('beiðiŋ prə'hibitid)

Wie weit darf man hinausschwimmen?
How far out may one swim?
hau fɑ: aut mei wʌn swim

Gibt es hier Strömungen?
Are there any currents?
ɑ: ðɛər_'eni 'kʌrənts

Wo ist der Bademeister?
Where's the bath attendant?
wɛəz ðə bɑ:θ ə'tendənt

Bitte einen *Liegestuhl (Sonnenschirm)*.
A *deckchair (sunshade)*, please.
ə 'dektʃɛə ('sʌnʃeid) pli:z

Was kostet ... ?
What does ... cost?
wɔt dəz ... kɔst

Ich möchte *eine Kabine (ein Boot)* mieten.
I'd like to hire a *cubicle (boat)*.
aid laik tə 'haiər_ə 'kju:bikl (bəut)

Wo gibt es ... ?
Where is (are) ... ?
wɛər_iz (wɛər_ɑ:) ...

Ich möchte Wasserski fahren.
I'd like to go water-skiing.
aid laik tə gəu 'wɔ:təski:iŋ

Wo kann man angeln?
Where can one go fishing?
wɛə kæn wʌn gəu 'fiʃiŋ

Würden Sie bitte auf meine Sachen achtgeben?
Would you mind keeping an eye on my things?
wud ju maind 'ki:piŋ_ən_ai ɔn mai θiŋz

Bad	bathe, swim	beið, swim
Badeanzug	swimsuit	'swimsju:t
Badehose	*bathing (swimming)*	'beiðiŋ ('swimiŋ)
	trunks *pl.*	trʌŋks

Badekabine	(dressing) cubicle	('dresiŋ) 'kju:bikl
Badekappe	*bathing (swim)* cap ...	'beiðiŋ (swim) kæp
Bademantel	bathrobe	'bɑ:θrəub
baden	to bathe	tə beið
Badesteg	bathing pier..........	'beiðiŋ piə
Boot	boat	bəut
– Motorboot	motor boat	'məutə bəut
– Ruderboot	rowing boat..........	'rəuiŋ bəut
– Schlauchboot	rubber dinghy	'rʌbə 'diŋgi
– Segelboot	sailing boat	'seiliŋ bəut
– Tretboot	pedal boat, pedalo....	'pedəl bəut, 'pedələu
Bucht	bay	bei
Düne	sand dune	sænd dju:n
Dusche	shower	'ʃauə
Luftmatratze	air mattress	ɛə 'mætris
Lufttemperatur	air temperature	ɛə 'tempritʃə
Muscheln	shells	ʃelz
Nichtschwimmer	non-swimmer	'nɔn'swimə
Qualle	jellyfish	'dʒelifiʃ
Salzgehalt	saline content	'seilain 'kɔntent
Sand	sand	sænd
Sandstrand	sandy beach	'sændi bi:tʃ
schwimmen.........	to swim	tə swim
Schwimmer	swimmer	'swimə
Sonnenbad nehmen ..	to sunbathe	tə 'sʌnbeið
Strand	beach	bi:tʃ
tauchen	to dive	tə daiv
Taucherausrüstung ..	diving equipment	'daiviŋ i'kwipmənt
Wasser	water	'wɔːtə
Wassertemperatur ..	water temperature	'wɔːtə 'tempritʃə
Welle	wave	weiv

Sport

Welche Sportveranstaltungen gibt es hier?
What sporting events are there?
wɔt 'spɔːtiŋ i'vents ɑː ðɛə

Wo ist *das Stadion (der Fußballplatz)*?
Where is the *stadium (football ground)*?
wɛər iz ðə 'steidiəm ('futbɔːl graund)

*Heute spielt ... gegen ...
Today ... is playing ...
təˈdei ... iz ˈpleiiŋ ...

Ich würde mir gern *das Spiel (das Rennen, den Kampf)* ansehen.
I'd like to watch the *match (race, fight).*
aid laik tə wɔtʃ ðə mætʃ (reis, fait)

Wann (Wo) findet das Fußballspiel statt?
When (Where) is the football match?
wen (wɛər) iz ðə ˈfutbɔːl mætʃ

Können Sie uns dafür Karten besorgen? **Tor!**
Could you get us tickets for it? Goal!
kud ju get ʌs ˈtikits fər it gəul

Wie steht das Spiel? ***Das Spiel steht 3:2 für ...**
What's the score? The score's three to two for ...
wɔts ðə skɔː ðə skɔːz θriː tə tuː fɔ ...

Gibt es hier ein *Freibad (Hallenbad)*?
Is there an *open-air (indoor)* swimming pool here?
iz ðɛər ən ˈəupənɛə (ˈindɔː) ˈswimiŋ puːl hiə

Welchen Sport *treiben Sie (treibst du)*?
What sport do you go in for?
wɔt spɔːt du ju gəu in fɔː

Ich bin ...	**Ich spiele ..**	**Ich begeistere mich für ...**
I'm ...	I play ...	I'm keen on ...
aim ...	ai plei ...	aim kiːn ɔn ...

Angelsport	fishing	ˈfiʃiŋ
– **Angel**	(fishing-)rod	(ˈfiʃiŋ)rɔd
– **angeln**	to fish	tə fiʃ
– **Angelschein**	fishing licence	ˈfiʃiŋ ˈlaisəns
Bergsteigen	rock-climbing, ...	ˈrɔkˈklaimiŋ,
	mountaineering	mauntiˈniəriŋ
– **Bergsteiger**	mountaineer	mauntiˈniə
Bootsrennen	boat-race	ˈbəutreis
– **Rennboot**	racing boat	ˈreisiŋ bəut
Boxkampf	fight	fait
– **boxen**	to box	tə bɔks
– **Boxer**	boxer	ˈbɔksə
Eiskunstlauf	figure-skating	ˈfigəskeitiŋ

– eislaufen	to skate	tə skeit
– Schlittschuhe	skates	skeits
– Schlittschuhläufer	skater	'skeitə
Fechten	fencing	'fensiŋ
Fußballspiel	football match	'futbɔːl mætʃ
– Fußball spielen	to play football	tə plei 'futbɔːl
– Abseits	offside	'ɔf'said
– Ball	ball	bɔːl
– Eckball	corner	'kɔːnə
– Einwurf	throw-in	'θrəuin
– Freistoß	free kick	friː kik
– Strafstoß	penalty kick	'penlti kik
– Tor	goal	gəul
Geräteturnen	gymnastics with apparatus	dʒim'næstiks wið æpə'reitəs
– Barren	parallel bars	'pærələl baːz
– Reck	horizontal bar	hɔri'zɔntl baː
– Ringe	rings	riŋz
– Schwebebalken	balance beam	'bæləns biːm
Golf	golf	gɔlf
– Golf spielen	to play golf	tə plei gɔlf
Gymnastik	gymnastics	dʒim'næstiks
Handball	handball	'hændbɔːl
Hockey	hockey	'hɔki
Jagd	hunting, shooting	'hʌntiŋ, 'ʃuːtiŋ
– Jagdschein	shooting licence	'ʃuːtiŋ 'laisəns
Judo	judo	'dʒuːdəu
Kegeln	skittles, ninepins	'skitlz, 'nainpinz
Korbball	netball	'netbɔːl
Kricket	cricket	'krikit
Leichtathletik	(track and field) athletics pl.	(træk ənd fiːld) æθ'letiks
Mannschaft	team	tiːm
– Schiedsrichter	referee	refə'riː
– Spieler	player	'pleiə
– Stürmer	forward	'fɔːwəd
– Torwart	goalkeeper	'gəulkiːpə
– Verteidiger	fullback	'ful'bæk
Motorsport	motor racing	'məutə 'reisiŋ
– Rennen	race	reis
– Rennfahrer	racing driver	'reisiŋ 'draivə

– Rennwagen	racing car	'reisiŋ ka:
Radsport	cycling	'saikliŋ
– Fahrrad	bicycle	'baisikl
– radfahren	to cycle	tə 'saikl
– Radfahrer	cyclist	'saiklist
– Radrennen	cycle race	'saikl reis
Reitsport	riding	'raidiŋ
– Galopprennen	horse racing	hɔːs 'reisiŋ
– Pferd	horse	hɔːs
– reiten	to ride	tə raid
– Reiter	rider	'raidə
– Springen	to jump	tə dʒʌmp
– Trabrennen	trotting race	'trɔtiŋ reis
Ringkampf	wrestling	'resliŋ
– ringen	to wrestle	tə 'resl
– Ringer	wrestler	'reslə
Rodeln	tobogganing	tə'bɔgəniŋ
– Schlitten	toboggan	tə'bɔgən
Rudern	rowing	'rəuiŋ
– Ruderboot	rowing boat	'rəuiŋ bəut
– Ruderer	oarsman	'ɔːzmən
– Steuermann	cox	kɔks
Schießsport	shooting	'ʃuːtiŋ
– Scheibe	target	'taːgit
– schießen	to shoot	tə ʃuːt
– Schießstand	rifle-range, butts	'raiflreindʒ, bʌts
– Tontaubenschießen	clay-pigeon shooting	'kleipidʒin 'ʃuːtiŋ
Schisport	skiing	'skiːiŋ
– Schi laufen	to ski	tə skiː
– Bindung	ski binding	skiː 'baindiŋ
– Schi	ski	skiː
– Schilift	ski lift	skiː lift
– Schiwachs	ski wax	skiː wæks
– Sprungschanze	ski jump	skiː dʒʌmp
Schwimmen	swimming	'swimiŋ
– Schwimmer	swimmer	'swimə
– Sprung	dive	daiv
– Sprungbrett	springboard	'spriŋbɔːd
Segelsport	sailing	'seiliŋ
– Segel	sail	seil
– Segelboot	sailing boat	'seiliŋ bəut

– **segeln**	to sail	tə seil
Sport	sport	spɔːt
– **Sportler**	sportsman	ˈspɔːtsmən
– **Sportlerin**	sportswoman	ˈspɔːtswumən
– **Sportverein**	sports club	spɔːts klʌb
Tennis	tennis	ˈtenis
– **Einzel / Doppel**	singles / doubles	ˈsinglz / ˈdʌblz
– **Tennis spielen**	to play tennis	tə plei ˈtenis
– **Tennisball**	tennis ball	ˈtenis bɔːl
– **Tennisplatz**	tennis court	ˈtenis kɔːt
– **Tischtennis**	table tennis	ˈteibl ˈtenis
Turnen	gymnastics	dʒimˈnæstiks
– **Turner**	gymnast	ˈdʒimnæst
Volleyball	volleyball	ˈvɔlibɔːl
Wettkampf	match, contest	mætʃ, ˈkɔntest
– **Ergebnis**	result	riˈzʌlt
– **Halbzeit**	half time	hɑːf taim
– **Meisterschaft**	championship	ˈtʃæmpjənʃip
– **Niederlage**	defeat	diˈfiːt
– **Punkt**	point	pɔint
– **Sieg**	victory, win	ˈviktəri, win
– **Spiel**	game, match	geim, mætʃ
– **spielen**	to play	tə plei
– **Start**	start	stɑːt
– **Tor**	goal	gəul
– **Training**	training	ˈtreiniŋ
– **Unentschieden**	draw	drɔː
Windhundrennen	greyhound racing	ˈgreihaund ˈreisiŋ

ANHANG

Bekanntmachungen und Warnungen

ADMISSION FREE	**Eintritt frei!**
ARRIVAL	**Ankunft**
BATHING PROHIBITED!	**Baden verboten!**
BEWARE OF THE DOG!	**Bissiger Hund!**
BEWARE OF TRAINS!	**Vorsicht! Zug!**
CAUTION!	**Vorsicht!**
CLOSED	**Geschlossen**
DANGER (OF DEATH)!	**(Lebens)Gefahr!**
DO NOT LEAN OUT!	**Nicht hinauslehnen!**
DO NOT OPEN!	**Nicht öffnen!**
DEPARTURE	**Abfahrt**
ENTRANCE	**Eingang**
ESCALATOR	**Rolltreppe**
(EMERGENCY) EXIT	**(Not)Ausgang**
FIRE-EXTINGUISHER	**Feuerlöscher**
FIRST FLOOR	**1. Stock**
FOR SALE	**Zu verkaufen**
GENTLEMEN	**Herren**
GROUND FLOOR	**Erdgeschoß**
KEEP OFF THE GRASS!	**Rasen nicht betreten!**
LADIES	**Damen**
NO ADMITTANCE	**Kein Eintritt**
NO SMOKING	**Rauchen verboten!**
PLEASE CLOSE THE DOOR!	**Bitte Tür schließen!**
PLEASE DO NOT TOUCH!	**Nicht berühren!**
PRIVATE (ROAD)!	**Durchgang verboten (Privatstraße)!**
PUBLIC NOTICES	**Öffentliche Bekanntmachungen**
PULL	**Ziehen!**
PUSH	**Stoßen!**
REFRESHMENTS	**Erfrischungen**
STICK NO BILLS	**Zettelankleben verboten!**
STOP	**Haltestelle**
TAXI RANK	**Taxistand**
TO LET	**Zu vermieten**
TURN	**Drehen**
WET PAINT	**Frisch gestrichen!**

Abkürzungen

AA	Automobile Association ['ɔːtəməbiːl_əsəusi'eiʃən]	**Automobilklub**
AC	alternating current ['ɔːltəneitiŋ 'kʌrənt]	**Wechselstrom**
a.m.	ante meridiem ['ænti mə'ridiəm]	**vormittags**
B.A.	Bachelor of Arts ['bætʃələr_əv_ɑːts]	**unterster akademischer Grad**
BBC	British Broadcasting Corporation ['britiʃ 'brɔːdkɑːstiŋ kɔːpə'reiʃən]	**Britische Rundfunk-gesellschaft**
B.R.	British Rail ['britiʃ reil]	**Eisenbahn in Großbritannien**
c/o	care of [kɛər_əv]	**per Adresse, bei**
DC	direct current [di'rekt 'kʌrənt]	**Gleichstrom**
e.g.	exempli gratia = for example [fər_ig'zɑːmpl]	**zum Beispiel**
Esq.	Esquire [is'kwaiə]	**(in Briefadressen) Herrn**
F; Fahr.	Fahrenheit ['færənhait]	**Fahrenheit**
ft	foot [fut]	**Fuß**
HP; hp	horsepower ['hɔːspauə]	**Pferdestärke**
i.e.	id est = that is [ðæt_iz]	**das heißt**
in.	inch(es) [intʃ(iz)]	**Zoll**
£	pound sterling [paund 'stɔːliŋ]	**Pfund Sterling**
lb.	pound [paund]	**Pfund**
m	mile; minute [mail; 'minit]	**Meile; Minute**
M.A.	Master of Arts ['mɑːstər_əv_ɑːts]	**Magister Artium** (höherer akademischer Grad)
M.P.	Member of Parliament ['membər_əv 'pɑːləmənt]	**Abgeordnete(r) des Unterhauses**
m.p.h.	miles per hour [mailz pər_'auə]	**Meilen in der Stunde**
Mt.	Mount [maunt]	**Berg**
oz(s).	ounce(s) [auns(iz)]	**Unze(n)**
p	penny ['peni]	**britische Münze**
p.m.	post meridiem [pəust mə'ridiəm]	**nachmittags**
Rd.	Road [rəud]	**Straße**
Sq.	Square [skwɛə]	**Platz**
St.	Saint [sənt]; Street [striːt]	**Sankt; Straße**
TV	television ['televiʒən]	**Fernsehen**
U.K.	United Kingdom [juː'naitid 'kiŋdəm]	**England, Schottland, Wales, Nordirland**

Maße und Gewichte

1 **Millimeter**	1 millimetre	ə ˈmilimiːtə
1 **Zentimeter**	1 centimetre	ə ˈsentimiːtə
1 **Dezimeter**	1 decimetre	ə ˈdesimiːtə
1 **Meter**	1 metre (= 1,0936 yards)	ə ˈmiːtə
1 **Kilometer**	1 kilometre (= 0,6214 mile)	ə ˈkiləmiːtə
1 **Zoll**	1 inch (2,54 cm)	ən_intʃ
1 **Fuß**	1 foot (30,48 cm)	ə fut
1 **Yard**	1 yard (0,914 m)	ə jɑːd
1 **Meile**	1 (statute) mile (1609,33 m)	ə (ˈstætjuːt) mail
1 **Seemeile**	1 (nautical) mile (1853,24 m)	ə (ˈnɔːtikəl) mail
1 **Quadratfuß**	1 square foot	ə skwɛə fut
1 **Quadratmeter** ...	1 square metre	ə skwɛə ˈmiːtə
1 **Quadratmeile** ...	1 square mile	ə skwɛə mail
1 **Kubikfuß**	1 cubic foot	ə ˈkjuːbik fut
1 **Liter**	1 litre	ə ˈliːtə
1 **Pinte**	1 pint (0,568 l; USA 0,4732 l)	ə paint
1 **Quart**	1 quart (1,136 l; USA 0,9464 l)	ə kwɔːt
1 **Gallone**	1 gallon (4,5459 l; USA 3,7853 l)	ə ˈgælən
1 **Unze**	1 ounce (28,349 g) ...	ən_auns
1 **Pfund**	1 pound (= 16 ounces; 453,59 g	ə paund
1 **Stone**	1 stone (= 14 pounds; 6,35 kg)	ə stəun
1 **Zentner**	1 hundredweight (= 112 pounds, 50,802 kg; USA = 100 pounds, 45,359 kg)	ə ˈhʌndrədweit
1 **Tonne**	1 ton (= 20 hundredweights, 1016,05 kg; USA = 20 hundredweights, 907,185 kg)	ə tʌn
1 **Stück**	a piece (of ...)	ə piːs (_əv)
1 **Paar**	a pair (of ...)	ə pɛə(r_əv)
1 **Dutzend**	a dozen	ə ˈdʌzn
1 **Packung**	a packet (of ...) ...	ə ˈpækit (_əv)

Farben

beige	beige	beiʒ
blau	blue	bluː
– dunkelblau	*dark (navy) blue*	dɑːk (ˈneivi) bluː
– hellblau	*light (pale) blue*	lait (peil) bluː
blond	blond(e), fair	blɔnd, fɛə
braun	brown	braun
– kastanienbraun	chestnut	ˈtʃesnʌt
bunt	colourful, brightly coloured	ˈkʌləful, ˈbraitli ˈkʌləd
Farbe	colour	ˈkʌlə
farbig	coloured	ˈkʌləd
– einfarbig	self-coloured	ˈselfkʌləd
gelb	yellow	ˈjeləu
golden	gold	gəuld
grau	grey	grei
– aschgrau	*light (silver) grey*	lait (ˈsilvə) grei
– dunkelgrau	dark grey	dɑːk grei
– hellgrau	*light (pale) grey*	lait (peil) grei
grün	green	griːn
– dunkelgrün	dark green	dɑːk griːn
– hellgrün	*light (pale) green*	lait (peil) griːn
lila	lilac, mauve	ˈlailək, məuv
orangefarben	orange	ˈɔrindʒ
rosa	pink	pink
rot	red	red
– dunkelrot	dark red, maroon	dɑːk red, məˈruːn
– hellrot	bright red	brait red
schwarz	black	blæk
silbern	silver	ˈsilvə
violett	purple, violet	ˈpəːpl, ˈvaiəlit
weiß	white	wait

DAS WICHTIGSTE AUS DER GRAMMATIK

I. Der Artikel (Geschlechtswort)

1. Der bestimmte Artikel ist in der Einzahl und Mehrzahl aller drei Geschlechter *the* [ðə, vor Vokalen und stummem *h:* ði; betont ði:]:

the	[ðə]	*car*	der Wagen
the	[ði]	*office*	das Büro
the	[ði]	*hour*	die Stunde

2. Der unbestimmte Artikel ist *a* [ə, betont ei] vor Konsonanten (Mitlauten) und konsonantisch anlautenden Wörtern; vor Vokalen (Selbstlauten) oder stummem *h: an* [ən, betont æn]: *a car, an office, an hour.*

II. Das Substantiv (Hauptwort)

1. Das Geschlecht der Substantive ist männlich oder weiblich für Personen, entsprechend ihrem natürlichen Geschlecht, sächlich für Sachen oder Tiere, falls bei Tieren das Geschlecht nicht ausdrücklich hervorgehoben werden soll.

2. Das eigene Auto, Luftfahrzeuge, Schiffs- und Ländernamen sind meist weiblich.

III. Pluralbildung (Mehrzahlbildung)

1. Die regelmäßige Mehrzahlbildung erfolgt durch Anhängen eines *s* an die Einzahl. Dieses *s* wird – außer nach stimmlosen Konsonanten – stets stimmhaft gesprochen.

home – Mehrzahl *homes* [houmz]; *book* – Mehrzahl *books* [buks]. Bei Substantiven auf *-ce, -ge, -se, -ze* wird das stumme *e* in der Mehrzahl wie [i] ausgesprochen: *faces* ['feisiz].

2. Die unregelmäßige Mehrzahlbildung:

 a) Wörter, die auf einen Zischlaut *(s, ss, sh, ch, x, z)* enden, haben in der Mehrzahl *es* [iz]:
  church Kirche – Mehrzahl *churches* ['tʃəːtʃiz];

 b) auch die Wörter auf *-o* mit vorhergehenden Konsonanten hängen meistens *es* an: *negro* Neger – Mehrzahl *negroes*;

 c) das *y* nach einem Konsonanten wird in der Mehrzahl in *ies* verwandelt: *city* Stadt – Mehrzahl *cities*;

d) einige Wörter auf *-f(e)* haben in der Mehrzahl *-ves: knife*
Messer – *knives*; ebenso *calf* Kalb, *half* Hälfte, *leaf* Blatt,
wife Ehefrau;

e) Vokalwechsel haben: *foot* Fuß – *feet*; *man* Mann – *men*,
woman Frau – *women*.

IV. Deklination (Beugung)

1. Der Akkusativ (4. Fall) ist dem Nominativ (1. Fall) gleich.
Der Genitiv (2. Fall) wird meist durch die Präposition (Verhält-
niswort) *of*, der Dativ (3. Fall) meist durch die Präposition *to*
gebildet.

Einzahl: Mehrzahl:

Nominativ	*the book*	Nominativ	*the books*
Genitiv	*of the book*	Genitiv	*of the books*
Dativ	*to the book*	Dativ	*to the books*
Akkusativ	*the book*	Akkusativ	*the books*

2. Der **sächsische Genitiv** auf *'s* wird häufig bei Personen, der Bezeichnung des Besitzes oder der Herkunft sowie bei Bestimmungen von Zeit, Maß und Wert angewendet: *a tailor's shop.* Nach
Mehrzahl *-s* steht jedoch nur Apostroph: *two weeks' leave* Urlaub
von zwei Wochen.

3. Das *s* des sächsischen Genitivs lautet nach Vokalen und stimmhaften Konsonanten wie stimmhaftes s *(the boy's* [bɔiz] *book)*,
nach stimmlosen Konsonanten wie ß *(my aunt's* [ɑːnts] *house)*,
nach Zischlauten wie [iz] *(Mr. Fox's* ['fɔksiz] *garden)*.

4. Wörter wie *shop, house, church, palace, office, theatre* werden
hinter dem sächsischen Genitiv meist als selbstverständlich aus-
gelassen: *She went to the greengrocer's (shop)* (Gemüsehändler).

5. Der **Genitiv mit of** wird gebraucht:

a) bei Teilangaben und zur Bezeichnung von Maß, Menge und
Gewicht: *two cups of tea* zwei Tassen Tee;

b) wenn folgende Substantive mit einem Eigennamen verbunden
sind: *the month of May* der Monat Mai, *the town (city) of B.*
die Stadt B., *the Isle of Man* die Insel Man.

6. **Der Dativ ohne to** wird gebraucht, wenn das Dativobjekt unbetont ist. Das Dativobjekt steht dann unmittelbar hinter dem
Verb: *I sent my mother a postcard.*

7. Der **Dativ mit to** steht, wenn das Dativobjekt betont ist.
Das Dativobjekt steht dann hinter dem Akkusativ:
I sent the postcard to my mother, not to my sister.

V. Das Adjektiv (Eigenschaftswort)

1. Das Adjektiv ist nach Geschlecht und Zahl stets **unveränderlich**.

2. Steigerung

a) *Regelmäßige Steigerung:*
Die Adjektive werden entweder durch Anhängen von *-er, -est*
gesteigert oder durch Vorsetzen von *more, most*.

    short kurz *shorter, shortest*
    constant beständig *more constant, most constant*

Wie *short* werden alle einsilbigen und die meisten zweisilbigen
Adjektive gesteigert, wie *constant* ein Teil der zweisilbigen und
die drei- und mehrsilbigen Adjektive.

b) *Unregelmäßige Steigerung:*
Folgende Adjektive werden unregelmäßig gesteigert:

good gut	*better*	*best*	*little* klein	*smaller*	*smallest*
bad schlecht			*far* fern, weit	*farther* / *further**	*farthest* / *furthest*
ill übel, krank	*worse*	*worst*		*later*	*latest*
evil böse			*late* spät	später / *latter*	spätest / *last*
much viel				*letzere(r)*	*letzte(r)*
many viele	*more*	*most*	*near* nahe	*nearer*	*nearest* / *next***
little wenig	*less*	*least*	*old* alt	*older* / *elder*	*oldest* / *eldest****

    * *further* wird meist in übertragenem Sinn gebraucht: *no further word* kein weiteres Wort.

    ** *next* bedeutet ‚nächst' in einer Reihenfolge: *next week* nächste Woche.

  *** *elder* und *eldest* werden nur bei Personen und als Beifügung vor einem Hauptwort gebraucht: *his elder brother* sein älterer Bruder.

c) „als" nach dem Komparativ heißt *than: he is taller than Jack*
er ist größer als Hans;
the...the je...desto: *the more the better* je mehr, desto besser.

VI. Das Adverb (Umstandswort)

1. Adverbien werden durch Anhängen von *-ly* an ein Adjektiv
gebildet: *He walked slowly* Er ging langsam.

2. **Steigerung:** Die Adverbien auf *-ly* werden mit *more* und *most*
gesteigert: *easily* leicht, *more easily, most easily.*

VII. Verb (Zeitwort)

1. Es gibt **regelmäßige** und **unregelmäßige** Verben im Englischen.
Die regelmäßigen Verben hängen im Präteritum (Vergangenheit)
-(e)d an den Infinitiv (Grundform), während die unregelmäßigen
Verben das Präteritum durch Veränderung ihres Stammvokals
bilden.

2. Konjugation (Beugung)

a) *Einfache Zeiten:*

Präsens (Gegenwart)		Präteritum (Vergangenheit):	
I call	ich rufe	*I called*	ich rief
you call	du rufst	*you called*	du riefst
he calls	er ruft	*he called*	er rief
we call	wir rufen	*we called*	wir riefen
you call	ihr ruft; Sie rufen	*you called*	ihr rieft; Sie riefen
they call	sie rufen	*they called*	sie riefen

Infinitiv (Grundform):		Partizip des Präsens:	
to call	rufen	*calling*	rufend

Imperativ (Befehlsform):		Partizip des Perfekts:	
call!	rufe!; ruft!; rufen Sie!	*called*	gerufen

b) Das *-s* im **Präsens der 3. Person Einzahl** ist stimmhaft nach
Vokalen und stimmhaften Konsonanten *(he sees* [siːz]*, calls*
[kɔːlz]*)*, stimmlos nach stimmlosen Konsonanten *(he asks* [ɑːsks]*).*

Das *-ed* im **Präteritum und Partizip Perfekt** lautet wie d nach
Vokalen und stimmhaften Konsonanten *(he followed* [ˈfɔloud]*)*,
wie t nach stimmlosen Konsonanten *(he hoped* [həupt]*)*, wie [id]
nach d und t *(he needed* [ˈniːdid]*, he wanted* [ˈwɔntid]*).*

c) *Zusammengesetzte Zeiten:*

Die zusammengesetzten Zeiten der englischen Verben werden mit *to have* und dem Partizip Perfekt gebildet.

Perfekt: *I have (I've) called* ich habe gerufen.

Plusquamperfekt (Vorvergangenheit): *I had (I'd) called* ich hatte gerufen.

3. **Das Hilfszeitwort** *to be*

Präsens (Gegenwart):		Präteritum (Vergangenheit):	
I am	ich bin	*I was*	ich war
you are	du bist	*you were*	du warst
he is	er ist	*he was*	er war
we are	wir sind	*we were*	wir waren
you are	ihr seid; Sie sind	*you were*	ihr wart; Sie waren
they are	sie sind	*they were*	sie waren

Infinitiv (Grundform):		Partizip des Präsens:	
to be	sein	*being*	seiend

Imperativ (Befehlsform):	Partizip des Perfekts:	
be! sei!; seid!; seien Sie!	*been*	gewesen

4. **Das Hilfszeitwort** *to have*

Präsens (Gegenwart):		Präteritum (Vergangenheit):	
I have	ich habe	*I had*	ich hatte
you have	du hast	*you had*	du hattest
he has	er hat	*he had*	er hatte
we have	wir haben	*we had*	wir hatten
you have	ihr habt; Sie haben	*you had*	ihr hattet; Sie hatten
they have	sie haben	*they had*	sie hatten

Infinitiv (Grundform):		Partizip des Präsens:	
to have	haben	*having*	habend

Imperativ (Befehlsform):	Partizip des Perfekts:	
have! habe!; habt!; haben Sie!	*had* gehabt	

5. Das **Futur** (Zukunftsform) wird mit den Hilfsverben *shall* für die 1. Person und *will* für die 2. und 3. Person gebildet. Für das **Konditional** (Bedingungsform) nimmt man das Hilfsverb *would*.

Futur (Zukunftsform):   Kurzformen der
                               Umgangssprache:

I shall call	ich werde rufen	*I'll call*
you will call	du wirst rufen	*you'll call*
he will call	er wir rufen	*he'll call*
we shall call	wir werden rufen	*we'll call*
you will call	ihr werdet rufen;	*you'll call*
	Sie werden rufen	
they will call	Sie werden rufen	*they'll call*

Konditional (Bedingungsform):

I would call	ich würde rufen	*I'd call*
you would call	du würdest rufen	*you'd call*
he would call	er würde rufen	*he'd call*
we would call	wir würden rufen	*we'd call*
you would call	ihr würdet rufen;	*you'd call*
	Sie würden rufen	
they would call	sie würden rufen	*they'd call*

6. Die progressive Form (Dauerform)

Die progressive Form wird mit dem Hilfsverb *to be* und dem Partizip des Präsens gebildet. Sie drückt aus, daß eine Handlung an einem bestimmten Zeitpunkt im Fortschreiten begriffen ist, war oder sein wird: *I am writing* ich schreibe gerade, ich bin am Schreiben; *(I was writing* ich schrieb gerade; *I shall be writing* ich werde gerade schreiben).

Bei **Verben der Bewegung** drückt die progressive Form eine Handlung aus, die in naher Zukunft stattfinden wird: *He is going to Paris this month* Er reist diesen Monat nach Paris.

7. Das Passiv (Leideform)

Das Passiv wird mit dem Hilfsverb *to be* und dem Partizip des Perfekts gebildet.

Präsens: Präteritum:

I am called ich werde gerufen   *I was called* ich wurde gerufen

8. Die unselbständigen Hilfsverben

I can (could)	ich kann (konnte)	*I must* ich muß
I may (might)	ich mag, kann, darf	*I ought to* ich sollte
	(möchte, könnte)	(eigentlich)

9. **Das Hilfsverb** *to do*

Präsens:		Präteritum:	
I do	ich tue	*I did*	ich tat
you do	du tust	*you did*	du tatest
he does	er tut	*he did*	er tat
we do	wir tun	*we did*	wir taten
you do	ihr tut; Sie tun	*you did*	ihr tatet; Sie taten
they do	sie tun	*they did*	sie taten

Infinitiv:		Partizip des Präsens:	
to do	tun	*doing*	tuend

Imperativ:		Partizip des Perfekts:	
do!	tu!; tut!; tun Sie!	*done*	getan

10. **Gebrauch des** *to do*

Das Hilfszeitwort *to do* dient zur Bildung der fragenden und der mit *not* verneinten Form der einfachen Zeiten aller selbständigen Verben.

a) *fragende Form:*
   Präsens: *Does he pay?* Bezahlt er? Präteritum: *Did he pay?* Bezahlt er?

b) *verneinende Form:*
   Präsens: *He does not (doesn't* ['dʌznt]*) pay* Er bezahlt nicht.
   Präteritum: *He did not (didn't* ['didnt]*) pay* Er bezahlte nicht.

c) *fragend-verneinte Form:*

Präsens:	Präteritum:
Does he not (doesn't he) pay?	*Did he not (didn't he) pay?*
Bezahlt er nicht?	Bezahlte er nicht?

to do wird nicht angewendet in direkten, nicht verneinten Fragesätzen, wenn der Satzgegenstand bereits im Fürwort enthalten ist: **Who drinks tea?** Wer trinkt Tee? **Which teacher** *gave you lessons?* Welcher Lehrer gab Ihnen Stunden?

VIII. Das Pronomen (Fürwort)

1. Persönliches Fürwort

I	ich	*you*	du	*he*	er	*we*	wir
of me	meiner	*of you*	deiner	*of him*	seiner	*of us*	unser
to me	mir	*to you*	dir	*to him*	ihm	*to us*	uns
me	mich	*you*	dich	*him*	ihn	*us*	uns

you	ihr; Sie	*they*	sie
of you	eurer, Ihrer	*of them*	ihrer
to you	euch; Ihnen	*to them*	ihnen
you	euch; Sie	*them*	sie

2. Besitzanzeigendes Fürwort

a)

my (book)	mein (Buch)	*our*	unser (Buch)
your	dein	*your*	euer; Ihr
his	sein	*their*	ihr
her	ihr		
its	sein		

b) *alleinstehend:*

mine	der, die, das meinige, die meinigen
yours	der, die, das deinige, die deinigen
his	der, die, das seinige, die seinigen
hers	der, die das ihrige, die ihrigen
its	der, die, das seinige, die seinigen
ours	der, die, das unsrige, die unsrigen
yours	der, die, das eurige, Ihrige, die eurigen, Ihrigen
theirs	der, die, das ihrige, die ihrigen

3. Hinweisendes Fürwort

Einzahl: *this* dieser, diese, dieses   Mehrzahl: *these*
　　　　　that jener, jene, jenes　　　　　　　　　*those*

Das hinweisende Fürwort richtet sich in der Zahl nach dem Substantiv, auf das es sich bezieht:

These cars are better than those Diese Autos sind besser als jene. *These are nice shoes* Das sind hübsche Schuhe.

4. Fragefürwort

Substantivisch:　　　　　　　Adjektivisch:

who?	wer?	*what?*	was für ein?
of whom?	von wem?	*which?*	welcher?
whose?	wessen?		
to whom?	wem?		
who(m)?	wen?		

Who bezieht sich nur auf Personen, *which* bezieht sich auf Personen und Sachen aus einer bestimmten Anzahl: *Which of you can swim?* Wer von euch kann schwimmen?

5. Zahlwörter *siehe S. 28, 29.*

WÖRTERVERZEICHNIS
DEUTSCH-ENGLISCH
FÜR TOURISTEN

Das nachstehende Wörterverzeichnis können Sie als deutsch-englisches Reisewörterbuch benutzen. Alle in dem vorliegenden Sprachführer enthaltenen deutschen Wörter werden hier alphabetisch aufgeführt. Hinter jedem deutschen Wort finden Sie die englische Übersetzung und die Ausspracheangaben in Internationaler Lautschrift. Die einzelnen Lautzeichen werden auf den Seiten 10 und 11 erklärt.

Die Zahl hinter der Ausspracheangabe ist die Seitenzahl, auf der das betreffende Wort zu finden ist; dadurch kann dieses Wörterverzeichnis auch als Sachregister dienen.

A

Aal eel [i:l] 104
abbiegen to turn off [tə tə:n ɔf] 42; **rechts ~ verboten** no right turn [nəu rait tə:n] 58
Abblendlicht dipped headlights [dipt 'hedlaits] 55
Abend evening ['i:vniŋ] 16, 184; **Guten ~!** Good evening! [gud 'i:vniŋ] 12
Abendessen dinner ['dinə] 90
Abendmahl (Holy) Communion [('həuli) kə'mju:njən] 124
abends p.m. ['pi:'em] 30, in the evening [in ðí 'i:vniŋ] 31
abfahren to leave [tə li:v] 67, 72
Abfahrt departure [di'pɑ:tʃə] 60, 67, 191
Abflug take-off ['teikɔf] 70
Abfluß drain [drein] 88
Abführmittel laxative ['læksətiv] 160
abgebrochen broken off ['brəukən ɔf] 173
abgeschickt sent off [sent ɔf] 34
abheben (Kartenspiel) to cut [tə kʌt] 181; (Geld) to draw [tə drɔ:] 146
abholen (Person) to call for [tə kɔ:l fə] 15; (Gegenstand) to collect [tə kə'lekt] 41; 63

ablegen (Schiff) to sail [tə seil] 73
Abmeldung (im Hotel etc.) notice of departure ['nəutis əv di'pɑ:tʃə] 95
abnehmen (Hörer) to lift [tə lift] 149
Abreise departure [di'pɑ:tʃə] 90
abreisen to leave [tə li:v] 34, 89
Absatz (Schuh) heel [hi:l] 139
Abschiedsessen farewell dinner ['fɛə'wel 'dinə] 75
Abschleppdienst breakdown service ['breikdaun 'sə:vis] 49
abschleppen to take (a car) in tow [tə teik (ə kɑ:r) in təu] 48
Abschleppseil tow rope [təu rəup] 49
Abschleppwagen breakdown lorry ['breikdaun 'lɔri] 48, 49
Abschmierdienst greasing service ['gri:ziŋ 'sə:vis] 46
abseits (Fußball) offside ['ɔf'said] 188
Absender sender ['sendə] 150
Abszess abscess ['æbsis] 168, 174
Abtei abbey ['æbi] 124
Abteil compartment [kəm'pɑ:tmənt] 67
Abzug (Foto) print [print] 131
Achse axle ['æksl] 51
Achselhöhle armpit ['ɑ:mpit] 166
acht eight [eit] 28
achtgeben auf to keep an eye on [tə ki:p ən ai ɔn] 185

Ader vein [vein], *(Schlag-)* artery ['ɑːtəri] 166
Adresse address [ə'dres] 48, 146; **per ~** care of [keər əv] 192
Akademie academy [ə'kædəmi] 38
Akt *(Theater)* act [ækt] 177
Aktenmappe, -tasche briefcase ['briːfkeis] 143, 153
Aktie share [ʃeə] 152
Alkohol alcohol ['ælkəhɒl] 99, 160
alkoholisches Getränk alcoholic drink [ælkə'hɒlik driŋk] 112
Allee avenue ['ævinjuː] 120
allein alone [ə'ləun] 14
Allergie allergy ['ælədʒi] 168
Allerheiligen All Saints' Day [ɔːl seints dei] 33
alles all [ɔːl] 80, 115, everything ['evriθiŋ] 83, 89; **das ist ~** that's all [ðæts ɔːl] 80
Alt *(Stimmlage)* contralto [kən'trɑːltəu] 177
alt old [əuld] 34, 35; **älter** older ['əuldə] 35
Altar altar ['ɔːltə] 124
Alter age [eidʒ]; **im ~ von . . .** at the age of . . . [ət ði eidʒ əv] 35
Altstadt old town [əuld taun] 120
am *(Datum)* on [ɒn] 34
Ampel (traffic-)lights [('træfik)laits] 42
Ampulle ampule ['æmpuːl] 160
Ananas pineapple ['painæpl] 110
Ananassaft pineapple juice ['painæpl dʒuːs] 102
anbieten to offer [tu 'ɒfə] 16
Andacht *(Kirche)* prayers ['preəz] 124
andere: ein ~s another [ə'nʌðə] 83
ändern to alter [tu 'ɔːltə] 133; **das Wetter ändert sich** there's a change in the weather [ðeəz ə tʃeindʒ in ðə 'weðə] 26
Anfall attack [ə'tæk], fit [fit] 168
Anflug *(zur Landung)* approach [ə'prəutʃ] 70
Angel (fishing-)rod [('fiʃiŋ)rɒd] 187
angeln to fish [tu fiʃ] 185,187
Angelschein fishing licence ['fiʃiŋ laisəns] 187
Angelsport fishing ['fiʃiŋ] 187
Angenehme Reise! Have a good journey! [hæv ə gud 'dʒɜːni] 17

Angestellter: ich bin ~ I work in an office [ai wɜːk in ən 'ɒfis] 36
Anglistik English ['ingliʃ] 38
anhalten to stop [tə stɒp] 42
Anhänger *(Auto)* trailer ['treilə] 40; *(Schmuck)* pendant ['pendənt] 133
Anker anchor ['æŋkə] 75
ankommen to arrive [tu ə'raiv] 34, 61, *(Zug auch)* to get in [tə get in] 65
Ankunft arrival [ə'raivəl] 60, 70, 191
Anlasser starter ['stɑːtə] 51
anlaufen *(Hafen)* to call at [tə kɔːl ət] 72, 75
anlegen *(in/Schiff)* to dock (at) [tə dɒk (ət)], to land (at) [tə lænd (ət)] 72, 75
Anlegeplatz landing place ['lændiŋ pleis], dock [dɒk] 75
Anlegestage landing stage ['lændiŋ steidʒ] 75
Anmeldeformular registration form [redʒis'treiʃən fɔːm] 84
anmelden: sich ~ *(im Hotel)* to register [tə 'redʒistə] 84, *(für Ausflüge)* to book [tə buk] 85, *(beim Friseur, Arzt)* to make an appointment [tə meik ən ə'pɔintmənt] 155, 173
Anmeldung *(im Hotel)* registration [redʒis'treiʃən] 90
annähen to sew on [tə səu ɒn] 137
annullieren *(Flug)* to cancel [tə 'kænsəl] 69
Annullierungsgebühr cancellation fee ['kænsə'leiʃən fiː] 69
Anorak anorak ['ænəræk] 134
anprobieren to try on [tə trai ɒn] 133
anrufen *(Telefon)* to ring [tə riŋ] 17
Ansager *(Radio, TV)* announcer [ə'naunsə] 181
anschauen to watch [tə wɒtʃ] 180
Anschluß connection [kə'nekʃən] 61, connecting flight [kə'nektiŋ flait] 68
Anschlußzug connection [kə'nekʃən] 60
anschnallen to fasten seat belts [tə 'fɑːsn siːt belts] 70
Anschnallgurt seat belt [siːt belt] 70
ansehen to see [tə siː] 83, 119, *(Fußballspiel etc.)* to watch [tə wɒtʃ] 187
Ansichtskarte picture postcard ['piktʃə 'pəustkɑːd] 85, 145
Anteilnahme *(Beileid)* sympathy ['simpəθi] 23

Antiquariat second-hand bookshop ['sekənd'hænd 'bukʃɔp] 128

Antiquitäten (*Geschäft*) antique dealer [æn'ti:k 'di:lə] 128

Anwalt solicitor [sə'lisitə] 153

Anweisung instruction [in'strʌkʃən] 159

anzahlen to pay a deposit [tə pei ə di'pɔzit] 83

Anzahlung deposit [di'pɔzit] 90

anzeigen (*Polizei*) to report [tə ri'pɔ:t] 153 ['taitn] 55)

anziehen (*Schraube*) to tighten [tə ʃ

Anzug suit [sju:t] 137

Apartment flat [flæt], apartment [ə'pɑ:tmənt] 81

Apartmenthaus block of flats (apartments) [blɔk əv flæts (ə'pɑ:tmənts)] 91

Apfel apple ['æpl] 110; ~ **im Schlafrock** apple turnover ['æpl 'tə:nəuvə] 114

Apfelkuchen apple tart ['æpl tɑ:t] 113

Apfelsine orange ['ɔrindʒ] 110

Apfelwein cider ['saidə] 111

Apotheke chemist ['kemist] 159

Apotheker dispensing chemist [dis-'pensiŋ 'kemist] 36

Apparat: am ~ bleiben to hold the line [tə həuld ðə lain] 148

Appartement flat [flæt], apartment [ə'pɑ:tmənt] 82

Appetit appetite ['æpitait] 163

Aprikosen apricots ['eiprikɔts] 110

Aprikosenlikör apricot brandy ['eiprikɔt 'brændi] 112

April April ['eiprəl] 33

arbeiten to work [tə wə:k] 15

Arbeiter workman ['wə:kmən], working man ['wə:kiŋ mæn], worker ['wə:kə] 36

Archäologie archeology [ɑ:ki'ɔlədʒi] 38

Architekt architect ['ɑ:kitekt] 36

Architektur architecture ['ɑ:kitektʃə] 38

Arie aria ['ɑ:riə] 177

Arm arm [ɑ:m] 166

Armband bracelet ['breislit] 133

Armbanduhr wrist watch [rist wɔtʃ] 143

Ärmel sleeve [sli:v] 134

Artischocken artichokes ['ɑ:titʃəuks] 102, 107

Arzt doctor ['dɔktə] 48, 159, 162

As (*Spielkarte*) ace [eis] 181

Aschenbecher ashtray ['æʃtrei] 87

aschgrau light grey, silver grey [lait ('silvə) grei] 194

Aspirin aspirin ['æspirin] 160

Asthma asthma ['æsmə] 168

Atembeschwerden difficulty in breathing ['difikəlti in 'bri:ðiŋ] 168

atmen to breathe [tə bri:ð] 165

Atmung breathing ['bri:ðiŋ], respiration [respə'reiʃən] 166

Attest doctor's certificate ['dɔktəz sə'tifikit] 164

auch as well [əz wel] 47, too [tu:] 151; **Haben Sie ~ ...?** Have you any ...? [hæv ju 'eni] 145

auf on [ɔn] 40

aufbewahren (*Wertsachen im Safe*) to look after [tə luk 'ɑ:ftə] 64

Aufbewahrung (*Gepäck-*) left-luggage office ['left'lʌgidʒ 'ɔfis] 64

aufbügeln to press [tə pres] 137

Aufenthalt stop [stɔp] 67; ~ **haben** to stop [tə stɔp] 60

Aufenthaltsraum lounge [laundʒ] 74, 86

Auffahrunfall nose-to-tail collision ['nəuztə'teil kə'liʒən] 49

Aufführung performance [pə'fɔ:məns] 177

aufgeben (*Gepäck*) to register [tə 'redʒistə] 63, (*Telegramm*) to send [tə send] 147

aufgehen (*Fenster etc.*) to open [tu 'əupən] 88

aufhören to stop [tə stɔp] 26

aufklären: sich ~ (*Wetter*) to clear [tə kliə] 26

aufladen (*Batterie*) to charge [tə tʃɑ:dʒ] 51

auflösen: sich ~ (*Nebel*) to lift [tə lift] 26 [photo ['fəutəu] 132)

Aufnahme (*Foto*) snap [snæp],ʃ

aufnehmen: Kredit ~ to raise a loan [tə reiz ə ləun] 152

Aufprall impact ['impækt] 49

Aufschnitt (slices *pl.* of) cold meat [('slaisiz əv) kəuld mi:t] 102

aufschreiben to write down [tə rait daun] 24

aufsetzen (*Brille, Hut etc.*) to put on [tə put ɔn] 156

Aufsicht (*Eisenbahn*) station superintendent ['steiʃən sju:pərin'tendənt] 65 aufsteigen *(Flugzeug)* to climb [tə klaim] 70

Auge eye [ai] 166

Augenarzt eye specialist [ai 'speʃəlist] 162

Augenblick minute ['minit] 16, 117

Augenbrauen eyebrows ['aibrauz] 156

Augenbrauenstift eyebrow pencil ['aibrau 'pensl] 140

Augenentzündung inflammation of the eye [infləˈmeiʃən əv ði ai] 169

Augenlid eyelid ['ailid] 166

Augensalbe eye ointment [ai 'ointmənt] 160

Augenschmerzen: ich habe ~ my eyes hurt [mai aiz həːt] 164

August August ['ɔːgəst] 33

aus *(Herkunft)* from [frəm] 85

ausbooten to disembark [tə 'disim-'baːk] 75

Ausfahrt exit ['eksit]; drive [draiv] 42

Ausflug excursion [iksˈkəːʃən] 85

Ausflugsprogramm programme of excursions ['prəugræm əv iksˈkəːʃənz] 77

Ausfuhrzoll export duty ['ekspɔːt 'djuːti] 80

ausfüllen to fill in [tə fil in] 78, 84

Ausgang exit ['eksit] 64, 69, 191

ausgezeichnet *(Befinden)* fine [fain] 12; *(Speise)* excellent ['eksələnt] 99

Ausgrabungen excavations [ekskə-'veiʃənz] 120

Auskunft information [infəˈmeiʃən] 67; *(Stelle)* information 65

Auskunftsbüro information office [infəˈmeiʃən 'ofis] 60

Auslandsbrief letter for abroad ['letə fər əˈbrɔːd] 145

auslaufen *(Schiff)* to sail [tə seil] 75

ausleihen to hire [tə 'haiə] 94

Auslöser shutter-release ['ʃʌtəriˈliːs] 132

Auspuff exhaust [igˈzɔːst] 51

ausrasieren to shave [tə ʃeiv] 156

Ausreise departure (from the country) [diˈpaːtʃə (frəm ðə ˈkʌntri)] 79

Ausreisevisum exit visa ['eksit 'viːzə] 79

ausschalten to switch off [tə switʃ ɔf] 181

Ausschlag rash [ræʃ] 169

Außenkabine outside cabin ['aut'said 'kæbin] 73

äußerlich: ~ anzuwenden *(Medikament)* for external use [fɔreksˈtəːnl juːs] 159

aussetzen *(Motor)* to stall [tə stɔːl] 54

aussprechen to pronounce [tə prə-'nauns] 24

aussteigen to get off [tə get ɔf] 117

ausstellen *(Attest)* to give [tə giv] 164

Ausstellung exhibition [eksiˈbiʃən] 119

Austern oysters ['ɔistəz] 102

austrinken to finish [tə 'finiʃ] 99

Ausverkauft! Sold out! [səuld aut], House full! [haus ful] 176

auswechseln: eine Birne ~ to put in a new bulb [tə put in ə njuː bʌlb] 51

Ausweis identity card [ai'dentiti kaːd] 79

auszahlen to pay [tə pei] 152

ausziehen *(aus Wohnung)* to move out [tə muːv aut]; *(aus Hotel)* to vacate the room [tə vəˈkeit ðə rum] 90

Auto car [kaː] 40; mit dem ~ fahren to go by car [tə gəu bai kaː] 42

Autobahn motorway ['məutəwei] 42, 58

Autobus *(Stadt-)* bus [bʌs]; *(Reise-)* coach [kəutʃ] 41

Autofähre car ferry [kaː 'feri] 72, 76

Automat machine [məˈʃiːn] 150

Automatik *(Auto)* automatic transmission [ɔːtəˈmætik trænzˈmiʃən] 51

Automobilklub automobile club (association) ['ɔːtəməubiːl klʌb (əsəusiˈeiʃən)] 42

Autoreisezug motorail service ['məutəreil ˈsəːvis] 60

Autoschlosser motor mechanic ['məutə miˈkænik] 36

Autoschlüssel car key [kaː kiː] 153

Avocado avocado [ævəuˈkaːdəu] 102

B

Baby baby ['beibi] 164

Backbord port [pɔːt] 75

Backenzahn molar ['məulə] 174

Bäcker baker ['beikə] 36

Bäckerei baker ['beikə] 128   [105 }

Backhuhn fried chicken [fraid 'tʃikin] }

Backpflaumen prunes [pruːnz] 110

Bad bath [baːθ] 82, 175; *(im Freien)* bathe [beið], swim [swim] 185; *(Schwimmbad)* swimming baths, swimming pool ['swimiŋ baːðz (puːl)]

Badeanzug swimsuit ['swimsju:t] 134, 185

Badegelegenheit (opportunity for) bathing, swimming [(ɔpə'tju:niti fə) 'beiðiŋ, 'swimiŋ] 120

Badehose bathing trunks pl. ['beiðiŋ trʌŋks] 134, 185, swimming trunks pl. ['swimiŋ trʌŋks] 185

Badekabine (dressing) cubicle [('dresiŋ) 'kju:bikl] 186

Badekappe bathing cap, swim cap ['beiðiŋ (swim) kæp] 186

Bademantel bathrobe ['bɑ:θrəub] 186

Bademeister bath attendant [bɑ:θ ə'tendənt] 185

Bademütze bathing cap ['beiðiŋ kæp] 134

baden (im Freien) to bathe [tə beið], to swim [swim] 185, 191

Badeort spa [spɑ:], watering place ['wɔːtəriŋ pleis] 175   [140]

Badesalz bath salts pl. [bɑ:θ sɔːlts]}

Badeschuhe bathing shoes ['beiðiŋ ʃu:z] 139   [186]

Badesteg bathing pier ['beiðiŋ piə]}

Badezimmer bathroom ['bɑ:θrum] 90

Bahnhof station ['steiʃən] 60, 84

Bahnhofsvorsteher station-master ['steiʃənmɑːstə] 67

Bahnsteig platform ['plætfɔːm] 64; **zu den ~en** to the trains [tə ðə treinz] 65

Bahnsteigkarte platform ticket ['plætfɔːm 'tikit] 62

Bahnübergang level crossing ['levl 'krɔsiŋ] 42

bald soon [su:n] 16; **Bis ~!** See you (again) soon! [si: ju (ə'gen) su:n] 17

Baldriantropfen valerian drops [və-'liəriən drɔps] 160

Balkon balcony ['bælkəni] 82

Ball ball [bɔːl] 143; (Fuß-) football ['futbɔːl] 188

Ballett ballet ['bælei] 177

Banane banana [bə'nɑːnə] 110

Band (Taft, Samt) ribbon ['ribən], (Baumwolle) tape [teip] 136; (Buch) volume ['vɔljum] 130

Bandnudeln ribbon macaroni ['ribən mækə'rəuni] 103

Bandscheibe intervertebral disc [intə-'vəːtibrəl disk] 166

Bank (Geldinstitut) bank [bæŋk] 151

Bankanweisung banker's order ['bæŋ-kəz 'ɔːdə] 152

Bankfeiertage bank holidays [bæŋk 'hɔlədiz] 34

Bankhalter banker ['bæŋkə] 182

Bankkonto bank account [bæŋk ə'kaunt] 152

Bar bar [bɑː] 86, 180

bar (Geld) cash [kæʃ] 152

Barbe mullet ['mʌlit] 104

Bargeld cash [kæʃ] 152

Bariton baritone ['bæritəun] 177

Barkasse launch [lɔːntʃ] 75

barock Baroque [bə'rɔk] 124

Barometer barometer [bə'rɔmitə] 25

Barren (Turngerät) parallel bars ['pær-ələl bɑːz] 187

Barsch perch [pəːtʃ] 104

Bart beard [biəd] 157, 158

Bass bass [beis] 177

Batterie battery ['bætəri] 51, 143

Bauch abdomen ['æbdəmən] 166

Bauer (Schachfigur) pawn [pɔːn] 181

Baumwolle cotton ['kɔtn] 136

Baustelle roadworks ['rəudwəːks] 42

Beamter civil servant ['sivl 'səːvənt] 36

Beanstandung complaint [kəm'pleint] 90

Becken (Körperteil) pelvis ['pelvis] 166

Bedarf use [ju:s] 80

Bedauern regret [ri'gret] 22

bedauern: ich bedauere das sehr I'm very sorry about it [aim 'veri 'sɔri ə'baut it] 22

bedeuten to mean [tə mi:n] 18

bedeutend (viel) much [mʌtʃ] 164

bedienen to serve [tə səːv] 96

Bedienung (Geschäft, Hotel) service ['səːvis] 83

Bedürfnisanstalt public convenience ['pʌblik kən'viːnjəns] 127

Beefsteak: Deutsches ~ hamburger ['hæmbəːgə] 106

befinden: Wo befindet sich . . .? Where can I find . . .? [wɛə kæn ai faind] 19

Beförderungsschein ticket ['tikit] 73

begeistern: sich ~ für . . . to be keen on . . . [tə bi ki:n ɔn] 187

beginnen to begin [tə bi'gin] 119, 176, 179; (Vorverkauf) to open [tu 'əupən] 179

begleiten to accompany [tu ə'kʌm-pəni], to go with [tə gəu wið] 184

Begleitung accompaniment [əˈkʌm-pənimənt] 177

behandeln *(Zahn)*: **provisorisch ~** to do a temporary job [tə du ə ˈtempə-rəri dʒɔb] 173

Behandlung: sich zur ~ anmelden to make an appointment [tə meik ən əˈpɔintmənt] 173

bei care of [kɛər əv] 192

Beichte confession [kənˈfeʃən] 124

beichten to go to confession [tə gəu tə kənˈfeʃən], to confess [tə kənˈfes] 124

Beifall applause [əˈplɔːz] 177

beige beige [beiʒ] 194

Beileid sympathy [ˈsimpəθi] 23

Bein leg [leg] 166

Beispiel: zum ~ for example [fər igˈzaːmpl] 192

Bekanntmachung notice [ˈnəutis] 191

bekommen to get [tə get] 18, 19, 20, 50, 85, 127, 151, 176; *(Wetter)* **Wir ~ . . .** The weather's going to be . . . [ðə ˈweðəz ˈgəuiŋ tə bi] 25

belästigen to molest [tə məˈlest] 154

Beleuchtung lights [laits], lighting [ˈlaitiŋ] 90; *(Auto)* lights 51

belichten to expose [tu iksˈpəuz] 132

Belichtungsmesser exposure meter [iksˈpəuʒə ˈmiːtə] 132

Bemühungen *pl.* trouble [ˈtrʌbl] 21

Benediktiner *(Likör)* Benedictine [beniˈdiktin] 112

Benutzungsgebühr fee [fiː] 95

Benzin petrol [ˈpetrəl] 41, 45

Benzinkanister petrol can [ˈpetrəl kæn] 45

Benzinleitung fuel pipes [fjuəl paips] 51

Benzinpumpe petrol pump [ˈpetrəl pʌmp] 51

Benzintank petrol tank [ˈpetrəl tæŋk] 45

Bereifung tyres [ˈtaiəz] 47

Berg mountain [ˈmauntin], hill [hil] 120

Bergmann miner [ˈmainə] 36

Bergsteigen rock-climbing [ˈrɔkˈklai-miŋ], mountaineering [mauntiˈniəriŋ] 187

Bergsteiger mountaineer [mauntiˈniə] 187

Bernstein amber [ˈæmbə] 133

Berufsschule vocational school [vəu-ˈkeiʃnl skuːl], technical college [ˈtek-nikəl ˈkɔlidʒ] 38

Beruhigungsmittel tranquillizer [ˈtræŋkwilaizə] 160

berühren to touch [tə tʌtʃ]

Besatzung *(Flugzeug)* crew [kruː] 70

beschädigt damaged [ˈdæmidʒd] 49

beschlagnahmen to confiscate [tə ˈkɔnfiskeit] 154

beschweren: sich ~ to make (lodge) a complaint [tə meik (lɔdʒ) ə kəmˈpleint] 23

besetzt engaged [inˈgeidʒd] 66, 148

Besetztzeichen engaged tone [inˈgeidʒd təun] 149

besichtigen to visit [tə ˈvizit] 119

Besichtigung sightseeing [ˈsaitsiːiŋ] 120

besohlen to sole [tə səul] 139

besonder: ~e Kennzeichen distinguishing marks [disˈtiŋgwiʃiŋ maːks] 79

besorgen to get [tə get] 86, 159, 187

besser better [ˈbetə] 164; **Haben Sie etwas Besseres?** Have you got anything better? [hæv ju gɔt ˈeniθiŋ ˈbetə] 127

Besserung: Gute ~! I hope you'll be better soon. [ai həup jul bi ˈbetə suːn] 20

Besteck cutlery [ˈkʌtləri], knives and forks [naivz ən fɔːks] 97,115

bestellen *(Zimmer)* to book [tə buk] 82; *(Taxi)* to order [tu ˈɔːdə] 89; *(im Geschäft)* to order 127

Bestimmungen regulations [regjuˈlei-ʃənz] 79

Bestimmungsort destination [desti-ˈneiʃən] 150

Bestrahlung heat therapy, ray therapy [hiːt (rei) ˈθerəpi] 175

Besuch: Vielen Dank für Ihren ~! Thank you very much for coming. [ˈθæŋkju ˈveri mʌtʃ fə ˈkʌmiŋ] 16

besuchen *(Schule)* to be at . . . *school* [tə bi ət . . . skuːl] 38; *(Person)* to visit [tə ˈvizit] 184; **~ kommen** to pay a visit [tə pei ə ˈvizit] 183

Besuchszeit visiting hours [ˈvizitiŋ ˈauəz] 172

Betäubung anaesthesia [ænisˈθiːzjə] 174; **örtliche ~** local anaesthesia [ˈləukəl ænisˈθiːzjə] 174

Betrag amount [ə'maunt] 152

Betriebswirtschaft business administration ['biznis ədminis'treiʃən] 39

Bett bed [bed] 83, 165

Bettcouch divan [di'væn] 90

Bettdecke bedspread ['bedspred] 90; blanket ['blæŋkit] 90

Bettruhe: ~ *brauchen* to have to stay in bed [tə hæv tə stei in bed] 165

Bettvorleger bedside rug ['bedsaid rʌg] 90

Bettwäsche bed linen [bed 'linin] 90

bewacht *(Parkplatz)* car park with a park attendant [kɑː pɑːk wið ə pɑːk ə'tendənt] 44; *(Campingplatz)* guarded ['gɑːdid] 94

bewegen to move [tə muːv] 164

bewölkt cloudy ['klaudi] 26

Bewölkung cloud [klaud] 26

bezahlen to pay [tə pei] 147; **bezahlt** paid [peid] 147

Bezug *(Bett)* cover ['kʌvə] 90

Bibliothek library ['laibrəri] 120

Bibliothekar librarian [lai'brɛəriən] 36

Bier beer [biə] 111; ale [eil] 111; ~ *vom Faß* draught beer [drɑːft biə] 111; **englisches dunkles** ~ stout [staut], porter ['pɔːtə] 111; **englisches helles** ~ pale ale [peil eil] 111

Bikini bikini [bi'kiːni] 134

Bild picture ['piktʃə] 143

Bildhauer sculptor ['skʌlptə] 36

Bildschirm screen [skriːn] 181

Billardraum billiard-room ['biljədrum] 180

billiger cheaper ['tʃiːpə] 147

Binde bandage ['bændidʒ] 160

Bindehautentzündung conjunctivitis [kəndʒʌŋkti'vaitis] 169

Bindfaden string [striŋ] 57

Bindung *(Schi)* ski binding [skiː 'baindiŋ] 189

Biologie biology [bai'ɔlədʒi] 39

Birkhuhn black grouse [blæk graus] 105

Birne *(Glühbirne)* bulb [bʌlb] 51, 88; *(Frucht)* pear [pɛə] 110

bis *(zeitlich)* until [ən'til] 32, 34; *(räumlich)* to [tə, tu], as far as [æz fɑːr æz] 40

Biskuitrolle sponge roll, Swiss roll [spʌndʒ (swis) rəul] 114

bissig: *~er Hund!* beware of the dog! [bi'wɛə əv ðə dɔg] 191

bitte please [pliːz] 14, 20, 70, 126, 156, 191; you're welcome [jɔː 'welkəm] 20; *(keine Ursache)* don't mention it [dəunt 'menʃən it] 20, not at all [nɔt ət ɔːl] 20; *(es macht nichts)* that's all right [ðæts ɔːl rait] 20; **Wie ~ ?** (I beg your) Pardon? [(ai beg jɔː) 'pɑːdn] 20, 24

Blähungen *pl.* wind [wind], flatulence ['flætjuləns] 169

Blase bladder ['blædə] 166

Blätterteigpastete vol-au-vent ['vɔl-əu'vɑːŋ] 102

blau blue [bluː] 194

Blaubeeren bilberries ['bilberiz] 110

Blauschimmelkäse Stilton (cheese) ['stiltn (tʃiːz)] 109

Blechschaden superficial damage [sjuːpə'fiʃəl 'dæmidʒ] 49

bleiben to stay [tə stei] 25, 78, 94, 154; **im Bett** ~ to stay in bed [tə stei in bed] 165

Bleichsellerie celery ['seləri] 107

Bleistift pencil ['pensl] 138

Blende *(Foto)* diaphragm ['daiəfræm], stop [stɔp] 132

Blinddarm appendix [ə'pendiks] 166

Blinddarmentzündung appendicitis [əpendi'saitis] 169

Blinker *(Auto)* indicator ['indikeitə] 51

Blitz *(Wetter)* lightning ['laitniŋ] 26

blitzen: es blitzt it's lightning [its 'laitniŋ] 26 [132]

Blitzlichtbirne flash bulb [flæʃ bʌlb]

Blitzwürfel flash cube [flæʃ kjuːb] 132

blond blond(e) [blɔnd], fair [fɛə] 194

Blue Jeans blue jeans [bluː dʒiːnz] 134

Blumen flowers ['flauəz] 130

Blumenhandlung flower shop ['flauə ʃɔp] 128

Blumenkohl cauliflower ['kɔliflauə] 107

Blumenstrauß bunch of flowers [bʌntʃ əv 'flauəz], bouquet ['bukei] 130

Blumentopf pot of flowers [pɔt əv 'flauəz] 130

Bluse blouse [blauz] 134

Blut blood [blʌd] 165

Blutarmut anaemia [ə'niːmjə] 169

Blutbild blood count [blʌd kaunt] 172

Blutdruck blood-pressure ['blʌdpreʃə] 166

Blutprobe blood test [blʌd test] 172

blutstillend: ~**es Mittel** styptic ['stiptik] 160
Bluttransfusion blood transfusion [blʌd træns'fjuːʒən] 172
Blutung haemorrhage ['heməridʒ], bleeding ['bliːdiŋ] 169
Blutvergiftung blood poisoning [blʌd 'pɔizniŋ] 169
Bogen *(Architektur)* arch [ɑːtʃ] 124
Bohnen: grüne ~ French beans [frentʃ biːnz] 107
Bohnensuppe bean soup [biːn suːp] 103
Bohrer drill [dril], gimlet ['gimlit] 57
Boje buoy [bɔi] 75
Bonbons sweets [swiːts] 143
Boot boat [bəut] 75, 185, 186
Bootsdeck boat deck [bəut dek] 76
Bootsfahrt boat trip [bəut trip] 120
Bootsrennen boat-race ['bəutreis] 187
Bord board [bɔːd] 75; **an** ~ on board [ɔn bɔːd] 72, 74
Bordeaux: roter ~ claret ['klærət] 111
Bordfest party on board ship ['pɑːti ɔn bɔːd ʃip] 74
Bordfotograf ship's photographer [ʃips fə'tɔgrəfə] 74
Borsalbe boracic ointment [bə'ræsik 'ɔintmənt] 160
Botschaft *(dipl. Vertretung)* embassy ['embəsi] 120
Boutique boutique [buː'tiːk] 128
Bowlingbahn bowling alley ['bəuliŋ 'æli] 181
Box *(Abstellplatz)* stall [stɔːl] 44
boxen to box [tə bɔks] 187
Boxer boxer ['bɔksə] 187
Boxkampf fight [fait] 187
Brandsalbe burn ointment [bəːn 'ɔintmənt] 160
Braten joint [dʒɔint] 106
Bratensoße gravy ['greivi] 101
Brathuhn roast chicken [rəust 'tʃikin] 105
Bratkartoffeln fried potatoes [fraid pə'teitəuz] 108
brauchen to need [tə niːd] 18, 20, 57, 126, 138
braun brown [braun] 194
Brauselimonade fizzy lemonade ['fizi leməˈneid] 112
Brechmittel emetic [i'metik] 160
Brechreiz nausea ['nɔːsjə] 169

breit wide [waid] 127
Bremsbelag brake lining [breik 'lainiŋ] 51
Bremse brake [breik] 51
bremsen to brake [tə breik] 42
Bremsflüssigkeit brake fluid [breik 'fluːid] 45, 51
Bremslichter brake lights [breik laits] 51
Bremspedal brake pedal [breik 'pedl] 51
Bremstrommel brake drum [breik drʌm] 51
brennen *(Sonne)* to burn [tə bəːn] 26; **es brennt kein Licht** there's no light [ðɛəz nəu lait] 88
Brett *(Schach)* board [bɔːd] 181
Brief letter ['letə] 34, 85, 145
Briefkasten letter-box ['letəbɔks], pillar-box ['piləbɔks] 145
Briefmarke stamp [stæmp] 85, 145, 150
Briefmarkenautomat stamp machine [stæmp mə'ʃiːn] 150
Briefpapier writing paper ['raitiŋ 'peipə] 138
Brieftasche wallet ['wɔlit] 143, 153
Brieftelegramm overnight telegram [əuvə'nait 'teligræm] 147
Briefträger postman ['pəustmən] 36
Briefumschlag envelope ['envələup] 138
Brillant *(Schmuck)* diamond ['daiəmənd] 133
Brillantine brilliantine [briljən'tiːn] 157
Brille glasses pl. ['glɑːsiz], spectacles pl. ['spektəklz] 138
Brillenetui spectacle-case ['spektəkl-keis] 138
Brillenfassung spectacle-frames pl. ['spektəklfreimz] 138
bringen *(Gegenstand)* to bring [tə briŋ] 20, 75, 87, 99; **jemanden nach Hause** ~ to see someone home [tə siː 'sʌmwʌn həum] 17
Brise breeze [briːz] 75
Brombeeren blackberries ['blækbəriz] 110
Bronchitis bronchitis [brɔŋ'kaitis] 169
Brosche brooch [brəutʃ] 133
Broschüre brochure ['brəuʃjuə] 130
Brot bread [bred] 98; **dunkles** ~ brown bread [braun bred] 98; **eine Scheibe** ~ a slice of bread [ə slais əv bred] 98

Brötchen roll [rəul] 98

Brotkorb bread-basket ['bredbɑːskit] 97

Brücke bridge [bridʒ] 120, 174

Bruder brother ['brʌðə] 35

Brühe broth [brɔθ] 103

Brunnen fountain ['fauntin] 120; *(Quelle)* mineral spring ['minərəl spriŋ] 175

Brust breast [brest], chest [tʃest] 166

Brustkorb thorax ['θɔːræks] 166

Bube *(Spielkarte)* jack [dʒæk] 181

Buch book [buk] 130

Buchhalter book-keeper ['bukiːpə] 36

Buchhändler bookseller ['bukselə] 36

Buchhandlung bookshop ['bukʃɒp] 128

Büchse *(Waffe)* rifle ['raifl] 143

Büchsenöffner tin-opener ['tinəupənə] 143

buchstabieren to spell [tə spel] 24

Bucht bay [bei] 186

Buchung booking ['bukiŋ] 70

Buddhist Buddhist ['budist] 123

Bug bow [bau] 75

bügelfrei drip-dry ['dripˈdrai] 134

bügeln to iron [tu 'aiən] 93

Bühne stage [steidʒ] 177

Bühnenbild set [set], scenery ['siːnəri] 177

Bungalow bungalow ['bʌŋgələu] 81

bunt colourful ['kʌləful] 137, 194, brightly coloured ['braitli 'kʌləd] 194

Buntstift crayon ['kreiən] 138

Burg castle ['kɑːsl] 119

Bürgersteig pavement ['peivmənt] 120

Burgunder Burgundy ['bəːgəndi] 111

Bürste brush [brʌʃ] 140

Bus bus [bʌs] 59, 117

Bushaltestelle bus stop [bʌs stɒp] 59

Büstenhalter brassiere ['bræsiə], bra [brɑː] 134

Butter butter ['bʌtə] 98

C

Café café ['kæfei] 113

Camembert Camembert ['kæməmbɛə] 109

Camping camping ['kæmpiŋ] 95

Campingausweis camping carnet ['kæmpiŋ karˈnɛ] 95

Campingbeutel beach-bag ['biːtʃbæg] 143

Campingliege camp bed [kæmp bed] 95

Campingplatz camping site ['kæmpiŋ sait] 81, 94

Campingwagen motor caravan ['məutə 'kærəvæn] 41

Chartermaschine charter plane ['tʃɑːtə plein] 70

Cheddarkäse Cheddar cheese ['tʃedə tʃiːz] 109

Chefarzt medical superintendent ['medikəl sjuːpərinˈtendənt] 172

Chemie chemistry ['kemistri] 39

Chesterkäse Cheshire cheese ['tʃeʃə tʃiːz] 109

Chicoree chicory ['tʃikəri] 107

Chinin quinine [kwi'niːn] 160

Chirurg surgeon ['səːdʒən] 162

Cholera cholera ['kɒlərə] 78, 169

Chor choir ['kwaiə] 124, 177

Christ Christian ['kristjən] 123

Christentum Christianity [kristiˈæniti] 124

christlich Christian ['kristjən] 124

Christus Christ [kraist] 124

Chrysanthemen chrysanthemums [kriˈsænθəməmz] 130

Cousin cousin ['kʌzn] 35

Cousine cousin ['kʌzn] 35

Cremespeise mousse [muːs] 109

D

Dame *(Schachfigur, Spielkarte)* queen [kwiːn] 181

Damen ladies' ['leidiz] 191

Damenbinden sanitary towels ['sænitəri 'tauəlz] 160

Damenfriseur ladies' hairdresser ['leidiz 'hɛədresə] 158

Damenschuhe ladies' shoes ['leidiz ʃuːz] 139

Damentoilette ladies' room ['leidiz rum] 92

damit with it [wið it] 154

Dämmerung *(morgens)* dawn [dɔːn]; *(abends)* dusk [dʌsk] 20

Dampfbad vapour bath ['veipə bɑːθ] 175

Dampfer steamer ['stiːmə] 75

Dank : Herzlichen ~! Thank you very much (indeed) ! ['θæŋkju 'veri mʌtʃ (in'diːd) 89, 21; **Vielen ~!** Thank you very much! ['θæŋkju 'veri mʌtʃ] 16, Many thanks! ['meni θæŋks] 21

dankbar grateful ['greitful] 21
danke thank you ['θæŋkju] 12,21
danken: jemandem ~ to thank someone [tə θæŋk 'sʌmwʌn] 12, 17, 21
darin in here [in hiə] 80
Darm intestine [in'testin] 166
Darmkatarrh intestinal catarrh [in'testinl kə'taː:] 169
Datteln dates [deits] 110
dauern to take [tə teik] 19, 72; to be [tə biː] 148; to last [tə laːst] 19, 179
Dauerwelle perm [pəːm] 155, 158
Daumen thumb [θʌm] 166
dazugehören to belong to [tə bi'lɔŋ tə] 78
Deck deck [dek] 76
Decke blanket ['blæŋkit] 87
Deckoffizier warrant officer ['wɔrənt 'ɔfisə] 74
Decksplatz place on deck [pleis ɔn dek] 76
Deckstuhl deckchair ['dektʃɛə] 76
defekt: ... ist ~ ... isn't working ['iznt 'wəːkiŋ], **... is out of order** [iz 'autəv 'ɔːdə] 48, 50
Denkmal monument ['mɔnjumənt] 119, 120, memorial [mi'mɔːriəl] 120
Deodorant deodorant [diː'əudərənt] 141
derselbe the same [ðə seim] 63
Desinfektionsmittel disinfectant [disin'fektənt] 160
Dessertwein dessert wine [di'zəːt wain] 111
destilliert: ~es Wasser distilled water [dis'tild 'wɔːtə] 45
deutsch German ['dʒəːmən] 24, 86, 127, 140
Deutschland Germany ['dʒəːməni] 85
Devisen foreign currency ['fɔrin 'kʌrənsi] 152
Dezember December [di'sembə] 33
Dezimeter decimetre ['desimiːtə] 193
Diabetiker: ~ sein to be a diabetic [tə biː ə daiə'betik] 164
Diagnose diagnosis [daiəg'nəusis] 172
Diapositiv slide [slaid] 132
Diarähmchen slide frame [slaid freim] 132
Diät diet ['daiət] 165
Diätkost dietary food ['daiətəri fuːd] 96

dich you [ju] 12
Dichtung (z. Abdichten) sealing ['siːliŋ], gasket ['gæskit], (Scheibe) washer ['wɔʃə] 51
Dieb thief [θiːf] 154
Diebstahl theft [θeft] 153
Dienstag Tuesday ['tjuːzdi] 33
diese, dieser, dieses this [ðis] 19, 145, 156
Diesel diesel fuel ['diːzəl fjuəl] 45
Dieselmotor diesel engine ['diːzəl 'endʒin] 54
Differential differential [difə'renʃəl] 52
Dill dill [dil] 110
Dioptrien diopters [dai'ɔptəz] 138
Diphtherie diphtheria [dif'θiəriə] 169
dir you [ju] 14
direkt direct [di'rekt] 68
Dirigent conductor [kən'dʌktə] 177
Diskothek discotheque ['diskəutek] 180, 183
D-Mark German mark(s) ['dʒəːmən maːk(s)] 152
Doktor: Herr ~ (Arzt) Doctor ['dɔktə] 13
Dokumentarfilm documentary [dɔkju'mentəri] 179
Dolmetscher interpreter [in'təːpritə] 36
Donner thunder ['θʌndə] 26
donnern: es donnert it's thundering [its 'θʌndəriŋ] 26
Donnerstag Thursday ['θəːzdi] 33
Doppel (Tennis) doubles ['dʌblz] 190
doppeltkohlensaures Natron bicarbonate of soda [bai'kaː:bənit əv 'səudə] 161
Doppelzimmer double room ['dʌbl rum] 82
Dorf village ['vilidʒ] 120
Dorsch cod [kɔd] 104
dort there [ðɛə] 40
Dose tin [tin] 126
Dosenbier canned beer [kænd biə] 111
Draht wire ['waiə] 57
Drama drama ['draː:mə] 177
Drehbuch script [skript] 179
drehen to turn [tə təːn] 191; **sich ~** (Wind) to change [tə tʃeindʒ] 26
drei three [θriː] 28; **es ist ~ Viertel neun** it's a quarter to nine [its ə 'kwɔːtə tə nain] 30
dringend: ein ~es Telegramm a priority telegram [ə prai'ɔriti 'teligræm] 147

dritte third [θə:d] 176

Drogerie chemist ['kemist] 128

Drogist chemist ['kemist] 36

drücken *(Schuhe)* to pinch [tə pintʃ] 139

Druckknopf press-stud ['prestʌd] 136

Drucksache printed matter ['printid 'mætə] 145, 150

Drüse gland [glænd] 166

Duett duet [dju:'et] 177

Düne sand dune [sænd dju:n] 186

dunkel dark [dɑ:k] 111, 127

dunkelblau dark blue [dɑ:k blu:], navy blue ['neivi blu:] 194

dunkelgrau dark grey [dɑ:k grei] 194

dunkelgrün dark green [dɑ:k gri:n] 194

dunkelrot dark red [dɑ:k red], maroon [mə'ru:n] 194

Durchfahrt thoroughfare ['θʌrəfɛə] 42; **Keine ~** No through road [nəu θru: rəud] 58

Durchfall diarrhoea [daiə'riə] 163

Durchgang passageway ['pæsidʒwei] 120; **~ verboten!** Private! ['praivit] 191

durchgebrannt *(Birne)* burnt out [bə:nt aut]; *(Sicherung)* blown [bləun] 88

durchgebraten well done [wel dʌn] 100

durchleuchten *(röntgen)* to X-ray [tu 'eksrei] 172

durchregnen: Es regnet durch. The rain's coming in. [ðə reinz 'kʌmin in] 88

durchwählen to dial straight through [tə 'daiəl streit θru:] 147

dürfen may [mei] 16, 18, 183

Dusche shower ['ʃauə] 82

Düse *(Vergaser)* jet [dʒet]; *(Dieselmotor)* nozzle ['nɔzl] 52

Düsenflugzeug jet (plane) [dʒet (plein)] 70

Dutzend dozen ['dʌzn] 193

D-Zug express (train) [iks'pres (trein)] 60

E

Eckball corner ['kɔ:nə] 188

Ecke corner ['kɔ:nə] 120

Eckzahn eye-tooth ['aitu:θ], canine tooth ['kænain tu:θ] 174

Ehefrau wife [waif] 35

Ehemann husband ['hʌzbənd] 35

Ehering wedding ring ['wediŋ riŋ] 133

Ei egg [eg] 98, 108; **~er mit Schinken** ham and eggs [hæm ənd egz] 98; **~er mit Speck** bacon and eggs ['beikən ənd egz] 98; **Russische ~er** eggs à la Russe [egz ɑ:lɑ: rys] 102; **verlorene ~er** poached eggs [pəutʃt egz] 98; **weiche ~er** soft-boiled eggs ['sɔftbɔild egz] 108

Eierbecher egg-cup ['egkʌp] 97

Eierkuchen omelette ['ɔmlit] 108

Eierlikör advocaat ['ædvəkɑ:t] 112

Eierspeise egg dish [eg diʃ] 108

Eilbrief express letter [iks'pres 'letə] 150; **einen Brief als ~ schicken** to express a letter [tu iks'pres ə 'letə] 146

Eilzug fast train [fɑ:st trein] 60

Eimer bucket ['bʌkit] 160

Einbahnstraße one-way street ['wʌnwei stri:t] 43, 58

einfach *(Fahrkarte)* single ['siŋgl] 62

Einfahrt entry ['entri], drive [draiv] 42; **~ verboten** no entry [nəu 'entri] 58

einfarbig self-colour ['self'kʌlə] 137

Einfuhrzoll import duty ['impɔ:t 'dju:ti] 80

Eingang entrance ['entrəns] 67, 90, 191

eingegangen: Ist Geld für mich ~? Has any money been paid in for me? [hæz 'eni 'mʌni bi:n paid in fə mi] 152

einige some [sʌm] 163, a few [ə fju:] 165

Einkaufszentrum shopping centre ['ʃɔpiŋ 'sentə] 120

einladen to invite [tu in'vait] 183, 184; **Darf ich Sie zu ... ~?** Will you (come and) have ...? [wil ju (kʌm ənd) hæv] 183

Einladung invitation [invi'teiʃən] 16

Einlage *(Zahn)* temporary filling ['tempərəri 'filiŋ] 174

Einlauf enema ['enimə] 160

Einlegesohle in-sole ['insəul] 139

einordnen: sich ~ to get in lane [tə get in lein] 42

Einreibemittel liniment ['linimənt] 160

Einreise entry (into the country) ['entri ('intə ðə 'kʌntri] 79

Einreisevisum (entry) visa [('entri) 'vi:zə] 79

eins one [wʌn] 28

Einsatz *(Glücksspiel)* stake [steik] 182

einschalten *(Radio, TV)* to switch on [tə switʃ ɔn] 181

einschließlich including [in'klu:diŋ] 41

Einschreibebrief registered letter ['redʒistəd 'letə] 145

einschreiben to register [tə 'redʒistə] 150

Einspritzpumpe fuel injector [fjuəl in'dʒektə] 52

einspurig: ~e Fahrbahn single file traffic ['siŋgl fail 'træfik] 58

einsteigen to get in [tə get in] 67

Eintopf stew [stju:] 106

eintragen to enter [tu 'entə] 78

Eintritt: ~ frei admission free [əd'miʃ-ən fri:] 191; **kein ~** no admittance [nəu əd'mitəns] 191

Eintrittskarte ticket ['tikit] 185

einwerfen *(Münze)* to put in [tə put in] 149

Einwurf *(Fußball)* throw-in ['θrəuin] 188

einzahlen to pay in [tə pei in] 152

Einzel *(Tennis)* singles ['siŋglz] 190

Einzelkabine single cabin ['siŋgl 'kæbin] 73

Einzelzimmer single room ['siŋgl rum] 82

Einzelzimmerzuschlag surcharge for a single room ['sə:tʃɑ:dʒ 'fərə 'siŋgl rum] 83

einziehen to move in [tə mu:v in] 90

Eis ice [ais] 26; *(Speise-)* ice(-cream) [ais('kri:m)] 113; **gemischtes ~** mixed ice [mikst ais] 113

Eisbahn ice rink [ais riŋk] 180

Eisbecher sundae ['sʌndei]; **~ mit Banane** banana split [bə'nɑ:nə split]; **~ mit Pfirsich** peach melba [pi:tʃ 'melbə] 113

Eisdiele ice-cream bar ['aiskri:m bɑ:], ice-cream parlour ['aiskri:m 'pɑ:lə] 113

Eisenbahn railway ['reilwei]

Eisenbahner railwayman ['reilweimən] 36

Eisenbahnfähre train ferry [trein 'feri] 76

Eisenwarengeschäft ironmonger ['aiənmʌŋgə] 128

Eiskaffee iced coffee [aist 'kɔfi] 113

Eiskunstlauf figure-skating ['figəskei-tiŋ] 187

eislaufen to skate [tə skeit] 188

Eisschokolade iced chocolate [aist 'tʃɔklit] 113

Eiswaffeln (ice-cream) wafers [('ais-kri:m) 'weifəz] 113

Elastikbinde elastic bandage [i'læstik 'bændidʒ] 160

Elektriker electrician [ilek'triʃən] 36

Elektrohandlung electrical-equip-ment shop [i'lektrikəl i'kwipmənt ʃɔp] 128

Ellbogen elbow ['elbəu] 166

Eltern parents ['pærənts] 35

Empfang welcome ['welkəm] 12; *(Rezeption)* reception [ri'sepʃən] 90

Empfänger addressee [ædre'si:] 150

Empfangschef receptionist [ri'sep-ʃənist] 90

empfehlen to recommend [tə rekə-'mend] 81

Ende: am ~ *(des Zuges)* at the rear [ət ðə riə] 65

Endhaltestelle terminus ['tə:minəs], terminal ['tə:minl] 120

Endstation terminus ['tə:minəs], ter-minal ['tə:minl] 59

eng narrow ['nærəu] 139

englisch English ['iŋgliʃ]; **was heißt...auf ~?** what's the English for...? [wɔts ði 'iŋgliʃ fə] 24

Enkel grandson ['grænsʌn], grandchild ['græntʃaild] 35

Enkeltochter granddaughter ['grænd-dɔ:tə] 35

Ente duck [dʌk] 105

entfernen *(Fleck)* to remove [tə ri'mu:v] 137

entlassen *(Patienten)* to discharge [tə dis'tʃɑ:dʒ] 172

Entlassungsschein certificate of dis-charge [sə'tifikət əv dis'tʃɑ:dʒ] 172

Entschuldigung! (I'm) Sorry! [aim 'sɔri] 22

entwickeln *(Film)* to develop [tə di'veləp] 131

Entwicklung development [di'veləp-mənt] 132

Entzündung inflammation [inflə'mei-ʃən] 169

Erbrechen vomiting ['vɔmitiŋ] 169

Erbsen peas [pi:z] 108

Erbsensuppe pea soup [pi: su:p] 103

Erdbeereis strawberry ice ['strɔːbəri ais] 113
Erdbeeren strawberries ['strɔːbəriz] 110
Erdgeschoß ground floor [graund flɔː] 191
Erdnüsse peanuts ['piːnʌts] 110
Erfolg success [sək'ses] 22
erfreut: Sehr ~! *(beim Vorstellen)* How do you do? ['haudjuːduː] 14
Erfrischungen refreshments [ri'freʃmənts] 65, 191
Ergebnis result [ri'zʌlt] 190
erkälten: sich ~! to catch (a) cold [tə kætʃ (ə) kəuld] 163
Erkältung cold [kəuld], chill [tʃil] 169
Erkundigung enquiry [in'kwaiəri] 90
ermäßigt *(Fahrkarte)* cheap [tʃiːp] 62
Ermäßigung reduction [ri'dʌkʃən] 67, 83, 176
ernst *(Zustand)* serious ['siəriəs] 165
Erpressung (attempt at) blackmail [(ə'tempt ət) 'blækmeil] 153
Ersatz substitute ['sʌbstitjuːt] 174
Ersatzrad spare wheel [spɛə wiːl] 52
Ersatzteil spare (part) [spɛə (pɑːt)] 50, 52
erwachsen grown-up ['grəunʌp] 35
erwarten to expect [tu iks'pekt] 85, 164, 184
es gibt there is ['ðɛəriz] 126
essen to eat [tu iːt] 96; **gegessen** ate [et] 163
Essen meal [miːl] 159
Essenszeit: Wann sind die ~en? At what time are meals served? [ət wɔt taim ɑː miːlz səːvd] 86
Eßgeschirr crockery ['krɔkəri] 95
Essig vinegar ['vinigə] 100
Essig- und Ölständer cruet-stand ['kruːitstænd] 97
Etage floor [flɔː], storey ['stɔːri] 191
etwas something ['sʌmθiŋ] 96, 159; *(ein wenig)* a little [ə 'litl], a bit [ə bit] 155, 164
evangelisch Protestant ['prɔtistənt] 124
Evangelium Gospel ['gɔspəl] 124

F

Fabrik factory ['fæktəri] 120
Facharzt specialist ['speʃəlist] 162
Faden thread [θred] 136
Fadennudeln vermicelli [vəːmi'seli, -'tʃeli] 103

Fähre ferry ['feri] 72, 76
fahren to go [tə gəu] 40, 42; **~ über** to go via [tə gəu 'vaiə] 61
Fahrenheit Fahrenheit ['færənhait] 192
Fahrer chauffeur ['ʃəufə] 41; driver ['draivə] 59
Fahrgestell chassis ['ʃæsi] 52
Fahrkarte ticket ['tikit] 62
Fahrkartenschalter ticket office ['tikit 'ɔfis] 60
Fahrlehrer driving instructor ['draiviŋ in'strʌktə] 36
Fahrplan timetable ['taimteibl] 60
Fahrpreis fare [fɛə] 67
Fahrrad bicycle ['baisikl] 41, 42
Fahrschein ticket ['tikit] 59, 117
Fahrspur lane [lein] 42
Fahrstuhl lift [lift] 90
Fahrt journey ['dʒəːni] 42, 61
Fahrtroute route [ruːt] 42
Fahrwerk under-carriage ['ʌndəkæridʒ] 71
Fahrzeug vehicle ['viːikl] 41
Fakultät faculty ['fækəlti] 38
Fall: Auf keinen ~! Certainly not! ['səːtnli nɔt] 21
fallen *(Barometer)* to fall [tə fɔːl] 25
falscher Hase roasted forcemeat ['rəustid 'fɔːsmiːt] 105
Familie family ['fæmili] 12, 35
Familienname surname ['səːneim] 79
Familienstand marital status ['mæritl 'steitəs] 79
Farbabzug *(Foto)* colour print ['kʌlə print] 132
Farbe colour ['kʌlə] 79, 127, 194
färben to dye [tə dai] 155, 158
Färberei dyer ['daiə] 128
Farbfestiger coloured (tinted) setting lotion ['kʌləd ('tintid) 'setiŋ 'ləuʃən] 141
Farbfilm *(Foto)* colour film ['kʌlə film] 131, 132; *(Kino)* colour film, film in colour [film in 'kʌlə] 179
farbig coloured ['kʌləd] 194
Fasan pheasant ['feznt] 105
Februar February ['februəri] 33
Fechten fencing ['fensiŋ] 188
Feder *(Technik)* spring [spriŋ] 52, 143
Federball badminton ['bædmintən] 180
Federbruch *(Auto)* broken spring ['brəukən spriŋ] 49

fehlen to be missing [tə bi: 'misiŋ] 23, 63; **Es fehlt...** There's no... [ðεεz nəu]; **Es ~...** There are no... [ðεεrə: nəu] 88; **Hier fehlt noch** *ein Glas.* We need another *glass.* [wi ni:d ə'nʌðə glɑ:s] 115

Fehlzündung backfire ['bækfaiə] 52

Feigen figs [figz] 110

Feile file [fail] 57

Feld *(Schach)* square [skwεə] 181

Fenster window ['windəu] 65, 88

Fensterplatz window seat ['windəu si:t] 67

Fensterscheibe window-pane ['windəupein] 90

Ferngespräch long-distance call, trunk call [lɔŋ'distəns (trʌŋk) kɔ:l] 85, 148

Fernglas binoculars [bi'nɔkjuləz] 138

Fernlicht full beam [ful bi:m] 55

Fernschnellzug express (train) [iks'pres (trein)] 60

Fernsehen television ['teliviʒən] 180, 181

Fernsehspiel television play ['teliviʒən plei] 181

Fernstudium correspondence course [kɔris'pɔndəns kɔ:s] 38

Ferse heel [hi:l] 166

fertig ready ['redi] 50

fertigmachen *(Rechnung)* to have *(the bill)* ready [tə hæv 'redi] 89

fest: zu ~ *(Bremse)* too sharply adjusted [tu: 'ʃɑ:pli ə'dʒʌstid] 51

Fest: Frohes ~! Merry (Happy) Christmas! ['meri ('hæpi) 'krisməs] 23

Festiger setting lotion ['setiŋ 'ləuʃən] 156

Fett grease [gri:s] 52; fat [fæt] 100

fett fat [fæt] 100, 115

fettig *(Haar)* greasy ['gri:zi] 158

Feuer: Haben Sie bitte ~? Could you give me a light, please? [kud ju giv mi ə lait pli:z] 140

Feuerlöscher fire-extinguisher ['faiərikstiŋgwiʃə] 52, 191

Feuerstein flint [flint] 140

Feuerwehr fire-brigade ['faiəbrigeid] 49

Feuerzeug lighter ['laitə] 140

Feuerzeugbenzin lighter fuel ['laitə fjuəl] 140

Fieber temperature ['tempritʃə] 163

Fieberkurve temperature chart ['tempritʃə tʃɑ:t] 172

fiebersenkendes Mittel antipyretic ['æntipai'retik] 160

Fieberthermometer (clinical) thermometer [('klinikəl) θə'mɔmitə] 160

Figur figure ['figə] 143; *(Schach)* chessman ['tʃesmən], piece [pi:s] 181

Filet fillet ['filit] 105

Film film [film] 131, 132, 179

filmen to film [tə film] 132

Filmfestspiele film festival [film 'festəvəl] 179

Filmkamera cinecamera ['sinikæmərə] 132

Filmvorführung (film) showing [(film) 'ʃəuiŋ] 179

Filter filter ['filtə] 140

Filterzigarette filter-tipped cigarette ['filtətipt sigə'ret] 140

Finger finger ['fiŋgə] 166

Fingerhut thimble ['θimbl] 136

Fingernagel fingernail ['fiŋgəneil] 166

Fisch fish [fiʃ] 104

Fischer fisherman ['fiʃəmən] 36

Fischerboot fishing boat ['fiʃiŋ bəut] 75

Fischhandlung fishmonger ['fiʃmʌŋgə] 128

Fischsalat fish salad [fiʃ 'sæləd] 102

Fischsuppe fish soup [fiʃ su:p] 103

flach *(Absatz)* flat [flæt], low [ləu] 139

Flagge flag [flæg] 76

Flanell flannel ['flænl] 136

Flasche bottle ['bɔtl] 80, 96

Flaschenbier bottled beer ['bɔtld biə] 111

Flaschenöffner bottle-opener ['bɔtl-əupnə] 97

Fleck stain [stein] 137

Fleckenwasser stain-remover ['stein-ri'mu:və] 143

Fleisch meat [mi:t] 106

Fleischbrühe broth [brɔθ] 103

Fleischer butcher ['butʃə] 36

Fleischerei butcher ['butʃə] 128

Fleischgericht meat dish [mi:t diʃ] 106

Fleischklößchen meat ball [mi:t bɔ:l] 106

Fleischsülze aspic ['æspik] 102

flicken to patch [tə pætʃ] 46

Flieder lilac ['lailək] 130

fliegen to fly [tə flai] 71

fließend *(Wasser)* running ['rʌniŋ] 82

Flirt flirt [flə:t] 184

Flug flight [flait] 68, 69

Flügel *(Klavier)* grand piano [grænd pi¹ænəu] 177
Fluggast passenger [¹pæsindʒə] 71
Fluggesellschaft airline [¹ɛəlain] 71
Flughafen airport [¹ɛəpɔ:t] 68, 84
Flughafengebühr airport tax [¹ɛəpɔ:t tæks] 68
Flugplan (air-service) timetable [(¹ɛəsə:vis) ¹taimteibl] 71
Flugplatz airport [¹ɛəpɔ:t] 116
Flugschein ticket [¹tikit] 69
Flugstrecke route [ru:t] 71
Flugverbindung flight [flait] 68
Flugzeit flying time [¹flaiiŋ taim] 71
Flugzeug: ein ~ nach . . . a flight to . . . [ə flait tə] 68
Flugzeugführer pilot [¹pailət] 71
Flunder flounder [¹flaundə] 104
Fluß river [¹rivə] 70
Forelle trout [traut] 104
Form shape [ʃeip] 127
Formular form [fɔ:m] 78
Förster forester [¹fɔristə] 36
Fotoapparat camera [¹kæmərə] 132
Fotogeschäft photo shop [¹fəutəuʃɔp, photographer [fə¹tɔgrəfə] 128
Fotograf photographer [fə¹tɔgrəfə] 128
fotografieren to photograph [tə ¹fəutəgrɑ:f] 132
Foyer foyer [¹fɔiei] 177
Frachtschiff freighter [¹freitə] 77
fragen to enquire [tu in¹kwaiə] 85
frankieren to stamp [tə stæmp] 150
französisch French [frentʃ] 24
Frau woman [¹wumən]; *(Gattin)* wife [waif] 13; **~** . . . Mrs. . . . [¹misiz] 13; **gnädige ~** Madam [¹mædəm] 13
Frauenarzt gynaecologist [gaini¹kɔlədʒist] 162
Fräulein: ~ . . . Miss . . . [mis] 13; **~!** *(Kellnerin)* Waitress! 96
frei free [fri:] 44, 96; *(Zimmer)* vacant [¹veikənt] 82
Freibad open-air swimming pool [¹əupənɛə ¹swimiŋ pu:l] 187
freihalten *(Hinweis)* keep clear [ki:p kliə] 58
Freilauf free-wheel [¹fri:¹wi:l] 52
Freilaufnabe free-wheel hub [¹fri:¹wi:l hʌb] 52
Freilichtkino open-air cinema [¹əupənɛə ¹sinəmə] 179
freimachen: sich ~ *(beim Arzt)* to get undressed [tə get ¹ʌn¹drest] 165

Freistoß free kick [fri: kik] 188
Freitag Friday [¹fraidi] 33
Freizeithemd sports shirt [spɔ:ts ʃə:t] 134
Fremdenführer guide [gaid] 120
Fresco fresco [¹freskəu] 124
freuen: Es freut mich I'm glad [aim glæd] 12
Freund friend [frend] 14
Freundin (girl)friend [(¹gə:l)frend] 14
Friedhof cemetery [¹semitri]; churchyard [¹tʃə:tʃjɑ:d] 120 [¹fri:ziŋ] 26
frieren: es friert it's freezing [its
Frikadelle rissole [¹risəul] 106
Frikassee fricassee [frikə¹si:] 105
frisch fresh [freʃ] 115; **~ gestrichen!** wet paint [wet peint] 191
Frischluftdüse airbleed control [¹ɛəbli:d kən¹trəul] 71
Friseur hairdresser [¹hɛədresə], *(Herren-)* barber [¹bɑ:bə] 36
Friseursalon hairdresser's [¹hɛədresəz] 74
Friseuse hairdresser [¹hɛədresə] 36
frisieren to do a person's hair [tə du: ə ¹pə:snz hɛə] 158
Frisur hairstyle [¹hɛəstail] 158
Fronleichnam Corpus Christi [¹kɔ:pəs ¹kristi] 33
Frost frost [frɔst] 26
Frostschutzmittel anti-freeze (agent) [¹ænti¹fri:z (¹eidʒənt)] 52
Fruchtsaft fruit juice [fru:t dʒu:s] 112
früh early [¹ə:li] 31
früher earlier [¹ə:liə] 32
Frühling spring [spriŋ] 33
Frühstück breakfast [¹brekfəst] 83, 87
frühstücken to have breakfast [tə hæv ¹brekfəst] 86
Frühstücksraum breakfast room [¹brekfəst rum] 90
fühlen: sich ~ to feel [tə fi:l] 163,164; **Wir ~ uns gut.** We're feeling fine. [wiə ¹fi:liŋ fain] 12
führen *(Weg)* to go to [tə gəu tə] 19
Führerschein driving licence [¹draiviŋ ¹laisəns] 42
Führung tour [tuə] 119
füllen *(Feuerzeug)* to fill [tə fil] 140
Füllung stuffing [¹stʌfiŋ] 100; *(Zahn)* filling [¹filiŋ] 174
Fundbüro lost-property office [lɔst ¹prɔpəti ¹ɔfis] 120
fünf five [faiv] 28
Funke spark [spɑ:k] 52

funktionieren to work [tə wəːk] 19, 23, 53, 87

für for [fɔː, fə] 16, 41, 146

Furunkel boil [bɔil] 169

Fuß foot [fut] 166, 193; **zu ~** on foot [ɔn fut] 116; **sich den ~ verstauchen** to sprain one's ankle [tə sprein wʌnz 'æŋkl] 164

Fußball football ['futbɔːl] 188

Fußballplatz football ground ['futbɔːl graund] 186

Fußballspiel football match ['futbɔːl mætʃ] 187

Fußbremse foot brake [fut breik] 51

Fußgänger pedestrian [pi'destriən] 121

Fußgängerübergang pedestrian crossing [pi'destriən 'krɔsiŋ] 121

Fußsohle sole of the foot [səul əv ðə fut] 166

Futter *(Kleidung)* lining ['lainiŋ] 136

G

Gabel fork [fɔːk] 97

Galerie gallery ['gæləri] 119

Galle gall-bladder ['gɔːlblædə] 166

Gallensteine gall-stones ['gɔːlstəunz] 169

Gallone gallon ['gælən] 45

Galopprennen horse racing [hɔːs 'reisiŋ] 189

Gang *(Auto)* gear [giə] 52

Gangschaltung gear-change ['giətʃeindʒ] 52

Gans goose [guːs] 105

Gänseklein giblets *pl.* ['dʒiblits] 105

Gänseleberpastete pâté de foie gras [pɑːte də 'fwa grɑ] 102

ganz *(sehr)* very ['veri] 157

Garage garage ['gærɑːdʒ] 44, 84

Garderobe cloakroom ['kləukrum] 177

Garderobenmarke cloakroom ticket ['kləukrum 'tikit] 177

Garnelen shrimps [frimps] 105

Garten garden ['gɑːdn] 121; **Botanischer ~** botanical gardens *pl.* [bə'tænikəl 'gɑːdnz] 120

Gartenbohnen haricot beans ['hærikəu biːnz] 107

Gärtner gardener ['gɑːdnə] 36

Gas *(Auto)* gas [gæs] 52; **~ geben** to accelerate [tu ək'seləreit] 52; **~ wegnehmen** to release the accelerator [tə ri'liːs ði ək'seləreitə] 52

Gasfeuerzeug gas lighter [gæs 'laitə] 140

Gasflasche bottled gas ['bɔtld gæs] 94

Gaspedal accelerator [ək'seləreitə] 52

Gasse lane [lein], alley ['æli] 121

Gasthof boarding-house ['bɔːdiŋhaus], private hotel ['praivit həu'tel] 81

Gatte husband ['hʌzbənd] 13

Gattin wife [waif] 13

Gaumen palate ['pælit] 166

Gebäck pastries ['peistriz] 113

gebacken baked [beikt] 100

Gebäude building ['bildiŋ] 119

geben to give [tə giv] 20, 45, 126, 159; *(Kartenspiel)* to deal [tə diːl] 181; **es gibt . . .** there is . . . [ðɛər iz] 126; **Wo gibt es . . . ?** Where is there . . . ? [wɛər iz ðɛə] 19; *(Kino etc.)* **Was wird gegeben?** What are they doing? [wɔt ɑː ðei 'duiŋ] 176

Gebirge mountains ['mauntinz] 70, 121 [tʃə] 174)

Gebiß *(künstliches)* denture ['den-

geboren: ~ sein to be born [bi bɔːn] 35

gebraten roast [rəust] 106

Gebühr charge [tʃɑːdʒ], fee [fiː] 150

Geburtsdatum date of birth [deit əv bəːθ] 79

Geburtsname maiden name ['meidn neim] 79

Geburtsort place of birth [pleis əv bəːθ] 79

Geburtstag birthday ['bəːθdei] 22

gedämpft *(Küche)* steamed [stiːmd] 100

gedünstet steamed [stiːmd] 100

Gefahr danger ['deindʒə] 191

gefährlich dangerous ['deindʒərəs] 185

Gefälle (down-)gradient [('daun-)'greidjənt], steep hill [stiːp hil] 42

gefallen to like [tə laik] 14, 17, 127, to enjoy [tə in'dʒɔi] 17

Gefängnis prison ['prizn] 154

Geflügel poultry ['pəultri], fowl [faul] 105

gefüllt *(Küche)* stuffed [stʌft] 100

gegen against [ə'genst] 78; about [ə'baut] 87; *(zeitlich)* about 31; *(Sport)* **Heute spielt . . . ~ . . .** Today . . . is playing . . . [tə'dei . . . iz 'pleiiŋ] 187

Gegend district ['distrikt], region ['ri:dʒən], area ['εəriə] 121

Gegengift antidote ['æntidəut] 160

gegrillt grilled [grild] 100

gehen to go [tə gəu] 15, 19, 40, 87; (weggehen) to go 16, 17; Wie geht es Ihnen? How are you? [hau ɑ: ju] 12; Wie geht's? How are things (going)? [hau ɑ: θiŋz ('gəuiŋ)] 12

Gehirn brain [brein] 166

Gehirnerschütterung concussion [kən'kʌʃən] 169

Gehirnschlag stroke [strəuk] 169

gehören: Wem gehört das? Whose is that? [hu:z iz ðæt] 18

geimpft vaccinated ['væksineitid] 78

Geistlicher clergyman ['klə:dʒimən] 123

gekocht boiled [bɔild] 100, 102

gelb yellow ['jeləu] 194

Gelbfilter yellow filter ['jeləu 'filtə] 132

Gelbsucht jaundice ['dʒɔ:ndis] 169

Geld money ['mʌni] 85, 127, 146, 151, 152

Geldschein bank note [bæŋk nəut] 152

Geldwechsel exchange [iks'tʃeindʒ] 152

Gelee jelly ['dʒeli] 101

Gelenk joint [dʒɔint], (Hand-) wrist [rist] 166

Gelenkrheumatismus arthritis [ɑ:-'θraitis] 169

gelten: Ab wieviel Uhr gilt ...? What time does ... begin? [wɔt taim dʌz ... bi'gin] 148

Gemüse vegetables pl. ['vedʒitəblz] 108

Gemüsehandlung greengrocer ['gri:ngrəusə] 128

Gemüsesuppe julienne [dʒu:li'en] 103, (mit Hammelfleisch) Scotch broth [skɔtʃ brɔθ] 103

gemustert (Stoff) patterned ['pætənd] 137

genau exact(ly) [ig'zækt(li)] 30

Genick (back of the) neck [(bæk əv ðə) nek] 166

genug enough [i'nʌf] 46; Genug! That's enough. [ðæts i'nʌf] 126

genügen to be enough [tə bi i'nʌf]; Ihre ... genügt. I just need your ... [ai dʒʌst ni:d jɔ:] 84

geöffnet open ['əupən] 44

Geographie geography [dʒi'ɔgrəfi] 39

Geologie geology [dʒi'ɔlədʒi] 39

Gepäck luggage ['lʌgidʒ] 63, 64, 84, baggage ['bægidʒ] 63

Gepäckabfertigung (Ausland) registered-luggage office ['redʒistəd'lʌgidʒ 'ɔfis], (Inland) luggage in advance ['lʌgidʒ in əd'vɑ:ns] 63

Gepäckannahme left-luggage deposits ['left'lʌgidʒ di'pɔzits] 63

Gepäckaufbewahrung left-luggage office ['left'lʌgidʒ 'ɔfis] 63

Gepäckausgabe left-luggage withdrawals ['left'lʌgidʒ wið'drɔ:əlz] 63

Gepäcknetz luggage rack ['lʌgidʒ ræk] 67

Gepäckoffizier officer in charge of the luggage ['ɔfisər in tʃɑ:dʒ əv ðə 'lʌgidʒ] 74

Gepäckschein (left-)luggage ticket (receipt, slip) [('left')'lʌgidʒ 'tikit (ri'si:t, slip)] 63, 84

Gepäckträger (Person) porter ['pɔ:tə] 64

Gepäckwagen luggage van ['lʌgidʒ væn] 64

gepökelt pickled ['pikld], salted ['sɔ:ltid] 100 [116]

geradeaus straight on [streit ɔn] 40,

Geräteturnen gymnastics with apparatus [dʒim'næstiks wið æpə'reitəs] 188

geräuchert smoked [sməukt] 100

Gericht (Speise) dish [diʃ] 99; (Justiz) court [kɔ:t] 154; (~ sgebäude) law courts pl. [lɔ: kɔ:ts] 121

Germanistik German ['dʒə:mən] 39

gern yes, please [jes pli:z] 99

geröstet roasted ['rəustid], grilled [grild] 100

gesalzen salted ['sɔ:ltid] 100

Gesang singing ['siŋiŋ] 177

Geschäft shop [ʃɔp] 121

Geschäftsreise business trip ['biznis trip]; auf ~ hier sein to be here on business [bi hiər ɔn 'biznis] 78

geschehen to happen [tə 'hæpən] 18

Geschenk present ['preznt] 80

Geschichte history ['histəri] 39

Geschlechtskrankheit venereal disease [vi'niəriəl di'zi:z] 169

Geschlechtsorgane sex organs [seks 'ɔ:gənz], genitals ['dʒenitlz] 166

geschlossen closed [kləuzd] 191

geschmort braised [breizd], stewed [stju:d] 100

Geschwindigkeitsbegrenzung speed limit [spi:d 'limit] 42, 58
geschwollen swollen ['swəulən] 164
Geschwulst swelling ['sweliŋ], tumour ['tju:mə] 169
Geschwür ulcer ['ʌlsə] 169
Gesicht face [feis] 166
Gesichtsmaske face-pack ['feispæk] 156
Gesichtsmassage facial massage ['feiʃəl 'mæsɑ:ʒ] 156
gespickt larded ['lɑ:did] 100
Gespräch *(Telefon)* call [kɔ:l] 148
gestatten: Gestatten Sie? *(beim Vorbeigehen)* Excuse me. [iks'kju:z mi], *(sonst)* May I? [mei ai] 20, 65
gestern yesterday ['jestədi] 31
gestört *(Telefon)* out of order [aut əv 'ɔ:də] 148
gestreift striped [straipt] 137
Getränk drink [driŋk] 112; **alkoholfreies ~** soft drink [soft driŋk] 112
Getränkekarte wine list [wain list] 96
Getreideflocken *pl.* cereal ['siəriəl] 98
getrennt separate ['seprit] 115
Getriebe *(Auto)* gear-box ['giəbɔks], transmission [trænz'miʃən] 52
Getriebeöl gear oil [giər ɔil] 46
getrocknet dried [draid] 100
Gewehr gun [gʌn] 143
Gewinde thread [θred] 53
gewiß certainly ['sə:tnli] 21
Gewitter (thunder)storm [('θʌndə-) stɔ:m] 26
Gewürz seasoning ['si:zniŋ], spice [spais] 101
Gewürzgurken pickled gherkins ['pikld 'gə:kinz] 101
gewürzt seasoned ['si:znd] 100
Gin gin [dʒin] 112
Gipsabdruck plaster cast ['plɑ:stə kɑ:st] 117
Gladiolen gladioli [glædi'əulai] 130
glänzend glossy ['glɔsi] 132
Glas *(Trink-)* glass [glɑ:s] 96, 99, 111, 113; *(Material, Scheibe)* glass 143
Glaser glazier ['gleiziə] 36
Gläser *(Brillen-)* lenses ['lenziz] 138
glatt: es ist ~ it's slippery [its 'slipəri] 25
Glatteis ice [ais], *(Straßen)* slippery roads, icy roads ['slipəri ('aisi) rəudz] 27
Glaubensbekenntnis creed [kri:d] 124

gleichfalls too [tu:] 21
Gleis platform ['plætfɔ:m], track [træk] 60
Glieder limbs [limz] 166
Glocke bell [bel] 124
Glück: Viel ~! Good luck! [gud lʌk] 23
Glückwunsch: Herzlichen ~! Very best wishes! ['veri best 'wiʃiz] 23; **Herzlichen ~ zum Geburtstag!** Happy birthday! ['hæpi 'bə:θdei] 23
Glückwunschtelegramm greetings telegram ['gri:tiŋz 'teligræm] 147
Glühbirne (electric light) bulb [(i'lektrik lait) bʌlb] 90
Glühwein mulled claret [mʌld 'klærət] 111
Glyzerin glycerine [glisə'ri:n] 160
Gold gold [gəuld] 133
golden gold [gəuld] 194
Golf golf [gɔlf] 188; **~ spielen** to play golf [tə plei gɔlf] 188
gotisch Gothic ['gɔθik] 124
Gott God [gɔd] 124
Gottesdienst service ['sə:vis] 123, 124
Grab grave [greiv], tomb [tu:m] 121
Graben ditch [ditʃ] 121; *(Burg-)* moat [məut] 121
Grad degree [di'gri:] 25
Gramm gram(me) [græm]; **einhundert ~** *(ca.)* a quarter [ə 'kwɔ:tə] 126
Grapefruit grapefruit ['greipfru:t] 110
Grapefruitsaft grapefruit juice ['greipfru:t dʒu:s] 112
gratulieren: Ich gratuliere Ihnen... Congratulations ... [kəngrætju'leiʃənz] 22
grau grey [grei] 194
Grenze border ['bɔ:də] 78, 79
Griff handle ['hændl] 53
Grill: vom ~ grilled [grild] 100
Grillraum grill room [gril rum] 91
Grippe influenza [influ'enzə], flu [flu:] 169
Grog grog [grɔg] 112
groß big [big] 121
Größe *(Körper-)* height [hait] 79; **Ich habe ~ ...** *(Kleider-)* I take a *(Größe)* [ai teik ə] 133; *(Schuh-)* I take size ... [ai teik saiz] 139
Großhändler wholesale dealer ['həulseil 'di:lə] 36
Großmutter grandmother ['grænmʌðə] 35

Großvater grandfather ['grændfɑːðə] 35

grün green [griːn] 194

Grünanlage park [pɑːk], gardens pl. ['gɑːdnz] 121

Grünkohl kale [keil] 107

Gruß: Mit freundlichen Grüßen Yours sincerely [jɔːz sin'siəli] 13 ; Mit herzlichen Grüßen (With) kind regards [(wið) kaind ri'gɑːdz], (With) love [(wið) lʌv] 13

grüßen to give one's regards [tə giv wʌnz ri'gɑːdz] 16, 17

Grußkarte greetings card ['griːtiŋz kɑːd] 145

Gruyèrekäse Gruyère (cheese) ['gruː-jɛə (tʃiːz)] 109

Gulasch goulash ['guːlæʃ] 106

gültig valid ['vælid] 62, 69

Gummiband elastic [i'læstik] 136

Gummistrumpf elastic stocking [i'læstik 'stɔkiŋ] 160

Gummitier (inflatable) rubber animal [(in'fleitəbl) 'rʌbər 'æniməl] 143

gurgeln to gargle [tə 'gɑːgl]

Gurgelwasser gargle ['gɑːgl] 160

Gurke cucumber ['kjuːkʌmbə] 101; saure ~n pickled cucumbers ['pikld 'kjuːkʌmbəz] 101

Gürtel belt [belt] 136

gut good [guð] 12; well [wel] 12; Alles Gute! All the best! [ɔːl ðə best] 17

Güterbahnhof goods station [gudz 'steiʃən] 67

Gymnastik gymnastics [dʒim'næs-tiks] 188

H

Haarbürste hairbrush ['hɛəbrʌʃ] 141

Haarfarbe colour of hair ['kʌlər əv hɛə] 79

Haarfestiger setting lotion ['setiŋ 'ləuʃən] 141

Haarklemme hairgrip ['hɛəgrip] 141

Haarnadel hairpin ['hɛəpin] 141

Haarnetz hair-net ['hɛənet] 141

Haarspray hair spray [hɛə sprei] 141

Haarwaschmittel hair shampoo [hɛə ʃæm'puː] 141

Haarwasser hair tonic, hair lotion [hɛə 'tɔnik ('ləuʃən)] 141

haben to have [tə hæv] 20, 126, 127, etc.

Hackbraten, falscher Hase roasted forcemeat ['rəustid 'fɔːsmiːt] 105

Hackfleisch minced meat [minst miːt] 106

Hafen harbour ['hɑːbə] 72, 76, 116, port [pɔːt] 72

Hafengebühr harbour dues ['hɑːbə djuːz] 76

Hafenpolizei harbour police ['hɑːbə pə'liːs] 73, 76

Haferbrei porridge ['pɔridʒ] 98

Haft custody ['kʌstədi] 154

Hagel hail [heil] 27

hageln : es hagelt it's hailing [its 'hei-liŋ] 27

Hahn (Wasser-) tap [tæp] 88

Hähnchen chicken ['tʃikin] 105

Haken hook [huk]; ~ und Ösen hooks and eyes [huks ənd aiz] 136

halb half [hɑːf]; ein ~es Kilo (ca.) a pound [ə paund]; ~ 7 half past six [hɑːf pɑːst siks], six thirty [siks 'θəːti] 30

Halbgefrorenes parfait [pɑː'fei] 113

Halbpension: mit ~ with breakfast and dinner [wið 'brekfəst ənd 'dinə] 83

halbroh rare [rɛə] 100

Halbschuhe (low-heeled, light walking) shoes [('ləuhiːld, lait 'wɔːkiŋ) ʃuːz] 139

Halbzeit (Sport) half time [hɑːf taim] 190

Hallenbad indoor swimming pool ['indɔː 'swimiŋ puːl] 187

Halstuch scarf [skɑːf] 134

halten to stop [tə stɔp] 42, 59, 61, 117

Haltestelle stop [stɔp] 59, 117, 191

Halteverbot no stopping [nəu 'stɔpiŋ] 43, 58

Hammelfleisch : junges ~ lamb [læm] 106

Hammer hammer ['hæmə] 57

Handarbeiten fancy-work ['fænsi-wəːk] 144

Handball handball ['hændbɔːl] 188

Handbremse hand brake [hænd breik] 51

Handelsschule commercial college [kə'məːʃəl 'kɔlidʒ] 38

Handgepäck hand luggage [hænd 'lʌgidʒ] 63, 69

Handschuhe gloves [glʌvz] 134

Handtasche handbag ['hændbæg] 153

Handtuch towel ['tauəl] 87

Handwerker artisan [ɑ:ti'zæn], craftsman ['krɑ:ftsmən] 36

Hängematte hammock ['hæmək] 144

hart hard [hɑ:d] 115

hartgekocht *(Ei)* hard-boiled ['hɑ:d-'bɔild] 98

Hase hare [hɛə] 106

Haselnüsse hazel-nuts ['heizlnʌts] 110

Hauptbahnhof main station [mein 'steiʃən] 60

Hauptdeck main deck [mein dek] 76

Hauptrolle leading role ['li:diŋ rəul] 178

Hauptstadt capital ['kæpitl] 121

Hauptstraße main road [mein rəud] 121

Haus: zu ~e at home [ət həum] 15; jemanden nach ~e bringen (fahren) to see (drive) a person home [tə si: (draiv) ə 'pə:sən həum] 17, 184

Hausfrau housewife ['hauswaif] 36

Haushaltswaren *(Geschäft)* ironmonger ['aiənmʌŋgə] 128

Hausnummer house number [haus 'nʌmbə] 121

Hausschlüssel house key [haus ki:] 91

Hausschuhe (bedroom) slippers [('bedrum) 'slipəz] 139

Haustür front door [frʌnt dɔ:] 91

Hautkrem (face) cream [(feis) kri:m] 141

Hebamme midwife ['midwaif] 36

Hecht pike [paik] 104

Heck stern [stə:n] 76

Heckmotor rear engine [riə 'endʒin] 54

Heidelbeeren bilberries ['bilbəriz] 110

Heilbutt halibut ['hælibət] 104

Heilquelle medicinal spring [me'disinl spriŋ] 175

heiß hot [hɔt] 25, 88, 115

heißen: Ich heiße . . . My name is . . . [mai neim iz]; Wie heißt du? What's your name? [wɔts jɔ: neim] 14; Wie heißt *dieses Gericht?* What's *this dish* called? [wɔts ðis diʃ kɔ:ld] 19, 99; Wie heißt . . . auf englisch? What's the English for . . .? [wɔts ðis 'ingliʃ fə] 24

heißlaufen: sich ~ to be overheating [tə bi əuvə'hi:tiŋ] 54

Heizkörper radiator ['reidieitə] 91

Heizung heating ['hi:tiŋ] 53, 67, 88

helfen to help [tə help] 20, 48, 66

hell light [lait], pale [peil] 127; ~es Bier (light) beer [(lait) biə] 111

hellblau light blue, pale blue [lait (peil) blu:] 194

hellgrau light grey, pale grey [lait (peil) grei] 194

hellgrün light green, pale green [lait (peil) gri:n] 194

hellrot bright red [brait red] 194

Hemd shirt [ʃə:t] 134

herb *(Wein)* dry [drai] 111

Herbergsausweis youth-hostel card ['ju:θhɔstəl kɑ:d] 95

Herbergseltern (hostel) wardens [('hɔstəl) 'wɔ:dnz] 95

Herbergsmutter (hostel) warden [('hɔstəl) 'wɔ:dn] 95

Herbergsvater (hostel) warden [('hɔstəl) 'wɔ:dn] 95

Herbst autumn ['ɔ:təm] 33

Herd stove [stəuv] 91

Herein! Come in! [kʌm in] 16

hereinstellen to put in [tə put in] 83

Hering herring ['heriŋ] 104

Herr: ~ . . . Mr. . . . ['mistə]; mein ~ Sir [sə:]; Meine ~en! Gentlemen! ['dʒentlmən] 13; ~en Gentlemen 191

Herrentoilette gents [dʒents] 92

Herz heart [hɑ:t] 167; *(Kartenspiel)* hearts [hɑ:ts] 181

heute today [tə'dei] 31, 68; ~ abend (morgen, nachmittag) this evening (morning, afternoon) [ðis 'i:vniŋ ('mɔ:niŋ, 'ɑ:ftə'nu:n)]; ~ nacht tonight 31

hier here [hiə] 14, 117; ~ ist . . . this is . . . [ðis iz] 146

hierbleiben to stay here [tə stei hiə] 154

hierlassen to leave *something* here [tə li:v 'sʌmθiŋ hiə] 63, 84

Hilfe help [help] 21

Himbeeren raspberries ['rɑ:zbəriz] 110

Himmel sky [skai] 26

Himmelfahrt Ascension Day [ə'senʃən dei] 33

hin und zurück return [ri'tə:n] 62, 68

hinauslehnen *(Zug)* to lean out [tə li:n aut] 191

hinterlegen to pay a deposit [tə pei ə di'pɔzit] 41

-linterrad back wheel [bæk wi:l] 47
-lirn brains [breinz] 105
-lirsch stag [stæg] 106
-litze heat [hi:t] 27
-loch *(Druck)* anticyclone ['ænti'sai-kləun], ridge of high pressure [ridʒ əv hai 'preʃə] 27
-loch high [hai] 139, 169
-lochachtungsvoll Yours faithfully, Yours truly [jɔːz 'feiθfuli ('truːli)] 13
-lochamt Mass [mæs] 123
-lochhaus tower block ['tauə blɔk]; *(Wohnblock)* high-rise flats ['hai-raiz flæts] 121
-lochschule university [ju:ni'və:siti], college ['kɔlidʒ] 38
-löchstgeschwindigkeit maximum speed ['mæksiməm spi:d] 43
-loffen to hope [tə həup] 16
-löhensonne ultra-violet lamp ['ʌltrə 'vaiəlit læmp] 175
-löhle cave [keiv] 121
-lolen to fetch [tə fetʃ] 20, 48; etwas ~ lassen to have something collected [tə hæv 'sʌmθiŋ kə'lektid] 84
-lolzschnitzerei wood carving [wud 'kɑ:viŋ] 144
-lonig honey ['hʌni] 98
-lörer *(Telefon)* receiver [ri'si:və] 149
-lörnchen croissant [krwɑ'sɑ̃] 98
-lose trousers ['trauzəz]; kurze ~ shorts [ʃɔ:ts] 134
-losenanzug trouser suit ['trauzə sju:t] 134
-losenträger braces ['breisiz] 136
-lotel hotel [həu'tel] 81, 116, 127
-lotelhalle hotel vestibule [həu'tel 'vestibju:l] 91
-lotelrestaurant hotel restaurant [həu'tel 'restərɔ̃:ŋ] 91
-lubschrauber helicopter ['helikɔptə] 71
-lüfthalter suspender belt [səs'pendə belt], roll-on ['rəulɔn] 134
-lühnerbrühe chicken broth ['tʃikin brɔθ] 103
-lühnerbrust chicken breast ['tʃikin brest] 105
-lummer lobster ['lɔbstə] 104
-lupe horn [hɔ:n] 53
-lut hat [hæt] 134
-lüttenkäse cottage cheese ['kɔtidʒ tʃi:z] 109

I

ich I [ai]; ~ bin I'm [aim] 187; ~ brauche I want [ai wɔnt]; ~ möchte I should like [ai ʃud laik] 126
Ihr your [jɔ:] 13
Illustrierte (illustrated) magazine [('iləstreitid) mægə'zi:n] 182
Immobilien *(Geschäft)* estate agent, house agent [is'teit (haus) 'eidʒənt] 128
impfen: sich ~ lassen to be immunized [tə bi 'imjunaizd] 164
Impfpaß international vaccination certificate [intə'næʃənl væksi'neiʃən sə'tifikit] 79
Impfschein vaccination certificate [væksi'neiʃən sə'tifikit] 78
inbegriffen included [in'klu:did] 83
Informationsschalter information desk [infə'meiʃən desk] 69
Ingenieur engineer [endʒi'niə] 36
inhalieren to inhale [tu in'heil] 175
Injektion injection [in'dʒekʃən] 174
Inlandsbrief inland letter ['inlənd 'letə] 145
Inlandskarte inland card ['inlənd kɑ:d] 145
innen inside ['in'said] 47
Innenkabine inside cabin ['in'said 'kæbin] 73
Innenstadt city centre, town centre ['siti (taun) 'sentə] 121
innerhalb *(zeitlich)* within [wi'ðin] 32
innerlich: ~ anzuwenden *(Medizin)* for internal use [fər in'tə:nl ju:s] 159
Insektenmittel insect repellent ['insekt ri'pelənt] 160
Insel island ['ailənd] 73
Installateur plumber ['plʌmə] 36
Institut institute ['institju:t] 38
Inszenierung production [prə'dʌkʃən] 177
Internist specialist for internal diseases ['speʃəlist fər in'tə:nl di'zi:ziz] 162
Ischias sciatica [sai'ætikə] 170
Isolierung insulation [insju'leiʃən] 53

J

ja yes [jes] 21
Jacht yacht [jɔt] 76
Jacke jacket ['dʒækit] 134
Jackenkleid dress and jacket [dres ənd 'dʒækit], two-piece ['tu:'pi:s] 134

Jackett jacket ['dʒækit] 134
Jagd hunting ['hʌntiŋ], shooting ['ʃuː-tiŋ] 188
Jagdgewehr sporting rifle, sporting gun ['spɔːtiŋ 'raifl (gʌn)] 143
Jagdschein shooting licence ['ʃuːtiŋ 'laisəns] 188
Jahr year [jəː] 32, 34
Jahrhundert century ['sentʃuri]; period ['piəriəd] 119
Januar January ['dʒænjuəri] 33
jede(r, -s) every ['evri] 32
jederzeit at any time [ət 'eni taim] 32
jemand someone ['sʌmwʌn] 41; anyone ['eniwʌn] 85
jetzt now [nau] 32, 66
Jodtinktur tincture of iodine ['tiŋktʃər əv 'aiədain] 160
Johannisbeeren: rote (schwarze)
  ~ redcurrants [red'kʌrənts] (blackcurrants [blæk'kʌrənts]) 110
Johannisbeersaft: schwarzer ~
  blackcurrant juice ['blæk'kʌrənt dʒuːs] 112
Joker *(Spielkarte)* joker ['dʒəukə] 181
Journalist journalist ['dʒəːnəlist] 36
Jude Jew [dʒuː] 123
Jugendgruppe youth group [juː'θ gruːp] 95
Jugendherberge youth hostel [juː'θ 'hɔstəl] 95
Juli July [dʒuː'lai] 33
jung young [jʌŋ]; **jünger** younger ['jʌŋgə] 35; *(Wein)* new [njuː] 111
Junge boy [bɔi] 35
Juni June [dʒuːn] 33
Jura law [lɔː] 39
Juwelier jeweller ['dʒuːələ] 128

K

Kabel cable ['keibl] 53
Kabeljau cod(fish) ['kɔd(fiʃ)] 104
Kabine cabin ['kæbin] 74; *(Telefon)* box [bɔks]; *(Baden)* dressing cubicle ['dresiŋ 'kjuːbikl] 185
Kaffee coffee ['kɔfi] 98
Kaffeekanne coffee-pot ['kɔfipɔt] 97
Kai quay [kiː] 76
Kajüte cabin ['kæbin] 76
Kakao cocoa ['kəukəu] 98
Kalbfleisch veal [viːl] 107
Kalbsbröschen sweetbread ['swiːt-bred] 107
Kalbskopf calf's head [kɑːfs hed] 105

Kaliber calibre ['kælibə], bore [bɔː] 143
kalt cold [kəuld] 25, 67, 93
Kaltwasser cold water [kəuld 'wɔːtə] 82
Kaltwelle cold perm [kəuld pəːm] 158
Kamillentee camomile tea ['kæməmai ti:] 160
Kamin chimney ['tʃimni]; fireplace ['faiəpleis] 91
Kamm comb [kəum] 141
kämmen to comb [tə kəum] 158
Kammermusik chamber music ['tʃeimbə 'mjuːzik] 177
Kammgarn worsted ['wustid] 136
Kampf *(Sport)* fight [fait] 187
Kanal canal [kə'næl]; *(Ärmel-)* English Channel ['iŋgliʃ 'tʃænl] 76
Kaninchen rabbit ['ræbit] 106
Kännchen pot [pɔt] 96; jug [dʒʌg] 97
Kanne pot [pɔt] 97
Kanzel pulpit ['pulpit] 124
Kapaun capon ['keipən] 105
Kapelle *(Gebäude)* chapel ['tʃæpəl] 124; *(Musik-)* band [bænd] 177
Kapern capers ['keipəz] 101
Kapitän captain ['kæptin] 74
kaputt broken ['brəukən] 88
Karaffe decanter [di'kæntə] 97
Kardanwelle propeller shaft [prə'pelə ʃɑːft] 53
Karfreitag Good Friday [gud 'fraidi] 33
kariert checked [tʃekt] 137
Karies caries ['kɛəriiːz] 174
Karo *(Kartenspiel)* diamonds ['daiə-məndz] 181
Karosserie body ['bɔdi] 53
Karotten carrots ['kærəts] 107
Karpfen carp [kɑːp] 104
Karte *(Land-)* map [mæp] 40; *(Fahr-, Eintritts-)* ticket ['tikit] 62, 176, 187; *(Post-)* card [kɑːd] 145
Kartenspiel game of cards [geim əv kɑːdz] 181
Kartenverkauf booking ['bukiŋ] 177
Kartoffeln potatoes [pə'teitəuz] 108
Kartoffelpüree mashed potatoes [mæʃt pə'teitəuz] 108
Kartoffelsuppe potato soup [pə'teitəu suːp] 103
Karton box [bɔks] 126
Käse cheese [tʃiːz] 109
Kaserne barracks ['bærəks] 121

Kasse booking office [ˈbukiŋ ˈɔfis] 177

Kassettenfilm cartridge film [ˈkɑːtridʒ film] 131

Kastanien chestnuts [ˈtʃesnʌts] 110

kastanienbraun chestnut [ˈtʃesnʌt] 194

Katalog catalogue [ˈkætəlɔg] 167

Kategorie category [ˈkætigəri] 91

Kathedrale cathedral [kəˈθiːdrəl] 124

Katholik (Roman) Catholic [(ˈrəumən) ˈkæθəlik] 123

katholisch (Roman) Catholic [(ˈrəu-mən) ˈkæθəlik] 124

kaufen to buy [tə bai] 126

Kaufhaus department store [diˈpɑːt-mənt stɔː] 128

Kaufmann shopkeeper [ˈʃɔpkiːpə]; *(Groß-)* merchant [ˈməːtʃənt] 37

Kaviar caviar(e) [ˈkævɪɑː] 102

Kegeln skittles [ˈskitlz], ninepins [ˈnainpinz] 188

Kehle throat [θrəut] 167

Kehlkopf larynx [ˈlæriŋks] 167

Keilriemen fan belt [fæn belt] 53

Kekse biscuits [ˈbiskits] 113

Keller cellar [ˈselə]; *(~ geschoß)* basement [ˈbeismənt] 91

Kellner waiter [ˈweitə] 37

Kellnerin waitress [ˈweitris] 37

kennen to know [tə nəu]; **sich ~ to** know one another [tə nəu wʌn əˈnʌðə] 14

Kennzeichen: Besondere ~ Distinguishing marks [disˈtiŋgwiʃiŋ mɑːks] 79

Keramik ceramics [siˈræmiks] 144

Kerze candle [ˈkændl] 144

Kerzenständer candlestick [ˈkændl-stik] 144

Kette chain [tʃein] 53; *(Hals-)* necklace [ˈneklis] 133, 153

Keuchhusten whooping cough [ˈhuː-piŋ kɔf] 170

Keule leg [leg] 106

Kiefer jaw [dʒɔː] 167, 174

Kieferhöhle maxillary sinus [mækˈsi-ləri ˈsainəs] 167

Kilo kilo [ˈkiːləu], *(ca.)* two pounds [tu: paundz] 126

Kilometer kilometre [ˈkiləmiːtə] 193

Kilometerzähler mileage indicator [ˈmailidʒ ˈindikeitə], odometer [əˈdɔm-itə] 57

Kind child [tʃaild] 162; **Kinder** children [ˈtʃildrən] 35, 78, 83, 185

Kinderarzt child specialist [tʃaild ˈspeʃəlist] 162

Kinderbett extra bed [ˈekstrə bed] 83; cot [kɔt] 90

Kinderbuch children's book [ˈtʃildrənz buk] 130

Kinderfahrkarte half [hɑːf]; **~n** halves [hɑːvz] 62

Kindergärtnerin kindergarten teacher [ˈkindəgɑːtn ˈtiːtʃə] 37

Kinderlähmung polio(myelitis) [ˈpəu-liəu(maiəˈlaitis)] 170

Kinderschuhe children's shoes [ˈtʃil-drənz ʃuːz] 139

Kinderspielzimmer children's playroom [ˈtʃildrənz ˈpleirum] 76

Kinn chin [tʃin] 167

Kino cinema [ˈsinəmə] 179

Kirche church [tʃəːtʃ] 119, 123

Kirchendiener verger [ˈvəːdʒə], *(kath.)* sacristan [ˈsækristən] 124

Kirchenkonzert church concert [tʃəːtʃ ˈkɔnsət] 125

Kirschen cherries [ˈtʃeriz] 110

Kirschkuchen cherry cake [ˈtʃeri keik] 114

Kirschlikör cherry brandy [ˈtʃeri ˈbræn-di] 112

klar *(Himmel)* clear [kliə] 26

Klasse class [klɑːs] 62, 64

Kleid dress [dres] 137, 183

Kleiderbügel (coat-)hanger [(ˈkəut-) ˈhæŋə] 87, 91

klein small [smɔːl] 127

Kleingeld small change [smɔːl tʃeindʒ] 151

Kleinkalibergewehr small-bore rifle [ˈsmɔːlbɔː ˈraifl] 143

Klempner plumber [ˈplʌmə] 37

Klima climate [ˈklaimit] 27

Klimaanlage air-conditioning [ˈɛəkən-diʃniŋ] 91

Klingel bell [bel] 88

Klinik hospital [ˈhɔspitl] 162

klopfen to knock [tə nɔk] 54

Kloster *(Mönchs-)* monastery [ˈmɔnə-stəri]; *(Nonnen-)* convent [ˈkɔnvənt] 125

Klub club [klʌb] 181

knapp tight [tait] 133

Knie knee [niː] 167

Kniescheibe knee cap [niː kæp] 167

Kniestrümpfe knee socks [niː sɔks] 134

Knoblauch garlic ['gɑ:lik] 101
Knöchel ankle ['æŋkl] 167
Knochen bone [bəun] 167
Knochenbruch fracture ['fræktʃə] 170
Knopf button ['bʌtn] 137
Knoten knot [nɔt] 76
Koch cook [kuk] 37
kochen to cook [tə kuk] 95
Köchin cook [kuk] 37
Kochnische kitchenette [kitʃi'net] 91
Kochstelle cooking stove ['kukiŋ stəuv] 95 ([fineitid] 98)
koffeinfrei decaffeinated [di'kæ-
Koffer case [keis] 63, 64, 80
Kofferraum boot [bu:t] 53
Kognak cognac ['kɔnjæk], brandy ['brændi] 112
Kohl cabbage ['kæbidʒ] 107
Kohlepapier carbon paper ['kɑ:bən 'peipə] 138
Kohletabletten (medicinal) charcoal tablets [(me'disinl) 'tʃɑ:kəul 'tæblits] 160
Kokosnuß coconut ['kəukənʌt] 110
Kolben piston ['pistən] 53
Kolbenring piston ring ['pistən riŋ] 53
Kolik colic ['kɔlik] 170
Kölnisch Wasser eau de cologne ['əudəkə'ləun] 141
Kombiwagen estate car [is'teit kɑ:], station wagon ['steiʃən 'wægən] 40
Kommandobrücke bridge [bridʒ] 76
kommen to come [tə kʌm] 14, 85, 165;
~ **nach** to get to [tə get tə] 19
Komödie comedy ['kɔmidi] 177
Kompaß compass ['kʌmpəs] 138
Komponist composer [kəm'pəuzə] 177
Kompott stewed fruit [stju:d fru:t] 109
Kompression compression [kəm'preʃ-ən] 53
Kondensator condenser [kən'densə] 53
Kondensmilch condensed milk, evaporated milk [kən'denst (i'væpəreitid) milk] 114
Konditor confectioner [kən'fekʃənə], pastry-cook ['peistrikuk] 37
Konditorei confectionery [kən'fek-ʃnəri] 113
Konfektion (Geschäft) outfitter ['aut-fitə] 128
Konfession denomination [dinɔmi-'neiʃən], Church [tʃə:tʃ] 125
König king [kiŋ] 181

können can [kæn] 20, 156, 159
Konserven tinned food [tind fu:d] 144
Konsulat consulate ['kɔnsjulit] 78, 153
Kontakt contact ['kɔntækt] 53
Kontaktlinsen contact lenses ['kɔn-tækt 'lenziz] 138
Kontrollampe control-lamp [kən-'trəullæmp], indicator light ['indi-keitə lait] 53
Konzert concert ['kɔnsət] 176
Konzertsaal concert hall ['kɔnsət hɔ:l] 177
Kopf head [hed] 163
Kopfkissen pillow ['piləu] 87
Kopfkissenbezug pillow-case ['piləu-keis] 90 ([skælp 'mæsɑ:ʒ] 157)
Kopfmassage scalp massage
Kopfsalat lettuce ['letis] 108
Kopfschmerz headache ['hedeik] 160
Kopfschmerztabletten headache pills ['hedeik pilz] 160
Kopftuch head scarf [hed skɑ:f] 144
Korb basket ['bɑ:skit] 144
Korbball netball ['netbɔ:l] 188
Korinthen currants ['kʌrənts] 101
Korkenzieher corkscrew ['kɔ:kskru:] 97
Körper body ['bɔdi] 167
Körperpuder talcum powder ['tæl-kəm 'paudə] 141
Korridor corridor ['kɔridɔ:] 91
Kosmetiksalon cosmetic salon, cos-metic shop [kɔz'metik 'sælɔ̃:ŋ (ʃɔp)] 128
Kost food [fu:d] 96
kosten to cost [tə kɔst] 18, 41, 147;
Wieviel kostet . . . ? How much is . . . ? [hau mʌtʃ iz] 83
Kostüm suit [sju:t], costume ['kɔs-tju:m] 134
Kotelett chop [tʃɔp] 105
Koteletten (Bart) sideburns ['said-bə:nz] 158
Kotflügel mudguard ['mʌdgɑ:d], wing [wiŋ] 53
Krabben crabs [kræbz] 102, 104
Kraftfahrer driver ['draivə] 37
kräftig (Wein) heavy ['hevi] 111
Kraftwerk power station ['pauə 'stei-ʃən] 121
Krampf cramp [kræmp] 170
krank [il [il] 12, 162, 165   [172]
Krankenhaus hospital ['hɔspitl] 162,)
Krankenschwester nurse [nə:s] 17

Krankenwagen ambulance ['æmbjuləns] 48

Krankheit illness ['ilnis], *(langwierige)* disease [di'zi:z] 170

Krapfen *(mit Sahne)* (cream) doughnuts [(kri:m) 'dəunʌts] 113

Kräuter herbs [hə:bz] 101

Krawatte tie [tai] 134

Krebs *(Tier)* crayfish ['kreifiʃ] 102, shellfish ['ʃelfiʃ] 105; *(Krankheit)* cancer ['kænsə] 170

Kredit credit ['kredit] 152

Kreditbrief letter of credit ['letər əv 'kredit] 152

Kreislauf circulation [sə:kju'leiʃən] 167

Kreislaufmittel something for the circulation ['sʌmθiŋ fɔ ðə sə:kju'leiʃən] 161

Kreislaufstörungen circulatory disturbance [sə:kju'leitəri dis'tə:bəns] 170

Kreisverkehr roundabout ['raundəbaut] 43

Kresse cress [kres] 107

Kreuz cross [krɔs] 125; *(Kartenspiel)* clubs [klʌbz] 181

Kreuzfahrt cruise [kru:z] 76

Kreuzgang cloisters *pl.* ['klɔistəz] 125

Kreuzung crossroads ['krɔsrəudz] 43

Kriminalfilm thriller ['θrilə] 179

Kriminalpolizei plain clothes police [plein kləuðz pə'li:s], criminal investigation department (C.I.D.) ['kriminl investi'geiʃən di'pa:tmənt (si: ai di:)] 154

Kriminalroman detective story [di-'tektiv 'stɔ:ri], thriller ['θrilə] 130

Krone crown [kraun] 174

Kruzifix crucifix ['kru:sifiks] 125

Krypta crypt [kript] 125

Kubikfuß cubic foot ['kju:bik fut] 193

Küche kitchen ['kitʃin] 91

Kuchen cake [keik] 113, 114; **Englischer ~** sultana (fruit) cake [səl-'ta:nə (fru:t) keik] 114

Kuchenbrötchen bun [bʌn] 114

Kugellager ball-bearings ['bɔ:lbɛəriŋz] 53

Kugelschreiber ball-point pen ['bɔ:lpɔint pen] 138

Kühler radiator ['reidieitə] 53

Kühlergrill radiator grille ['reidieitə gril] 53

Kühlschrank refrigerator [ri'fridʒəreitə] 91

Kühlwasser (cooling) water [('ku:liŋ) 'wɔ:tə] 45

Kulturfilm educational film [edju'keiʃənl film] 179

Kümmel caraway (seeds) ['kærəwei (si:dz)] 101

kümmern: sich ~ um to look after [tə luk 'a:ftə] 48

Kundendienst service ['sə:vis] 45

Kunstakademie academy of art [ə'kædəmi əv a:t] 38

Kunstfaser synthetic fibre [sin'θetik 'faibə] 136

Kunstgeschichte history of art ['histəri əv a:t] 39

Kunstgewerbeschule college of applied arts ['kɔlidʒ əv ə'plaid a:ts] 38

Kunsthändler art dealer [a:t 'di:lə] 128

Künstler artist ['a:tist] 37

Kunstseide artificial silk [a:ti'fiʃəl silk] 137

Kuppel dome [dəum], cupola ['kju:-pələ] 125

Kupplung clutch [klʌtʃ] 53

Kupplungspedal clutch pedal [klʌtʃ 'pedl] 53

Kur cure [kjuə], course of treatment [kɔ:s əv 'tri:tmənt] 175

Kuraufenthalt stay at a spa [stei ət ə spa:] 175

Kurbelwelle crankshaft ['kræŋkʃa:ft] 54

Kürbis vegetable marrow ['vedʒitəbl 'mærəu] 108

Kurort spa [spa:], watering place ['wɔ:təriŋ pleis], health resort [helθ ri'zɔ:t] 175

Kurs *(Schiff)* course [kɔ:s] 76; *(Wechsel-)* rate of exchange [reit əv iks-'tʃeindʒ] 152

Kursbuch railway guide ['reilwei gaid] 60

Kurswagen through carriage [θru: 'kæridʒ] 60

Kurtaxe visitor's tax ['vizitəz tæks] 175

Kurve bend [bend] 43

kurz short [ʃɔ:t] 133, 134, 157; *(zeitlich)* ~ **nach** ... shortly after ... ['ʃɔ:tli 'a:ftə] 31; **kürzer machen** to shorten [tə 'ʃɔ:tən] 137

Kurzfilm short film [ʃɔ:t film] 179

Kurzschluß short-circuit ['ʃɔ:t'sə:kit] 54

kurzsichtig short-sighted ['ʃɔːtsaitid] 138

Kurzwaren (Geschäft) haberdashery ['hæbədæʃəri] 128

Kurzwelle short wave [ʃɔːt weiv] 175

Kuss kiss [kis] 184

küssen to kiss [tə kis] 184

Küste coast [kəust] 76

Kutteln tripe [traip] 107

L

Labor laboratory [ləˈbɒrətəri] 163

Lachs salmon [ˈsæmən] 104

Lack (Auto) paintwork [ˈpeintwəːk] 54; (Nagel-) nail varnish [neil ˈvɑːniʃ] 141

Lackierung (Auto) paintwork [ˈpeintwəːk] 54

Laden shop [ʃɒp] 121

Lage area [ˈɛəriə] 81

Lager (techn.) bearing [ˈbɛəriŋ] 54

Lagerbier lager [ˈlɑːgə] 111

Lähmung paralysis [pəˈrælisis] 170

Laken sheet [ʃiːt] 90

Lamm lamb [læm] 106

Lampe lamp [læmp] 91

Land: an ~ gehen to go ashore [tə gəu əˈʃɔː] 72 [72, 76]

Landausflug excursion [iksˈkəːʃən] 72, 76

landen to land [tə lænd] 71

Landkarte map [mæp] 130

Landschaft countryside [ˈkʌntrisaid] 121

Landseite: ... zur ~ ... facing inland [ˈfeisiŋ inˈlænd] 82

Landung landing [ˈlændiŋ] 71

Landungsbrücke landing stage [ˈlændiŋ steidʒ] 76

Landwirt farmer [ˈfɑːmə] 37

lang long [lɒŋ] 133; **länger machen** to lengthen [tə ˈleŋθən] 137

lange (zeitlich) long [lɒŋ] 14; **Wie ~?** For how long? [fə hau lɒŋ] 40

langsam slow [sləu] 42; slowly [ˈsləuli] 24; **~ fahren** (Hinweis) drive slowly [draiv ˈsləuli], slow [sləu] 58; **~er fahren** (Hinweis) reduce speed now [riˈdjuːs spiːd nau] 58

Languste crayfish [ˈkreifiʃ] 104

Langwelle long wave [lɒŋ weiv] 181

Lappen cloth [klɒθ] 57

lassen to leave [tə liːv] 15, 44, 86

Lastauto lorry [ˈlɒri], truck [trʌk] 40

Lastkahn barge [bɑːdʒ] 76

Läufer (Schachfigur) bishop [ˈbiʃəp] 182

leben to live [tə liv] 119

Lebensgefahr danger of death [ˈdeindʒər əv deθ] 191

Lebensmittel (Geschäft) grocer [ˈgrəusə], food shop [fuːd ʃɒp] 128

Lebensmittelgeschäft food shop [fuːd ʃɒp], general store [ˈdʒenərəl stɔː] 94

Lebensmittelvergiftung food-poisoning [ˈfuːdˈpɔisniŋ] 170

Leber liver [ˈlivə] 107, 167

Lebkuchen gingerbread [ˈdʒindʒəbred] 114

Leder leather [ˈleðə] 139

Lederjacke leather jacket [ˈleðə ˈdʒækit]; (Wildleder) suede jacket [sweid ˈdʒækit] 134

Ledermantel leather coat [ˈleðə kəut] 134 [139]

Ledersohle leather sole [ˈleðə səul] 139

Lederwaren (Geschäft) leather shop [ˈleðə ʃɒp] 128

ledig single [ˈsiŋgl] 79

leer: ~ sein (Batterie) to have run down [tə hæv rʌn daun] 51

Leerlauf neutral gear [ˈnjuːtrəl giə] 52

legen (Frisur) to set [tə set] 158; (Wind) **sich ~** to drop [tə drɒp] 26

Lehrbuch textbook [ˈtekstbuk] 130

Lehrer(in) teacher [ˈtiːtʃə] 37

Lehrgang course [kɔːs] 38

Lehrling apprentice [əˈprentis] 37

leicht (Wein) light [lait] 111

Leichtathletik (track and field) athletics pl. [(træk ənd fiːld) æθˈletiks] 188

leid: es tut mir ~ I'm sorry [aim ˈsɔri] 22

leider I'm afraid [aim əˈfreid] 16; unfortunately [ʌnˈfɔːtʃnitli] 22

leihen to lend [tə lend] 48, 57

Leihgebühr hiring charge, hiring fee [ˈhaiəriŋ tʃɑːdʒ (fiː)] 95

Leine cord [kɔːd], rope [rəup]; (Hunde-) (dog's) lead [(dɒgz) liːd] 144

Leinen linen [ˈlinin] 137

Leinwand (Kino) screen [skriːn] 170

Leitung (Wasser-) pipe [paip] 88; (Telefon-) line [lain] 148

Lende loin [lɔin], sirloin [ˈsəːlɔin] 106

Lenkrad steering-wheel [ˈstiəriŋwiːl] 54

Lenkung steering [ˈstiəriŋ] 54

Leseraum reading room ['ri:diŋ rum] 74

Leuchter candlestick ['kændlstik] 125

Leuchtturm lighthouse ['laithaus] 76

Leukämie leukaemia [lju:'ki:mjə] 170

Licht light [lait] 88

Lichthupe flashing signal ['flæʃiŋ 'signl] 53

Lichtmaschine dynamo ['dainəməu], generator ['dʒenəreitə] 54

Lichtschalter switch [switʃ] 91

Lidschatten eye-shadow ['aiʃædəu] 141

Liebe love [lʌv] 184

lieben to love [tə lʌv] 184

Lied song [sɔŋ] 177

Liederabend song recital [sɔŋ ri'saitl] 177

Lieferauto (delivery) van [(di'livəri) væn] 40

Liegekur rest cure [rest kjuə], bed-rest ['bedrest] 175

liegen *(sich befinden)* to be [tə bi:] 73, 116

Liegestuhl deckchair ['dektʃeə] 77, 185

Liegewagen couchette car [ku:'ʃet ka:] 64

Liegewiese gardens *pl.* ['ga:dnz] 91

Likör liqueur [li'kjuə] 112

lila mauve [məuv] 194

Limonade pop [pɔp] 112

Linie route [ru:t] 59

Linienflug scheduled flight ['ʃedju:ld flait] 71

links on the left [ɔn ðə left] 40; **nach** ~ to the left [tə ðə left] 40, 116

Linsensuppe lentil soup ['lentil su:p] 103

Lippe lip [lip] 167

Lippenstift lipstick ['lipstik] 141

Liter litre ['li:tə] 193; *(ca.)* a quart [ə kwɔ:t] 126

Locken curls [kə:lz] 158

Lockenwickler curler ['kə:lə] 141

lockern *(Schraube)* to loosen [tə 'lu:sn] 55

Löffel spoon [spu:n] 97

Loge box [bɔks] 176

Lokomotive engine ['endʒin] 67

Lorbeerblätter bay leaves [bei li:vz] 101

löten to solder [tə 'səuldə] 54

Luft air [ɛə] 27

Luftdruck atmospheric pressure [ætməs'ferik 'preʃə] 27

Luftfilter air filter [ɛə 'filtə] 54

Luftkrankheit air-sickness ['ɛəsiknis] 70, 71

Luftkurort health resort [helθ ri'zɔ:t] 175

Luftmatratze air mattress [ɛə 'mætris] 186

Luftpost air mail [ɛə meil] 150

Luftpostbrief air-mail letter ['ɛəmeil 'letə] 145

Luftpumpe air pump [ɛə pʌmp] 55, 57

Lufttemperatur air temperature [ɛə 'tempritʃə] 186

Lüftung ventilation [venti'leiʃən] 91

Luftzug draught [dra:ft] 27

Lunchpaket packed lunch [pækt lʌntʃ] 86

Lunge lung [lʌŋ] 167

Lungenentzündung pneumonia [nju:-'məunjə] 170

Lupe magnifying glass ['mægnifaiiŋ gla:s] 138

M

machen to do [tə du:] 50

Mädchen girl [gə:l] 35

Magen stomach ['stʌmək] 159, 163, 167

Magenbitter bitters ['bitəz] 112

Magengeschwür peptic ulcer ['peptik 'ʌlsə] 170

Magenschmerzen stomach pains ['stʌmək peinz] 170

mager lean [li:n] 100

Mai may [mei] 33

Mais sweetcorn ['swi:tkɔ:n] 108

Makkaroni macaroni [mækə'rəuni] 103

Makrele mackerel ['mækrəl] 104

Makronen macaroons [mækə'ru:nz] 114

Maler painter ['peintə] 37

Malerei painting ['peintiŋ] 39

manchmal sometimes ['sʌmtaimz] 32

Mandarine tangerine [tændʒə'ri:n] 110

Mandelentzündung tonsillitis [tɔnsi-'laitis] 170

Mandeln *(Körperteil)* tonsils ['tɔnslz] 167; *(Früchte)* almonds ['a:məndz] 110

Maniküre manicure ['mænikjuə] 156

Mann *(Gatte)* husband ['hʌzbənd] 13, 14, 162

Mannschaft *(Schiffs-)* crew [kru:]; *(Sport)* team [ti:m] 188
Manschettenknöpfe cuff-links ['kʌflɪŋks] 133
Mantel coat [kəut] 134
Margarine margarine [maːdʒəˈriːn] 101
Mark: Deutsche ∼ German mark(s) ['dʒɛːmən maːk(s)] 151
Markt market [ˈmaːkit] 121
Markthalle covered market ['kʌvəd ˈmaːkit] 121
Marmelade jam [dʒæm]; *(Orangen-)* marmalade ['maːməleid] 98
März March [maːtʃ] 33
Masche: die ∼n aufnehmen to mend a ladder [tə mend ə ˈlædə] 137
Maschine *(Flugzeug)* plane [plein] 68
Maschinenbau constructional engineering [kənˈstrʌkʃənl endʒiˈniəriŋ] 39
Masern measles ['miːzlz] 170
Massage massage [ˈmæsaːʒ] 175
Masseur masseur [mæˈsəː] 175
Masseuse masseuse [mæˈsəːz] 175
massieren to massage [tə ˈmæsaːʒ] 175
Mast mast [maːst] 76
Mathematik mathematics [mæθiˈmætiks] 39
Matratze mattress [ˈmætris] 90
Matrose sailor [ˈseilə] 77
matt *(Foto)* matt [mæt] 132
Mauer wall [wɔːl] 121
Maurer bricklayer [ˈbrikleiə] 37
Mayonnaise mayonnaise [meiəˈneiz] 101
Mechaniker mechanic [miˈkænik] 37, 48
Medikament, Medizin medicine ['medsin] 39, 159; *(Pillen)* pills *pl.* [pilz] 159
Meer sea [si:] 77
Meerblick: mit ∼ overlooking the sea [əuvəˈlukiŋ ðə si:] 82
Meerrettich horse-radish [ˈhɔːsrædiʃ] 101
Meerwasser sea-water [ˈsiːwɔːtə] 175
mehr more [mɔː] 126
Meile *(statute)* mile [(ˈstætjuːt) mail] 193
mein my [mai] 12, 14
Meißel chisel [ˈtʃizl] 57
Meisterschaft championship [ˈtʃæmpjənʃip] 190

melden: sich ∼ *(Telefon)* to answer the telephone [tə ˈɑːnsə ðə ˈtelifəun]; **der Teilnehmer meldet sich nicht** there's no reply (from this number) [ðɛəz nəu riˈplai frɔm ðis ˈnʌmbə] 148
Melone melon [ˈmelən] 102, 110
Menstruation menstruation [menstruˈeiʃən] 167
Messe Mass [mæs] 125
Messer knife [naif] 97
Messerformschnitt razor cut [ˈreizə kʌt] 157
Meter metre [ˈmiːtə]; *(ca.)* a yard [ə jaːd] 193
Metzger butcher [ˈbutʃə] 37
mich me [mi]; **Es freut ∼ (sehr)** I'm (very) glad [aim (ˈveri) glæd] 12
Miete rent [rent] 91
mieten *(Auto, Boot)* to hire [tə ˈhaiə] 41, 85, 185
Migräne migraine [ˈmiːgrein] 170
Milch milk [milk] 98
Milchbar milk bar [milk baː] 114
Milchgeschäft dairy [ˈdɛəri] 129
Milchkännchen milk jug [milk dʒʌg] 97
Milchmixgetränk milk shake [milk ʃeik] 112
mild mild [maild] 142
Millimeter millimetre [ˈmilimiːtə] 193
Milz spleen [spliːn] 167
minderjährig: ∼ sein to be under age [tə bi ˈʌndə eidʒ], to be a minor [tə bi ə ˈmainə] 35
Mine ball-point refill [ˈbɔːlpɔint ˈriːfil] 138
Mineralbad mineral bath [ˈminərəl baːθ] 175
Mineralwasser mineral water [ˈminərəl ˈwɔːtə] 113
Minigolfanlage miniature golf [ˈminjətʃə gɔlf] 180
Ministerium ministry [ˈministri] 121
Minute minute [ˈminit] 86, 116
mir me [mi] 126
mischen *(Spielkarten)* to shuffle [tə ˈʃʌfl] 181
mit with [wið] 41, 83
Mitgliedskarte membership card [ˈmembəʃip kaːd] 95
mitnehmen to take [tə teik] 69; **jemanden ein Stück ∼** to give someone a lift [tə giv ˈsʌmwʌn ə lift] 48
Mittagessen lunch [lʌntʃ] 91

mittags at noon [ət nu:n] 31
Mitte middle ['midl] 65
Mittel *(Medizin)* remedy ['remidi], medicine ['medsin] 161
Mittelfinger middle finger ['midl 'fiŋgə] 167
Mittelohrentzündung inflammation of the middle ear [inflə'meiʃən əv ðə 'midl iə] 170
Mittelstreifen central reservation ['sentrəl rezə'veiʃən] 43
Mittelwelle medium wave ['mi:djəm weiv] 181
Mitternacht midnight ['midnait] 31
Mittwoch Wednesday ['wenzdi] 33
Modenschau fashion show ['fæʃəu ʃəu] 180
Modeschmuck costume jewellery ['kɔstju:m 'dju:əlri] 133
Modezeitschrift fashion magazine ['fæʃən mæɡə'zi:n] 182
mögen: Möchten Sie . . . ? Would you like . . . ? [wud ju laik] 16; **Ich möchte . . .** I would like . . . [ai wud laik] 99, 113, 126
Mohammedaner Mohammedan [məu'hæmidən] 124
Mohrrüben carrots ['kærəts] 107
Mole pier [piə], jetty ['dʒeti], mole [məul] 77
Moment moment ['məumənt]; **Einen ~, bitte!** Just a minute, please! [dʒʌst ə 'minit pli:z] 87
Monat month [mʌnθ] 32
Mond moon [mu:n] 27
Montag Monday ['mʌndi] 33
Moped moped ['məuped] 41
Morgen morning ['mɔ:niŋ]; **Guten ~!** Good morning! [gud 'mɔ:niŋ] 12; **heute morgen** this morning [ðis 'mɔ:niŋ] 31
morgen tomorrow [tə'mɔrəu] 31, 68; **~ früh** tomorrow morning [tə'mɔrəu 'mɔ:niŋ] 44
Morgenrock dressing gown ['dresiŋ gaun] 135
morgens in the morning [in ðə 'mɔ:-niŋ] 31
Mosaik mosaic [məu'zeiik] 125
Moschee mosque [mɔsk] 125
Moselwein Moselle (wine) [məu'zel (wain)] 111
Moslem Moslem ['mɔzləm] 124
Most cider ['saidə] 112
Motel motel [məu'tel] 81

Motor engine ['endʒin] 54
Motorboot motor boat ['məutə bəut] 75
Motoröl engine oil ['endʒin ɔil] 46
Motorrad motor-bike ['məutəbaik] 41
Motorroller motor scooter ['məutə 'sku:tə] 41
Motorsport motor racing ['məutə 'reisiŋ] 188
Mücke midge [midʒ] 87
Mullbinde gauze bandage [gɔ:z 'bæn-didʒ] 161
Mumps mumps [mʌmps] 170
Mund mouth [mauθ] 167
Mundwasser mouth wash [mauθ wɔʃ] 141
Munition ammunition [æmju'niʃən] 143
Münze coin [kɔin] 148; **weitere ~n einwerfen** to put in more money [tə put in mɔ: 'mʌni] 149
Münzfernsprecher telephone-box ['telifəunbɔks], call-box ['kɔ:lbɔks] 148
Münzwechsler coin-changer ['kɔin-tʃeindʒə] 150
Muscheln *(eßbare)* mussels ['mʌslz]; clams [klæmz] 104; *(Schalen)* shells [ʃelz] 186
Museum museum [mju'ziəm] 116
Musical musical ['mju:zikəl] 177
Musik music ['mju:zik] 177
Musikalienhandlung music shop ['mju:zik ʃɔp] 129
Musiker musician [mju:'ziʃən] 37
Musikstück piece of music [pi:s əv 'mju:zik] 177
Muskatellerwein muscatel (wine) [mʌskə'tel (wain)] 111
Muskatnuß nutmeg ['nʌtmeg] 101
Muskel muscle ['mʌsl] 167
müssen must [mʌst] 16; to have to [tə hæv tə] 165
Mutter mother ['mʌðə] 35
Mütze cap [kæp] 134

N

Nabe hub [hʌb] 54
nach *(zeitlich)* after ['ɑ:ftə] 31, 159; *(Richtung)* to [tə] 40, 145; *(gemäß)* according to [ə'kɔ:diŋ tə] 159
nachfüllen to top up [tə tɔp ʌp] 45

nachgehen (Uhr) to be slow [tə bi sləu] 31

nachlösen (im Zug) to take a supplementary ticket [tə teik ə sʌpli'mentəri 'tikit] 86

Nachmittag afternoon [ɑ:ftə'nu:n]; **heute nachmittag** this afternoon [ðis ɑ:ftə'nu:n] 31

nachmittags in the afternoon [in ði ɑ:ftə'nu:n]; **um 5 Uhr ~** at five p.m. [ət faiv 'pi:'em] 30

Nachnahme cash on delivery [kæʃ ɔn di'livəri], c.o.d. [si: əu di:] 150

Nachrichten news [nju:z] 181

nachsehen (kontrollieren) to check [tə tʃek] 52

nachsenden to send on [tə send ɔn] 89; **sich seine Post ~ lassen** to have one's mail forwarded [tə hæv wʌnz meil 'fɔ:wədid] 146

nächster (Reihenfolge) next [nekst] 32, 183; (örtlich) nearest ['niərist] 40, 147, 159

Nacht night [nait] 82; **Gute ~!** Good night! [gud nait] 17

Nachtdienst: ~ haben (Apotheke) to be open at night [tə bi 'əupən ət nait] 159

Nachthemd nightdress ['naitdres]; (für Herren) night shirt [nait ʃə:t] 134

Nachtklub night-club ['naitklʌb] 180

nachts at night [ət nait] 31, 94

Nachtschwester night nurse [nait nə:s] 172

Nachttarif (Telefon) cheap rate [tʃi:p reit] 148

Nachttisch bedside table ['bedsaid 'teibl] 91

Nachttischlampe reading lamp ['ri:diŋ læmp] 91

Nacken (nape of the) neck [(neip əv ðə) nek] 167

Nadel needle ['ni:dl] 136

Nagel nail [neil] 167

Nagellack nail varnish [neil 'vɑ:niʃ] 141

Nagellackentferner nail-varnish remover ['neilvɑ:niʃ ri'mu:və] 141

Nagelreiniger orange stick ['ɔrindʒ stik] 141

Nagelschere nail scissors pl. [neil 'sizəz] 141

Nähe: hier in der ~ near here [niə hiə] 44

nähertreten: Treten Sie näher! Come in, please [kʌm in pli:z] 16

Nähgarn thread [θred], cotton ['kɔtn] 136

Nähnadel needle ['ni:dl] 136

Nähseide sewing silk ['səuiŋ silk] 136

Name name [neim] 14, 48, 146

Narkose anaesthetic [ænis'θetik] 172

Nase nose [nəuz] 167

Nasenbluten nose bleeding [nəuz 'bli:diŋ] 170

naß wet [wet] 155

Nationalitätszeichen country's identification letter ['kʌntriz aidentifi'keiʃn 'letə] 54

Natron: doppeltkohlensaures ~ bicarbonate of soda [bai'kɑ:bənit əv 'səudə] 161

Naturschutzgebiet national park ['næʃənl pɑ:k], protected area [prə'tektid 'ɛəriə] 121

Nebel fog [fɔg], (Dunst) mist [mist] 27

Nebenstraße side road [said rəud] 121

neblig foggy ['fɔgi] 25

Neffe nephew ['nevju:] 35

Negativ negative ['negətiv] 131

nehmen to take [tə teik] 83, 127, 165

nein no [nəu] 21

Nelken (Blumen) carnations [kɑ:'neiʃənz] 130; (Gewürz) cloves [kləuvz] 101

Nerv nerve [nə:v] 167

Nervenarzt neurologist [njuə'rɔlədʒist] 163

Nervenschock shock [ʃɔk] 170

nett nice [nais], delightful [di'laitful] 16

neu new [nju:] 146

neulich recently ['ri:sntli] 32

neun nine [nain] 28

Neunauge lamprey ['læmpri] 104

Neuralgie neuralgia [njuə'rældʒə] 170

nicht not [nɔt] 31

Nichte niece [ni:s] 35

Nichtraucher (Aufschrift) non-smoker ['nɔn'sməukə] 66

nichts nothing ['nʌθiŋ] 21

Nichtschwimmer non-swimmer ['nɔn'swimə] 186

Niederlage defeat [di'fi:t] 190

Niederschläge precipitation [prisipi'teiʃən] 27

niedrig low [ləu] 169

niemals never ['nevə] 21

Niere kidney ['kidni] 167

Nierenbraten roast loin [rəust lɔin] 106

Nierenentzündung nephritis [ne-'fraitis] 170

Nierensteine kidney-stones ['kidnistəunz] 170

noch still [stil]; ~ einmal again [ə'gen] 15; ~ 5 Minuten another 5 minutes [ə'nʌðə faiv 'minits] 87

Nockenwelle camshaft ['kæmʃɑ:ft] 54

Nordwind north wind [nɔ:θ wind] 27

normal standard ['stændəd] 46

Normalbenzin regular grade (petrol) ['regjulə greid ('petrəl] 45

Notar notary ['nəutəri] 37

Notausgang emergency exit [i'mə:-dʒənsi 'eksit] 71, 191

Notbremse emergency brake [i'mə:-dʒənsi breik] 66

Note note [nəut] 177

Noten music ['mjuzik] 178

nötig essential [i'senʃəl]; die ~sten Reparaturen the essentials [ði i'senʃəlz] 50

Notlandung emergency landing [i'mə:dʒənsi 'lændin] 71

Notrutsche emergency chute [i'mə:-dʒənsi ʃu:t] 71

November November [nəu'vembə] 33

nüchtern: auf ~en Magen on an empty stomach [ɔn ən 'empti 'stʌmək] 159

Nudeln noodles ['nu:dlz] 103

Null zero ['ziərəu], 0 [əu] 28; über (unter) ~ above (below) freezing (point) [ə'bʌv (bi'ləu) 'fri:ziŋ (pɔint)] 25

Nummer number ['nʌmbə] 148; (abgekürzt) no. ['nʌmbə] 74

Nummernschild number plate ['nʌmbə pleit] 54 [156, 157]

nur only ['əunli] 80; just [dʒʌst] 99,

Nüsse nuts [nʌts] 110

Nylon nylon ['nailən] 137

O

oben on top [ɔn tɔp] 156, 157; (Zähne) up here [ʌp hiə], the top teeth [ðə tɔp ti:θ] 165

Ober waiter ['weitə]; Herr ~! Waiter! ['weitə] 96

Oberdeck upper deck ['ʌpə dek] 76

Oberhemd shirt [ʃə:t] 135

Oberkiefer upper jaw ['ʌpə dʒɔ:] 167

Oberschenkel thigh [θai] 168

Oberschule secondary school ['sekəndəri sku:l] 38

Oberschwester sister ['sistə] 172

Obersteward chief steward [tʃi:f stjued] 74

Objektiv lens [lenz] 132

Obst fruit [fru:t] 110

Obstgeschäft fruiterer ['fru:tərə], greengrocer ['gri:ngrəusə] 129

Obstsalat fruit salad [fru:t 'sæləd] 109

Obsttorte fruit flan [fru:t flæn] 114

Ochsenschwanzsuppe oxtail soup ['ɔksteil su:p] 103

Ofen heater ['hi:tə] 91

öffentlich public ['pʌblik] 191

Offizier: 1. ~ 1st officer [fə:st 'ɔfisə] 77

öffnen to open [tu 'əupən] 18, 65, 80, 146

oft often ['ɔfn] 164; Wie oft . . .? How often . . .? [hau 'ɔfn] 72

ohne without [wi'ðaut] 113, 140

Ohnmacht faint [feint] 170

Ohr ear [iə] 167

Ohrenschmerzen earache ['iəreik] 164

Ohrklips ear-clips ['iəklips] 133

Ohrringe ear-rings ['iəriŋz] 133

Oktober October [ɔk'təubə] 33

Öl oil [ɔil] 46, 101

Öleinfüllstutzen oil-filler tube ['ɔil-filə tju:b] 54

Oliven olives ['ɔlivz] 101

Ölkanne oil can [ɔil kæn] 46

Ölmeßstab dip-stick ['dipstik] 54

Ölpumpe oil pump [ɔil pʌmp] 54

Ölsardinen sardines [sɑ:'di:nz] 102

Ölstand oil level [ɔil 'levl] 46

Ölwechsel oil change [ɔil tʃeindʒ] 46

Omelett omelette ['ɔmlit] 108

Onkel uncle ['ʌŋkl] 35

Oper opera ['ɔpərə] 122, 178

Operation operation [ɔpə'reiʃən] 172

Operationssaal operating theatre ['ɔpəreitiŋ 'θiətə] 172

Operette operetta [ɔpə'retə] 178

operieren to operate [tu 'ɔpəreit] 172; operiert werden to have an operation [tə hæv ən ɔpə'reiʃən] 172

Opernglas opera glasses pl. ['ɔpərə 'glɑ:siz] 178

Optiker optician [ɔp'tiʃən] 129

Orangeade orangeade ['ɔrin'dʒeid] 112

orangefarben orange ['ɔrindʒ] 194
Orangenmarmelade marmalade ['mɑ:məleid] 98
Orangensaft orange juice ['ɔrindʒ dʒu:s] 112
Orchester orchestra ['ɔ:kistrə] 178
Ordnung: ... ist nicht in ~ ... is out of order [iz aut əv 'ɔ:də] 23, ... isn't working properly ['iznt 'wə:kiŋ 'prɔpəli] 50; In ~! Right! [rait] 80
Orgel organ ['ɔ:gən] 125
Originalersatzteile ... (Marke) spares [spɛəz] 50
Ortsgespräch local call ['ləukəl kɔ:l] 148
Öse eye [ai]; Haken und ~n hooks and eyes [huks ənd aiz] 136
Ostern Easter ['i:stə] 33
Ostwind east wind [i:st wind] 27
Ouvertüre overture ['əuvətjuə] 178

P

Paar pair [pɛə]; ein ~ Schuhe a pair of shoes [ə pɛər əv ʃu:z] 126, 139
paar: ein ~ ... a few ... [ə fju:] 126, one or two ... [wʌn ɔ: tu:] 87
Päckchen packet ['pækit] 140; (Post) small parcel [smɔ:l 'pɑ:sl] 145
Packpapier brown paper [braun 'peipə] 138
Packung packet ['pækit] 126, 193; (mediz.) packet [pæk] 175
Pädagogik education [edju:'keiʃən] 39
Paket parcel ['pɑ:sl] 145
Paketannahme: Wo ist die ~? Where can I send off a parcel? [wɛə kæn ai send əf ə 'pɑ:sl] 146
Paketausgabe: Wo ist die ~? Where can I collect a parcel? [wɛə kæn ai kə'lekt ə 'pɑ:sl] 146
Paketkarte dispatch note, dispatch form [dis'pætʃ nəut (fɔ:m)] 150
Palast palace ['pælis] 119
Panne breakdown ['breikdaun] 48, 49
Papier paper ['peipə] 132, 138; ~e (Ausweise) documents ['dɔkjumənts] 78
Papierservietten paper napkins ['peipə 'næpkinz] 144
Papiertaschentücher paper handkerchiefs ['peipə 'hæŋkətʃifs] 141
Papiertüte (paper) bag [('peipə) bæg] 126
Paprika paprika ['pæprikə] 101

Paprikaschoten peppers ['pepəz] 108
Parfüm perfume ['pə:fju:m] 80
Parfümerie perfumery [pə'fju:məri] 129
Park park [pɑ:k] 122
Parkdauer: ~ höchstens ... waiting limited to ... ['weitiŋ 'limitid tə] 58
parken to park [tə pɑ:k] 44; ~ verboten no waiting [nəu 'weitiŋ] 58
Parkett stalls [stɔ:lz], (hinterste Plätze) pit [pit] 176
Parkplatz car park [kɑ: pɑ:k] 43, 84
Parkscheibe parking disc ['pɑ:kiŋ disk] 43
Parkuhr parking meter ['pɑ:kiŋ 'mi:tə] 43
Parkverbot no waiting [nəu 'weitiŋ] 43
Parmesankäse Parmesan cheese ['pɑ:mizæn tʃi:z] 109
Partie (Spiel) game [geim] 181
Party party ['pɑ:ti] 183, 184
Paß (Berg) pass [pɑ:s] 43; (Ausweis) passport ['pɑ:spɔ:t] 78, 79, 84
Passagier passenger ['pæsindʒə] 77
Passagierschiff passenger ship ['pæsindʒə ʃip] 77
passen (Kleidung) to fit [tə fit] 133
Paßkontrolle passport control ['pɑ:spɔ:t kən'trəul] 79
Pastete meat pie [mi:t pai] 107
Pastor (Engl. Staatskirche) rector ['rektə], vicar ['vikə]; (Freikirchen) minister ['ministə], pastor ['pɑ:stə] 125
Patient(in) patient ['peiʃənt] 172
Patrone cartridge ['kɑ:tridʒ] 143
Pause interval ['intəvəl] 178
Pavillon pavilion [pə'viljən] 122
Pedal pedal ['pedl] 54
Pediküre pedicure ['pedikjuə] 156
Pelzgeschäft furrier ['fə:riə] 129
Pelzjacke fur jacket [fə: 'dʒækit] 135
Pelzmantel fur coat [fə: kəut] 135
Pension boarding-house ['bɔ:diŋhaus] 81
Perlen pearls [pə:lz] 133
Perlhuhn guinea-fowl ['ginifaul] 105
Person person ['pə:sn]; für vier ~en for four (people) [fɔ fɔ: ('pi:pl)] 41, 82, 96
Personenauto passenger car ['pæsindʒə kɑ:] 40
Personenzug slow train [sləu trein] 60
persönlich personal ['pə:snl] 80
Perücke wig [wig] 156

Petersilie parsley ['pɑ:sli] 101

Pfarrer clergyman ['klɑːdʒimən] 37

Pfeffer pepper ['pepə] 101

Pfefferminze peppermint ['pepəmint] 161

Pfefferstreuer pepper-pot ['pepəpɔt] 97

Pfeife pipe [paip] 140

Pfeifenreiniger pipe cleaner [paip 'kliːnə] 140

Pfeiler pillar ['pilə] 125

Pferd horse [hɔːs] 189

Pferdewagen horse-drawn vehicle ['hɔːsdrɔːn 'viːikl] 41

Pfingsten Whitsun(tide) ['witsn (-taid)] 33

Pfirsich peach [piːtʃ] 110

Pflaumen plums [plʌmz] 110

Pflaumenkuchen plum flan [plʌm flæn] 114

Pförtner porter ['pɔːtə] 91

Pfund pound [paund] 193; (Geld) pound 151

Pharmazie pharmacy ['fɑːməsi] 39

photographieren to take photographs [tə teik 'fəutəgrɑːfs] 119

Physik physics ['fiziks] 39

Pianist pianist ['piənist] 178

Pik (Kartenspiel) spades [speidz] 181

Pillen pills [pilz] 161

Pilze mushrooms ['mʌʃrumz] 108

Pilzsuppe mushroom soup ['mʌʃrum suːp] 103

Pinte pint [paint] 193

Pistole pistol ['pistl] 143

Plastikbeutel plastic bag ['plæstik bæg] 144

Platte (Tischgerät) serving dish ['sɜː- viŋ diʃ] 97; (Schall-) (gramophone) record [('græməfəun) 'rekɔːd] 182

Plattenspieler record-player ['rekɔːd- pleiə] 181

Platz (Sitz-) seat [siːt] 65, 176; ~ nehmen to sit down [tə sit daun] 16; (Camping-) site [sait] 94; (in einer Stadt) square [skwɛə] 116; Ist noch ein ~ frei? Is there still room? [iz ðɛə stil rum] 44

Platzanweiserin usherette [ʌʃə'ret] 179

Plätzchen biscuits ['biskits] 114

Platzkarte seat reservation [siːt rezə- 'veiʃən] 62

Pleuellager connecting-rod bearing [kə'nektiŋrɔd 'bɛəriŋ] 54

Pleuelstange connecting rod [kə'nek- tiŋ rɔd] 54

Plombe (Zahn) filling ['filiŋ] 173, 174

plombieren to fill [tə fil] 174

plötzlich suddenly ['sʌdnli] 54

Pocken smallpox ['smɔːlpɔks] 78, 171

polieren to polish [tə 'pɔliʃ] 156

Politiker politician [pɔli'tiʃən] 37

Politologie political science [pə'litikəl 'saiəns] 39

Polizei police [pə'liːs] 48

Polizeirevier police station [pə'liːs 'steiʃən] 116

Polizeiwagen police car [pə'liːs kɑː] 154

Polizist policeman [pə'liːsmən] 122, 154

Pommes frites chips [tʃips], French fries [frentʃ fraiz] 107

Pony(frisur) fringe [frindʒ] 158

Portal portal ['pɔːtəl], gateway ['geit- wei] 123

Portemonnaie purse [pəːs] 153

Portier porter ['pɔːtə] 91

Portion portion ['pɔːʃən] 96, 115

Porto postage ['pəustidʒ] 145

Porzellan china ['tʃainə] 144

Porzellangeschäft china shop ['tʃainə ʃɔp] 129

Post letters ['letəz] 85, 89, 146; mail [meil] 146; (~amt) post office [pəust 'ɔfis] 145, 150

Postamt post office [pəust 'ɔfis] 116, 145, 150

Postanweisung postal order ['pəustl 'ɔːdə] 146

Postbeamter post-office clerk ['pəust- ɔfis klɑːk] 37

Postfach post-office box (P.O.B.) ['pəustɔfis bɔks (piː əu biː)] 150

Postkarte postcard ['pəustkɑːd] 85, 145, 150

postlagernd poste restante [pəust 'restɑ̃nt] 146

Postsparbuch post-office savings book ['pəustɔfis 'seiviŋz buk] 146

Pralinen chocolates ['tʃɔklits] 114

Predigt: die ~ halten to be preaching [tə biː 'priːtʃiŋ] 123

Preis price [prais] 81

Preiselbeeren cranberries ['krænbəriz] 110

Priester priest [priːst] 123

Prima! Fine! [fain] 21

Privatstrand private beach ['praivit bi:tʃ] 92
Privatstraße private road ['praivit rəud] 191
Privatzimmer rooms in private houses [rumz in 'praivit 'hauziz] 81
pro per [pə] 44, 83
Professor: Herr ~ (Anrede) Professor ... [prə'fesə] 13
Programm programme ['prəugræm] 181
Programmheft programme ['prəugræm] 178
Programmvorschau trailer ['treilə] 179
Promenadendeck promenade deck ['prɔminɑ:d dek] 76
Protestant Protestant ['prɔtistənt] 124
protestantisch Protestant ['prɔtistənt] 125
Prothese denture(s) ['dentʃə(z)] 173
Provision bank charges [bæŋk 'tʃɑ:dʒiz] 152
provisorisch: etwas ~ behandeln to do a temporary job on something [tə du ə 'tempərəri dʒɔb ɔn 'sʌmθiŋ] 173
Prozession procession [prə'seʃən] 125
prüfen to check [tə tʃek] 45, 47, 50
Prüflampe test lamp [test læmp] 57
Psychologie psychology [sai'kɔlədʒi] 39
Puder powder ['paudə] 141
Puderdose powder compact ['paudə 'kɔmpækt] 141
Puderquaste powder puff ['paudə pʌf] 141
Pullover pullover ['puləuvə], jumper ['dʒʌmpə], sweater ['swetə] 135
Pulver (Medizin) powder ['paudə] 161
Punkt point [pɔint] 190
pünktlich on time [ɔn taim] 66; (mit Uhrzeit): ~ **um 11 (Uhr)** at 11 (o'clock) sharp [ət i'levn (ə'klɔk) ʃɑ:p] 30
Punsch punch [pʌntʃ] 112
Puppe doll [dɔl] 144
Pute(r) turkey ['tə:ki] 105

Q

Quadratfuß square foot [skwɛə fut] 193
Quadratmeile square mile [skwɛə mail] 193

Quadratmeter square metre [skwɛə 'mi:tə] 193
Qualle jellyfish ['dʒelifiʃ] 186
Quart quart [kwɔ:t] 193
Quetschung bruise [bru:z] 170
Quitte quince [kwins] 110
Quittung receipt [ri'si:t] 152

R

Rad wheel [wi:l] 47
Radfahrer cyclist ['saiklist] 189
Radfahrweg cycle track ['saikl træk] 43
Radiergummi (india)rubber [(('indiə-) 'rʌbə] 138
Radio wireless ['waiəlis], radio ['reidiəu] 180
Radkappe hub-cap ['hʌbkæp] 55
Radrennen cycle race ['saikl reis] 189
Radsport cycling ['saikliŋ] 189
Ragout ragout ['rægu:] 106
Rahmsauce cream sauce [kri:m sɔ:s] 101
Rang (Theater) circle ['sə:kl]; **1. ~** dress circle [dres 'sə:kl]; **2. ~** upper circle ['ʌpə 'sə:kl] 176
Rasen grass [grɑ:s]; ~ **nicht betreten! keep off the grass!** [ki:p ɔf ðə grɑ:s] 191
Rasierapparat (safety) razor [('seifti 'reizə] 141
rasieren to shave [tə ʃeiv] 157
Rasierklingen razor blades ['reizə bleidz] 141
Rasierkrem shaving cream ['ʃeiviŋ kri:m] 141
Rasiermesser (cut-throat) razor [('kʌt-θrəut) 'reizə] 142
Rasierpinsel shaving brush ['ʃeiviŋ brʌʃ] 142
Rasierseife shaving soap ['ʃeiviŋ səup] 142
Rasierwasser shaving lotion ['ʃeiviŋ 'ləuʃən]; (nach der Rasur) after-shave (lotion) ['ɑ:ftəʃeiv ('ləuʃən)]; (vor der Rasur) pre-shave (lotion) ['pri:ʃeiv ('ləuʃən)] 142
Rathaus town hall [taun hɔ:l] 116, 122
rauchen to smoke [tə sməuk] 70, 165;
Rauchen verboten! No smoking [nəu 'sməukiŋ] 191
Raucher smoker ['sməukə] 66
Räucherhering kipper ['kipə] 98
Räucherlachs smoked salmon [sməukt 'sæmən] 102

Rauschgift drugs *pl.* [drʌgz], narcotics *pl.* [naːˈkɔtiks] 154

Rebhuhn partridge [ˈpaːtridʒ] 105

Rechnung bill [bil] 89, 115

rechts on the right [ɔn ðə rait] 40; **nach ~** to the right [tə ðə rait] 40, 157; **Rechts abbiegen verboten** No right turn [nəu rait təːn] 58

Rechtsanwalt barrister [ˈbæristə], solicitor [səˈlisitə] 37

rechtzeitig in (good) time [in (gud) taim] 32

Reck horizontal bar [hɔriˈzɔntl baː] 188

Reederei shipping company [ˈʃipiŋ ˈkʌmpəni] 73

Regen rain [rein] 27

Regenmantel raincoat [ˈreinkəut] 135

Regenschauer shower [ˈʃauə] 27

Regenschirm umbrella [ʌmˈbrelə] 144

Regie production [prəˈdʌkʃən] 178

Regisseur producer [prəˈdjuːsə] 178

regnen to rain [tə rein]; **es regnet** it's raining [its ˈreiniŋ] 27

Reh *(Küche)* venison [ˈvenzn] 107

reichen *(geben)* to pass [tə paːs] 99

Reifen tyre [ˈtaiə] 46, 47; **schlauchloser ~** tubeless tyre [ˈtjuːblis ˈtaiə] 47

Reifendruck tyre pressure [ˈtaiə ˈpreʃə] 47

Reifenpanne puncture [ˈpʌŋktʃə] 47

Reifenwechsel changing a wheel [ˈtʃeindʒiŋ ə wiːl] 47

Reihe *(Sitz-)* row [rəu] 176

Reineclauden greengages [ˈgriːngeidʒiz] 110

reinigen to clean [tə kliːn] 56; **etwas ~ lassen** to have something cleaned [tə hæv ˈsʌmθiŋ kliːnd] 137

Reinigung cleaner(s) [ˈkliːnə(z)]; **chemische ~** dry cleaners [drai ˈkliːnəz] 129

Reis rice [rais] 103

Reisbrei rice pudding [rais ˈpudiŋ] 109

Reise journey [ˈdʒəːni] 12, 17

Reiseandenken souvenir [ˈsuːvəniə] 80; *(Geschäft)* souvenir shop [ˈsuːvəniə ʃɔp] 129

Reisebüro travel agency [ˈtrævl ˈeidʒənsi] 82

Reiseführer guidebook [ˈgaidbuk] 130

Reisegruppe party [ˈpaːti] 78

Reiseleiter courier [ˈkuːriə] 74

Reiseleitung courier's office [ˈkuːriəz ˈɔfis] 74

Reiselektüre something to read on a journey [ˈsʌmθiŋ tə riːd ɔn ə ˈdʒəːni] 130

Reiseomnibus coach [kəutʃ] 41

Reisepass passport [ˈpaːspɔːt] 79

Reisescheck traveller's cheques [ˈtrævləz tʃeks] 127, 151

Reisetasche (travelling) bag [(ˈtrævliŋ) bæg] 63

Reißverschluß zip (fastener) [zip (ˈfaːsnə)] 136

reiten to ride [tə raid] 189

Reiter rider [ˈraidə] 189

Reitschule riding school [ˈraidiŋ skuːl], riding stables *pl.* [ˈraidiŋ ˈsteiblz] 180

Reitsport riding [ˈraidiŋ] 189

Religion religion [riˈlidʒən] 125

religiös religious [riˈlidʒəs] 125

Reling railing [ˈreiliŋ] 77

Remouladensoße tartar sauce [ˈtaːtə sɔːs] 101

Rennboot racing boat [ˈreisiŋ bəut] 187

Rennen race [reis] 187, 188

Rennfahrer racing driver [ˈreisiŋ ˈdraivə] 188

Rennwagen racing car [ˈreisiŋ kaː] 189

Rentner (old-age) pensioner [(ˈəuldeidʒ) ˈpenʃənə] 37

Reparatur repair [riˈpɛə] 55, 142

Reparaturwerkstatt service garage [ˈsəːvis ˈgæraːdʒ] 48, 50, repair shop [riˈpɛə ʃɔp] 48

reparieren to repair [tə riˈpɛə] 46, 50, 138, *etc.*

Reservekanister spare can [spɛə kæn] 55

Reserverad spare wheel [spɛə wiːl] 47

Reservetank reserve tank [riˈzəːv tæŋk] 45

reservieren to book [tə buk] 62, to reserve [tə riˈzəːv] 96

Restaurant restaurant [ˈrestərɔ̃ŋ] 96

Rettungsboot lifeboat [ˈlaifbəut] 75

Rettungsring life-belt [ˈlaifbelt] 77

Rettungsstation first-aid post [ˈfəːsteid pəust], *(im Krankenhaus)* casualty department [ˈkæʒjuəlti diˈpaːtmənt] 122

retuschieren to touch up [tə tʌtʃ ʌp] 131

Rezept prescription [priˈskripʃən] 159

Rezeption reception [ri'sepʃən] 92

rezeptpflichtig: Ist ... ∼? Do I need a prescription for ...? [du ai niːd ə pri'skripʃən fə] 159

Rhabarber rhubarb ['ruːbɑːb] 110

Rheinwein hock [hɔk], Rhenish wine ['riːniʃ wain] 111

Rheuma rheumatism ['ruːmətizəm] 170

Richter judge [dʒʌdʒ] 37

richtig right [rait] 21, 31, 40

Richtung direction [di'rekʃən] 40, 116

Rind(fleisch) beef [biːf] 105

Rindsrouladen beef olives [biːf 'ɔlivz] 105

Ring ring [riŋ] 133

ringen to wrestle [tə 'resl] 189

Ringer wrestler ['reslə] 189

Ringfinger third finger, ring finger [θəːd (riŋ) 'fiŋgə] 167

Ringkampf wrestling ['resliŋ] 189

Rippe rib [rib] 167

Rippenfellentzündung pleurisy ['pluərisi] 170

Rizinusöl castor oil ['kɑːstər ɔil] 161

Rock skirt [skəːt] 135

Rodeln to tobogganing [tə'bɔgəniŋ] 189

roh raw [rɔː] 100

Rolle role [rəul] 126; (Theater) part [pɑːt], role [rəul] 178

Rollfilm roll film [rəul film] 132

Rolltreppe escalator ['eskəleitə] 191

Roman novel ['nɔvəl] 130

romanisch Romanesque [rəumə'nesk] 125

Romanistik Romance languages ['rəu'mæns 'læŋgwidʒiz] 39

Röntgenaufnahme X-ray ['eksrei] 172

rosa pink [piŋk] 194

Rosen roses ['rəuziz] 130

Rosenkohl Brussels sprouts ['brʌsl 'sprauts] 107

Rosenkranz rosary ['rəuzəri] 125

Rosinen raisins ['reiznz] 101

Rosmarin rosemary ['rəuzməri] 101

rot red [red] 194

Rotkohl red cabbage [red 'kæbidʒ] 107

Rotwein red wine [red wain] 111

rouge rouge [ruːʒ] 142

Roulade collared beef ['kɔləd biːf] 105

Rüben: rote ∼ beetroot ['biːtruːt] 107; weiße ∼ swede [swiːd] 108

Rückantwort: mit bezahlter ∼ reply-paid [ri'plaipeid] 147

Rücken back [bæk] 167; (Fleischstück) saddle ['sædl] 106

Rückenmark spinal cord ['spainl kɔːd] 167

Rückenschmerzen back-ache ['bæk-eik] 171

Rückfahrkarte return (ticket) [ri'təːn ('tikit] 62

Rückflug return flight [ri'təːn flait] 71

Rückgrat spine [spain] 167

Rückporto return postage [ri'təːn 'pəustidʒ] 150

Rucksack rucksack ['ruksæk] 144

Rücksitz back seat [bæk siːt] 55

Rückspiegel rear-view mirror ['riəvjuː 'mirə] 55

rückwärts: (im Zug) ∼ fahren to travel with one's back to the engine [tə trævl wið wʌnz bæk tə ði 'endʒin] 66

Rückwärtsgang reverse (gear) [ri'vəːs (giə)] 52

Ruder rudder ['rʌdə] 77

Ruderboot rowing boat ['rəuiŋ bəut] 186

Ruderer oarsman ['ɔːzmən] 189

Rudern rowing ['rəuiŋ] 189

rufen (herbeiholen) to fetch [tə fetʃ] 75, 123; to get [tə get] 162

Ruhe: in ∼ lassen to leave alone [tə liːv ə'ləun] 15

ruhig quiet ['kwaiət] 81

Ruhr dysentery ['disntri] 171

Rühreier scrambled eggs ['skræmbld egz] 98, 108

Ruine ruin ['ruːin] 122

Rum rum [rʌm] 112 [106]

Rumpsteak rump steak [rʌmp steik]

rund round [raund] 156

runderneuern to retread [tə ri'tred] 46

Rundfahrt sightseeing tour ['saitsiːiŋ tuə] 122

Rundfunk radio ['reidiəu], wireless ['waiəlis] 181

Rundfunkgesellschaft broadcasting corporation ['brɔːdkɑːstiŋ kɔːpə'reiʃən] 192

Rundreisekarte ticket for a round trip ['tikit fər ə raund trip] 73

rutschen to slip [tə slip] 53

Rutschgefahr (Schild) slippery road ['slipəri rəud] 43

S

Sache thing [θiŋ] 185; article ['ɑːtikl] 80; *(Angelegenheit)* affair [əˈfɛə] 154
Sackgasse cul-de-sac ['kuldəˈsæk] 121
Saft juice [dʒuːs] 112
saftig juicy ['dʒuːsi] 100
sagen to tell [tə tel] 20
Sahne cream [kriːm] 113
Sahnebaiser meringue [məˈræŋ] 114
Saison season ['siːzn] 92
Saisonzuschlag seasonal surcharge ['siːzənl 'səːtʃɑːdʒ] 83
Sakko jacket ['dʒækit] 135
Sakristei vestry ['vestri], *(kath.)* sacristy ['sækristi] 125
Salat salad ['sæləd] 108
Salbe ointment ['ɔintmənt] 161
Salondeck saloon deck [səˈluːn dek] 76
Salz salt [sɔːlt] 101
Salzgehalt saline content ['seilain 'kɔntent] 186
salzig: zu ~ too salty [tuː 'sɔːlti], oversalted ['əuvəˈsɔːltid] 115
Salzkartoffeln boiled potatoes [bɔild pəˈteitəuz] 108
Salzstreuer salt-cellar ['sɔːltselə] 97
Sammelfahrschein party ticket ['pɑːti 'tikit] 62
Samstag Saturday ['sætədi] 33
Samt velvet ['velvit] 137
Sanatorium sanatorium [sænəˈtɔːriəm] 175
Sand sand [sænd] 186
Sandalen sandals ['sændlz] 139
Sandkuchen madeira cake [məˈdiərə keik] 114
Sandstrand sandy beach ['sændi biːtʃ] 186
Sänger(in) singer ['siŋə] 178
Sanitätsraum first-aid post ['fəːstˈeid pəust] 60
Sanitätsstelle first-aid post ['fəːstˈeid pəust] 65
Sankt Saint [sənt] 192
Sardellen anchovies ['æntʃəviz] 102
Sarkophag sarcophagus [sɑːˈkɔfəgəs] 125
satt: Ich bin ~. I have had enough. [ai hev hæd iˈnʌf] 99
säubern to clean [tə kliːn] 47
Sauciere sauce-boat ['sɔːsbəut] 97
sauer sour ['sauə] 115

Säule pillar ['pilə] 125
Sauna sauna ['sɔːnə] 175
Schach chess [tʃes] 180; ~ spielen to play chess [tə plei tʃes] 180
Schachtel box [bɔks] 140
schade: (Wie) Schade! What a pity! [wɔt ə 'piti] 22
Schädel skull [skʌl] 167
Schaffner *(Bus-)* conductor [kənˈdʌktə] 59; *(Zug-)* guard [gɑːd] 67
Schal scarf [skɑːf] 135
Schalentiere crustaceans [krʌsˈteiʃjənz], shell-fish ['ʃelfiʃ] 104
Schallplatte (gramophone) record [('græməfəun) 'rekɔːd] 130
Schallplattengeschäft record shop ['rekɔːd ʃɔp] 130
Schalter *(Licht-)* switch [switʃ] 55; *(Post-)* counter ['kauntə] 150
Schalthebel gear lever [giə 'liːvə] 55
scharf *(Speise)* highly seasoned ['haili 'siːznd], hot [hɔt] 115
Scharlach scarlet fever ['skɑːlit 'fiːvə] 171
Schaufenster shop window [ʃɔp 'windəu] 129
Schauspiel play [plei] 178
Schauspieler actor ['æktə] 178
Schauspielerin actress ['æktris] 178
Scheck cheque [tʃek] 151
Scheckkarte cheque card [tʃek kɑːd] 152
Scheibe *(Brot etc.)* slice [slais] 98; *(Fenster)* window ['windəu] 47; *(Schieß-)* target ['tɑːgit] 189
Scheibenbremse disc brake [disk breik] 51
Scheibenwaschanlage windscreen washer ['windskriːn 'wɔʃə] 55
Scheibenwischer windscreen wiper ['windskriːn 'waipə] 55
scheinen *(den Anschein haben)* to seem [tə siːm] 115
Scheinwerfer headlights ['hedlaits] 55
Scheitel parting ['pɑːtiŋ] 157
Schellfisch haddock ['hædək] 98, 104
Schenkel thigh [θai] 168
Schere scissors pl. ['sizəz] 136
Scheuertuch floor cloth [flɔː klɔθ] 87
Schi ski [skiː] 189; ~ laufen to ski [tə skiː] 189
schicken to send [tə send] 48, 127
Schiebedach sliding (sun, sunshine) roof ['slaidiŋ (sʌn, 'sʌnʃain) ruːf] 55

Schiedsrichter referee [refə'ri:] 188
Schienbein tibia ['tibiə], shin [ʃin] 168
schießen to shoot [tə ʃu:t] 189
Schießsport shooting ['ʃu:tiŋ] 189
Schießstand rifle-range ['raiflreindʒ],
butts [bʌts] 189
Schiff boat [bəut] 72, ship [ʃip] 73;
(Kirchen-) nave 125
Schiffbau ship-building ['ʃipbildiŋ] 39
Schiffsagentur shipping agency ['ʃip-
iŋ 'eidʒənsi] 77
Schiffsarzt ship's doctor [ʃips 'dɔktə]
75, 77
Schiffsplatz passage ['pæsidʒ] 73
Schiffsreise voyage ['vɔiidʒ] 77
Schihose ski trousers pl. [ski: 'trauzəz]
135
Schildkröte turtle ['tə:tl] 105
Schildkrötensuppe turtle soup ['tə:tl
su:p] 103; falsche ~ mockturtle
soup ['mɔk'tə:tl su:p] 103
Schilift ski lift [ski: lift] 189
Schilling Austrian schilling(s) ['ɔstriən
'ʃiliŋ(z)] 152
Schinken ham [hæm] 102, 106; ge-
räucherter ~ gammon ['gæmən]
102
Schirm umbrella [ʌm'brelə] 153
Schisport skiing ['ski:iŋ] 189
Schiwachs ski wax [ski: wæks] 189
Schlafanzug pyjamas pl. [pə'dʒɑ:məz]
Schläfe temple ['templ] 168
schlafen to sleep [tə sli:p] 12, 164
Schlaflosigkeit insomnia [in'sɔmniə]
171
Schlafraum dormitory ['dɔ:mitri] 95
Schlafsack sleeping bag ['sli:piŋ bæg]
95
Schlaftabletten sleeping pills ['sli:piŋ
pilz] 161
Schlafwagen sleeper ['sli:pə] 61
Schlafwagenkarte sleeper reserva-
tion ['sli:pə rezə'veiʃən] 62
Schlafzimmer bedroom ['bedrum] 93
Schlaganfall stroke [strəuk] 171
Schlagsahne whipped cream [wipt
kri:m] 114
Schlamm mud [mʌd] 175
Schlauch (Reifen) (inner) tube [('inə)
tju:b] 46
Schlauchboot rubber dinghy ['rʌbə
'diŋgi] 186
schlecht (Wetter) bad [bæd] 25; Mir
ist ~. I feel sick. [ai fi:l sik] 70, 163
Schlei(e) tench [tenʃ] 104

Schleimhaut mucous membrane
['mju:kəs 'membrein] 168
Schlepper tug [tʌg] 77
schließen to close [tə kləuz] 18, 44,
191, (Fenster) to shut [tə ʃʌt] 65, 88
Schließfach luggage locker ['lʌgidʒ
'lɔkə] 63
schlimm (Krankheit) serious ['siəriəs]
164
Schlitten toboggan [tə'bɔgən] 189
Schlittschuhe skates [skeits] 188
Schlittschuhläufer skater ['skeitə]
188
Schloß (Gebäude) castle ['kɑ:sl] 119
Schlosser locksmith ['lɔksmiθ] 37
Schlüpfer panties pl. ['pæntiz], (mit
Bein) knickers pl. ['nikəz] 135
Schlüssel key [ki:] 85, 86, 88
Schlüsselbein collar-bone ['kɔləbəun]
168
Schlußlicht rear light [riə lait] 55
schmal narrow ['nærəu] 127
Schmalz lard [lɑ:d], dripping ['dripiŋ]
101
schmecken: Hat es Ihnen ge-
schmeckt? Did you enjoy it? [did
ju in'dʒɔi it] 99
Schmelzkäse cheese spread [tʃi:z
spred] 109
Schmerzen pain [pein] 163, 171
Schmerztabletten anodyne ['ænəu-
dain], pain-killing tablets ['peinkiliŋ
'tæblits] 161
Schmirgelpapier emery paper ['eməri
'peipə] 57
Schmuck jewellery ['dʒu:əlri] 133
Schmuggel smuggling ['smʌgliŋ]
154
Schnalle buckle ['bʌkl] 136
Schnapsglas brandy-glass ['brændi-
glɑ:s] 97
Schnee snow [snəu] 27
Schneegestöber snow flurry [snəu
'flʌri] 27
Schneeketten (snow) chains [(snəu)
tʃeinz] 53
Schneesturm snowstorm ['snəu-
stɔ:m], blizzard ['blizəd] 27
schneiden to cut [tə kʌt] 155, 158
Schneider(in) (Herren) tailor ['teilə],
(Damen) dressmaker ['dresmeikə]
37
Schneiderei (Herren) tailor ['teilə],
(Damen) dressmaker ['dresmeikə]
129

Schneidezahn incisor [in'saizə] 174
schneien to snow [tə snəu] 25; **es
schneit** it's snowing [its 'snəuiŋ] 27
schnell fast [fɑːst] 42, quick(ly)
['kwik(li)] 48
Schnellbahn suburban express train
[sə'bəːbən iks'pres trein] 122
Schnellverband adhesive dressing
[əd'hiːsiv 'dresiŋ] 161
Schnellzug express (train) [iks'pres
(trein)] 60
Schnepfe snipe [snaip] 105
Schnittlauch chives pl. [tʃaivz] 101
Schnupfen cold [kəuld] 171
Schnurrbart moustache [mə'stɑːʃ]
157
Schnürsenkel shoe laces [ʃuː 'leisiz]
139
Schokolade chocolate ['tʃɔklit] 114
Schokoladeneis chocolate ice ['tʃɔklit
ais] 113
Schokoladenplätzchen chocolate
biscuits ['tʃɔklit 'biskits] 114
Schokoladentorte chocolate cake
['tʃɔklit keik] 114
Scholle plaice [pleis] 104
schön nice [fain] 25; **Es war sehr ~.**
It was lovely. [it wəz 'lʌvli] 17
Schönheitssalon beauty salon ['bjuːti
'sælɔːŋ] 158
Schönheitswettbewerb beauty con-
test ['bjuːti 'kɔntest] 182
Schrank cupboard ['kʌbəd] 92
Schraube screw [skruː], bolt [bəult]
55, 57
Schraubenmutter nut [nʌt] 55, 57
Schraubenschlüssel spanner
['spænə], wrench [rentʃ] 57
Schraubenzieher screwdriver ['skruː-
draivə] 57
schreiben to write [tə rait] 24
Schreibwaren (Geschäft) stationer
['steiʃnə] 129
Schriftsteller(in) writer ['raitə] 37
Schrotflinte shot-gun ['ʃɔtgʌn] 143
Schublade drawer ['drɔː] 92
Schuhanzieher shoe horn [ʃuː hɔːn]
139
Schuhgeschäft shoeshop ['ʃuːʃɔp]
129
Schuhkrem shoe cream [ʃuː kriːm] 139
Schuhmacher shoemaker ['ʃuːmeikə]
37
Schuld guilt [gilt] 154
Schule school [skuːl] 38

Schüler pupil ['pjuːpl] 37
Schülerin pupil ['pjuːpl] 37
Schulter shoulder ['ʃəuldə] 168
Schulterblatt shoulder-blade ['ʃəuldə-
bleid] 168
Schuppen (Kopf) dandruff ['dændrʌf]
158
Schürze apron ['eiprən] 135
Schüssel dish [diʃ], bowl [bəul] 92
Schüttelfrost the shivers [ðə
'ʃivəz] 164
Schwamm sponge [spʌndʒ] 142
Schwangerschaft pregnancy ['preg-
nənsi] 168
schwarz black [blæk] 194
Schwarzweißfilm black-and-white
film [blæk ənd wait film] 131
Schweinefleisch pork [pɔːk] 106
Schweinswürstchen pork sausages
[pɔːk 'sɔsidʒiz] 106
Schweißblatt dress-shield ['dresʃiːld]
136
schweißtreibendes Mittel diapho-
retic [daiəfə'retik] 161
Schweizer Franken Swiss franc(s)
[swis fræŋk(s)] 152
Schwellung swelling ['sweliŋ] 171
Schwenkkartoffeln sauté potatoes
['səutei pə'teitəuz] 108
Schwester sister ['sistə] 35
schwimmen to swim [tə swim] 185,
186
Schwimmen swimming ['swimiŋ] 189
Schwimmer swimmer ['swimə] 186,
189; (im Vergaser) float [fləut] 55
Schwimmweste life-jacket ['laif-
dʒækit] 71
Schwindel dizziness ['dizinis] 171
schwül: Es ist ~. It's close. [its kləus]
25
sechs six [siks] 28
See sea [siː] 77   ([siː] 77)
Seegang (hoher) rough sea [rʌf]
seekrank seasick ['siːsik] 77
Seekrankheit seasickness ['siːsiknis]
75, 77
Seemeile nautical mile ['nɔːtikəl mail]
193
Seetiere (eßbare Meerestiere) sea-
food ['siːfuːd] 104
Seezunge sole [səul] 104
Segel sail [seil] 189
Segelboot sailing boat ['seiliŋ bəut]
75, 189
segeln to sail [tə seil] 190

Segelschule sailing school ['seiliŋ sku:l] 180
Segelsport sailing ['seiliŋ] 189
sehen to see [tə si:] 12; vom Sehen by sight [bai sait] 14
Sehenswürdigkeiten sights [saits] 117
Sehne tendon ['tendən], sinew ['sinju:] 168
Sehnenzerrung pulled tendon [puld 'tendən] 171
sehr very ['veri] 21; Sehr gut! That's very nice. [ðæts 'veri nais] 156
Seide silk [silk] 137
Seidenpapier tissue paper ['tiʃu-'peipə] 138
Seife soap [səup] 87, 142
Seil rope [rəup], cable ['keibl] 77
sein to be [tə bi:]; Das ist ... This is ... [ðis iz] 115; That's ... [ðæts] 127, 133
seit for [fɔ:] 32, 163; ~ wann ...? since when ...? [sins wen] 165
Seitenstechen stitch in the side [stitʃ in ðə said] 171
seitlich at the sides [æt ðə saidz] 156
Sekretärin secretary ['sekrətri] 37
Sekt champagne [ʃæm'pein] 111
Sekunde second ['sekənd] 32
Selbstauslöser automatic shutter-release [ɔ:tə'mætik 'ʃʌtəri'li:s], self-timer ['selftaimə] 132
Selbstbedienung self-service ['self-'sə:vis] 129
selbstverständlich of course [əv kɔ:s] 21
Sellerie celery ['seləri] 107
Semmel roll [rəul] 98
Sender (Radio) station ['steiʃən] 180
Sendung programme ['prəugræm] 181
Senf mustard ['mʌstəd] 101
Senfglas mustard-pot ['mʌstədpɔt] 97
September September [səp'tembə] 33
Serpentine winding road ['waindiŋ rəud] 43
Serviette napkin ['næpkin] 97
Sessel armchair ['ɑ:mtʃɛə] 92
setzen (Glücksspiel etc.) to stake [tə steik] 182; sich zu jemandem ~ to join someone [tə dʒɔin 'sʌmwʌn] 182
Shampoo shampoo [ʃæm'pu:] 142
Shorts shorts pl. [ʃɔ:ts] 135

Sicherheitsgurt safety belt ['seifti belt] 55
Sicherheitsnadel safety pin ['seifti pin] 136
Sicherung fuse [fju:z] 55, 88, 92
Sie you [ju:] 12, 14
sieben seven ['sevn] 28
Sieg victory ['viktəri], win [win] 190
Silber silver ['silvə] 133
silbern silver ['silvə] 194
Sinfoniekonzert symphony concert ['simfəni 'kɔnsət] 178
Sitz (Auto) seat [si:t] 55
Slawistik Slavonic languages [slə-'vɔnik 'læŋgwidʒiz] 39
Slip panties pl. ['pæntiz] 135
so: ..., es ist gut ~ ..., that's fine [ðæts fain] 156, 157
Socken socks [sɔks] 135
Soda soda ['səudə] 113
Sodbrennen heartburn ['hɑ:tbə:n] 171
sofort at once [æt wʌns], immediately [i'mi:djətli]; without waiting [wi'ðaut 'weitiŋ] 96
Sohle sole [səul] 139
Sohn son [sʌn] 13, 14, 35
Solist soloist ['səuləuist] 178
sollen: wir ~ we shall [wi ʃæl] 15
Sommer summer ['sʌmə] 33
Sommerkleid summer dress ['sʌmə dres] 135
Sonnabend Saturday ['sætədi] 33, 155
Sonne sun [sʌn] 26, 27
Sonnenaufgang sunrise ['sʌnraiz] 27
Sonnenbad: ein ~ nehmen to sun-bathe [tə 'sʌnbeið] 186
Sonnenbrand sunburn ['sʌnbə:n] 171
Sonnenbrille sunglasses pl. ['sʌnglɑ:siz] 138
Sonnendeck sun deck [sʌn dek] 76
Sonnenkrem sun-tan cream ['sʌntæn kri:m] 142
Sonnenöl sun-tan oil ['sʌntæn ɔil] 142
Sonnenschirm sunshade ['sʌnʃeid] 185
Sonnenstich sunstroke ['sʌnstrəuk] 171
Sonnenuntergang sunset ['sʌnset] 27
Sonntag Sunday ['sʌndi] 33
Sopran soprano [sə'prɑ:nəu] 178
Soße sauce [sɔ:s]; (Braten-) gravy ['greivi] 101
Soziologie sociology [səusi'ɔlədʒi] 39

Spaghetti spaghetti [spə'geti] 103
Spange hair-slide ['hɛəslaid] 142
Spann instep ['instep] 168
Sparbuch savings book ['seiviŋz buk] 152
Spargel asparagus [əs'pærəgəs] 107
Spargelsuppe asparagus soup [əs-'pærəgəs su:p] 103
Sparkasse savings bank ['seiviŋz bæŋk] 152
spät late [leit] 17, 31; **Wie ~ ist es?** What's the time? [wɔts ðə taim] 30; **~er** later ['leitə] 15, 32
spazierenfahren to go for a drive [tə gəu fər ə draiv] 183
spazierengehen to go for a walk [tə gəu fər ə wɔ:k] 183, 184
Speck bacon ['beikən] 101
Speiche spoke [spəuk] 55
Speisekarte menu ['menju:] 96
Speisesaal dining-room ['daininŋrum] 74, 86
Speisewagen dining car ['dainiŋ kɑ:] 60, 61, 63, 64, 86, restaurant car ['restərɔ̃:ŋ kɑ:] 60
spezial special ['speʃəl] 46
Spiegel mirror ['mirə] 92 [98, 108]
Spiegelei fried eggs [fraid egz]
Spiel game [geim] 182; *(Begegnung, Partie)* match 187
spielen to play [tə plei] 180, 182; *(um Geld)* to gamble [tə 'gæmbl] 182; **Heute spielt ... gegen ...** Today ... is playing ... [tə'dei ...iz 'pleiiŋ] 187; *(Kino etc.)* **Was wird gespielt?** What are they playing? [wɔt ɑ: ðei 'pleiiŋ] 176
Spieler player ['pleiə] 188
Spielfilm feature (film) ['fi:tʃə (film)] 179
Spielkarten playing cards ['pleiiŋ kɑ:dz] 144
Spielkasino casino [kə'si:nəu] 182
Spielmarke chip [tʃip] [178]
Spielplan programme ['prəugræm]
Spielzeug toy [tɔi] 144
Spielzeuggeschäft toyshop ['tɔiʃɔp] 129
Spieß: am ~ on the spit [ɔn ðə spit] 100
Spinat spinach ['spinidʒ] 108
Spirituosengeschäft off-licence ['ɔflaisəns] 129
Spirituskocher spirit stove ['spirit stəuv] 144

spitz *(Fingernagel)* filed to a point [faild tu ə pɔint] 156
Sport sport [spɔ:t] 187, 190
Sportakademie physical training college ['fizikəl 'treiniŋ 'kɔlidʒ] 38
Sportartikel *(Geschäft)* sports shop [spɔ:ts ʃɔp] 129
Sporthemd sports shirt [spɔ:ts ʃə:t] 135
Sportler sportsman ['spɔ:tsmən] 190
Sportlerin sportswoman ['spɔ:tswumən] 190
Sportverein sports club [spɔ:ts klʌb] 190
Sprachführer phrase book ['freizbuk] 130
sprechen to speak [tə spi:k] 15, 24, 74
Sprechstunde surgery ['sə:dʒəri], consulting hours *pl.* [kən'sʌltiŋ 'auəz] 163; **~ haben** to have surgery (consulting hours) [tə hæv 'sə:dʒəri (kən-'sʌltiŋ 'auəz)] 162
Sprechzimmer surgery ['sə:dʒəri] 163
springen to jump [tə dʒʌmp] 189
Springer *(Schachfigur)* knight [nait] 182
Spritze *(mediz.)* injection [in'dʒekʃən] 172
Sprudel (hot) spring [(hɔt) spriŋ] 175
Sprung *(Schwimmen)* dive [daiv] 189
Sprungbrett springboard ['spriŋbɔ:d] 189 [dʒʌmp]189
Sprungschanze ski jump [ski:]
spülen *(WC)* to flush [tə flʌʃ] 88
Spülung *(WC)* flush [flʌʃ] 88
Staatsangehörigkeit nationality [næʃə'næliti] 79
Stachelbeeren gooseberries ['gu:zbəriz] 110
Stadt town [taun] 40, 86
Stadtplan townplan [taun plæn], map of the city (town) [mæp əv ðə 'siti (taun)] 130
Stadtteil district ['distrikt], part of town [pɑ:t əv taun] 122
Stadtzentrum town centre, city centre [taun ('siti) 'sentə] 122
Standlicht side lights, parking lights [said ('pɑ:kiŋ) laits] 55
Stangenbohnen runner beans ['rʌnə bi:nz] 107
stark *(Schmerzen)* severe [si'viə] 163
Stärkungsmittel tonic ['tɔnik] 161
Start *(Flugzeug)* take-off ['teikɔf] 71; *(Sport)* start [stɑ:t] 190

starten *(Flugzeug)* to take off [tə teik ɔf] 71
Station *(Zug)* stop [stɔp] 66; *(Krankenhaus)* ward [wɔːd] 172
Stativ tripod ['traipɔd] 132
stattfinden: Wann findet der Gottesdienst statt? What time is the service? [wɔt taim iz ðə 'səːvis] 123
Statue statue ['stætʃuː] 119
stechend *(Schmerz)* stabbing ['stæbiŋ] 163
Steckdose wall-plug ['wɔːlplʌg] 88, (wall-)socket ['(wɔːl)sɔkit] 88, 92
Stecker plug [plʌg] 92
Stecknadel pin [pin] 136
Steckschlüssel box spanner [bɔks 'spænə], box wrench [bɔks rentʃ] 57
stehen: *(Kleidung)* **jemandem ~ to** suit someone [tə sjuːt 'sʌmwʌn] 183; *(Sport)* **Wie steht das Spiel?** What's the score? [wɔts ðə skɔː] 187
stehlen to steal [tə stiːl] 153
steigen to rise [tə raiz] 25
Steigung (up-)gradient [('ʌp)'greidjənt], steep hill [stiːp hil] 43
Stein stone [stəun]; *(Brettspiel)* piece [piːs] 182
Steinbutt turbot ['təːbət] 104
Steingarnele prawn [prɔːn] 102
sterben to die [tə dai] 119
Stern star [stɑː] 27
Sternwarte observatory [əb'zəːvətri] 122
Steuer *(Schiff)* helm [helm] 77
Steuerbord starboard ['stɑːbɔːd] 77
Steuermann helmsman ['helmzmən] 77
Steuerung *(Auto)* steering ['stiəriŋ] 55
Steward steward [stjuəd] 75, 77
Stewardeß stewardess ['stjuədis] 71
Stich *(Kartenspiel)* trick [trik] 181
Stiefel boots [buːts] 139
Stiftzahn pivot tooth ['pivət tuːθ] 174
Stirn forehead ['fɔrid] 168
Stirnhöhle frontal cavity, frontal sinus ['frʌntl 'kæviti ('sainəs)] 168
Stock stick [stik]; *(~werk)* floor [flɔː] 82, 191
Stockfisch dried cod [draid kɔd] 104
Stoff material [mə'tiəriəl] 137
Stofftier soft toy [sɔft tɔi] 144
Stoffwechsel metabolism [me'tæbəlizəm] 168

Stola stole [stəul] 135
stopfen *(flicken)* to mend [tə mend] 137
Stopfgarn darning cotton ['dɑːniŋ 'kɔtn] 136
Stoppuhr stop-watch ['stɔpwɔtʃ] 143
Stör sturgeon ['stəːdʒən] 104
stören to disturb [tə dis'təːb] 16
Störung break-down ['breikdaun], *(Unterbrechung)* interruption [intə'rʌpʃən] 181
Stoßdämpfer shock-absorber ['ʃɔkəbzɔːbə] 55
stoßen to push [tə puʃ] 191
Stoßstange bumper ['bʌmpə] 56
stottern *(Motor)* to miss (at speed) [tə mis (ət spiːd)] 54
Strafstoß *(Fußball)* penalty kick ['penlti kik] 188
Strähne *(Haar-)* strand [strænd], wisp [wisp] 158
Strand beach [biːtʃ] 86
Strandhotel beach hotel [biːtʃ həu'tel] 91
Strandnähe: in ~ near the beach [niə ðə biːtʃ] 81
Strandschuhe beach shoes [biːtʃ ʃuːz] 139
Straße road [rəud] 19, 40, 43, *etc.*, street [striːt] 116
Straßenarbeiten road works [rəud wəːks] 58 [130]
Straßenkarte road map [rəud mæp] 58
Straßenverengung *(Hinweis)* road narrows [rəud 'nærəuz] 58
Straßenzustand road conditions *pl.* [rəud kən'diʃənz] 25, 27
Strecke route [ruːt] 67
streichen to cancel [tə 'kænsəl] 148
Streichholz match [mætʃ] 140
streng strict [strikt] 165
Strich: gegen den ~ rasieren to shave against the beard [tə ʃeiv ə'genst ðə biəd] 157
Strickjacke cardigan ['kɑːdigən], knitted jacket ['nitid 'dʒækit] 135
Strohhut straw hat [strɔː hæt] 134
Stromanschluß electric points *pl.* [i'lektrik pɔints] 94
Stromspannung voltage ['vəultidʒ] 75, 86
Strömung *(im Wasser)* current ['kʌrənt] 182
Strumpf stocking ['stɔkiŋ], *(Herren)* sock [sɔk] 135

Strumpfhalter suspender [səs'pendə] 136
Strumpfhaltergürtel suspender belt [səs'pendə belt] 135
Strumpfhose tights *pl.* [taits] 135
Stück piece [pi:s] 87, 113, 126; jemanden ein ~ begleiten to walk part of the way with someone [tə wɔːk pɑːt əv ðə wei wið 'sʌmwʌn] 184
Student(in) student ['stju:dənt] 37
Studienfach subject ['sʌbdʒikt] 38
Studienrat, -rätin secondary-school teacher ['sekəndərisku:l 'ti:tʃə] 37
studieren to study [tə'stʌdi] 15, 38; Ich studiere in ... I'm at ... university [aim ət ... juːni'vəːsiti] 38
Studium university training [ju:ni'vəː-siti 'treiniŋ] 38
Stuhl chair [tʃɛə] 92
Stuhlgang bowel movement ['bauəl 'mu:vmənt] 168
Stunde hour [auə] 31, 32
Stundenmeilen miles per hour [mailz pər 'auə] 192
stündlich hourly ['auəli], every hour ['evri 'auə] 31
Sturm storm [stɔːm] 26
Stürmer *(Fußball)* forward ['fɔːwəd] 188
stürmisch stormy ['stɔːmi] 25
stürzen to fall [tə fɔːl] 164
stutzen *(beschneiden)* to trim [tə trim] 157
suchen to look for [tə luk fə] 15, 18
Sucher *(Foto)* view-finder ['vjuː-faində] 132
Südwind south wind [sauθ wind] 27
Super *(Benzin)* premium grade ['priː-mjəm greid], super ['sjuːpə] 45
Super-8-Film super eight colour film ['sjuːpər eit 'kʌlə film] 131
Supermarkt supermarket ['sjuːpəmɑː-kit] 129
Suppe soup [suːp] 103; klare ~ consommé [kən'sɔmei] 103; legierte ~ thick soup [θik suːp] 103
Suppenteller soup-plate ['suːppleit] 97
süß sweet [swiːt] 111
Süßigkeiten sweets [swiːts] 114
Süßspeisen sweets [swiːts] 109
Süßwaren *(Geschäft)* sweet shop [swiːt ʃɔp] 129

Süßwasserfisch fresh-water fish ['freʃwɔːtə fiʃ] 104
Swimmingpool swimming-pool ['swimiŋpuːl] 74
Synagoge synagogue ['sinəgɔg] 122
Synchronisation synchronization [siŋkrənai'zeiʃən] 179
synchronisiert synchronized ['siŋ-krənaizd] 179

T

Tabak tobacco [tə'bækəu] 140
Tabakladen tobacconist [tə'bækənist] 129
Tablett tray [trei] 97
Tablette tablet ['tæblit] 165
Tachometer speedometer [spiː'dɔm-itə] 56
Tag day [dei] 32, 82, *etc.*; am ~e during the day ['djuəriŋ ðə dei] 31; Guten ~! *(nachmittags)* Good afternoon! [gud 'ɑːftə'nuːn] 12; 14 ~e a fortnight [ə 'fɔːtnait] 14, 31
Tagesraum recreation room [rekri'ei-ʃən rum], day-room ['deirum] 95
täglich daily ['deili], every day ['evri dei] 31; dreimal ~ three times a day [θriː taimz ə dei] 159
Tal valley ['væli] 122
Talkumpuder talcum powder ['tæl-kəm 'paudə] 161
Tampons tampons ['tæmpənz] 142
Tankstelle petrol-station ['petrəlstei-ʃən], filling-station ['filiŋsteiʃən] 45
Tankwart attendant [ə'tendənt] 45
Tante aunt [ɑːnt] 35
Tanz dance [dɑːns] 183
tanzen to dance [tə dɑːns] 183
Tänzer(in) dancer ['dɑːnsə] 178
Tanzlokal dance-hall ['dɑːnshɔːl] 183
Tanzsaal ball-room ['bɔːlrum] 74
Tasche (travelling) bag [('trævliŋ) bæg] 63
Taschenlampe torch [tɔːtʃ] 144
Taschenmesser pocket-knife ['pɔkit-naif], pen-knife ['pennaif] 144
Taschentuch handkerchief ['hæŋkə-tʃif] 135
Tasse cup [kʌp] 96, 97
Tatar minced raw beef [minst rɔː biːf] 106

Tau *(Wetter)* dew [djuː] 27
Tau *(Seil)* rope [rəup], cable ['keibl] 77
Taube pigeon ['pidʒin] 105
tauchen to dive [tə daiv] 186
Taucherausrüstung diving equipment ['daiviŋ i'kwipmənt] 186
tauen: es taut it's thawing [its 'θɔːiŋ] 27
Taufbecken font [fɔnt] 125
Taufe christening ['krisniŋ] 123
tauschen to change [tə tʃeindʒ] 66, to exchange [tu iks'tʃeindʒ] 94
Tauwetter thaw [θɔː] 27
Taxi taxi ['tæksi] 64, 89, 117, 122
Taxistand taxi rank ['tæksi ræŋk] 116, 122, 191
Techniker technician [tek'niʃən] 37
Tee tea [tiː] 98, 114
Teegebäck scones [skɔnz], tea-cakes *pl.* ['tiːkeiks] 114
Teelöffel teaspoon ['tiːspuːn] 97
Teigwaren pasta ['pæstə] 103
Teilnehmer: *(Telefon)* **Der ~ meldet sich nicht.** There's no reply. [ðɛəz nəu ri'plai] 148
Teilnehmernummer number ['nʌmbə] 149
Telefon telephone ['telifəun] 92
Telefonbuch (tele)phone directory [('teli)fəun di'rektəri] 147
telefonieren to phone [tə fəun] 78; **Kann ich (bei Ihnen) ~ ?** May I use your phone ? [mei ai juːz jɔː fəun] 48, Can I make a phone-call [kæn ai meik ə 'fəunkɔːl] 85
Telefonzelle call-box ['kɔːlbɔks] 147
telegrafisch telegraphic [teli'græfik] 152
Telegramm telegram ['teligræm] 147
Telegrammformular telegram form ['teligræm fɔːm] 147
Teller plate [pleit] 97; **kleiner ~** bread-plate ['bredpleit] 97
Tempel temple ['templ] 122
Temperatur temperature ['tempritʃə] 27, 172
Tennis tennis ['tenis] 190; **~ spielen** to play tennis [tə plei 'tenis] 190
Tennisball tennis ball ['tenis bɔːl] 190
Tennisplatz tennis court ['tenis kɔːt] 180, 190
Tenor tenor ['tenə] 178
Teppich carpet ['kɑːpit] 92
Terrasse terrace ['terəs] 82

Tetanus tetanus ['tetənəs], lockjaw ['lɔkdʒɔː] 171
teuer expensive [iks'pensiv] 127
Textbuch text [tekst], *(Oper)* libretto [li'bretəu] 178
Textilien *(Geschäft)* draper ['dreipə] 129
Theater theatre ['θiətə] 122
Theaterstück play [plei] 178
Thermometer thermometer [θə'mɔmitə] 144
Thermosflasche thermos flask ['θəːməs flɑːsk] 144
Thermostat thermostat ['θəːməstæt] 56
Thunfisch tunny ['tʌni], tuna ['tjuːnə] 104
tief deep [diːp] 185
Tief *(Wetter)* depression [di'preʃən], ridge of low pressure [ridʒ əv ləu 'preʃə] 27
Tierarzt vet [vet], veterinary surgeon ['vetərinəri 'səːdʒən] 37
Tinktur tincture ['tiŋktʃə] 161
Tisch table ['teibl] 92, 96
Tischdecke tablecloth ['teiblklɔθ] 92
Tischler joiner ['dʒɔinə], carpenter ['kɑːpəntə] 38
Tischtennis table tennis ['teibl 'tenis] 180; **~ spielen** to play table tennis [tə plei 'teibl 'tenis] 180
Tischtuch tablecloth ['teiblklɔθ] 97
Tischwein dinner wine ['dinə wain] 111
Toast toast [təust] 97
Tochter daughter ['dɔːtə] 13, 14, 35
Toilette lavatory ['lævətəri] 92, 94, toilet ['tɔilit] 92
Toilettenartikel toilet articles ['tɔilit 'ɑːtiklz] 142
Toilettenpapier toilet-paper ['tɔilitpeipə] 92
Tomate tomato [tə'mɑːtəu] 108
Tomatenketchup tomato ketchup [tə'mɑːtəu 'ketʃəp] 101
Tomatensaft tomato juice [tə'mɑːtəu dʒuːs] 102
Tomatensoße tomato sauce [tə'mɑːtəu sɔːs] 101
Tomatensuppe tomato soup [tə'mɑːtəu suːp] 103
Tonband tape [teip] 182
Tonbandgerät tape-recorder ['teiprikɔːdə] 144, 182
tönen to tint [tə tint] 155

Tonic tonic ['tɔnik] 113
Tonne (Gewichtsmaß) ton [tʌn] 193
Tontaubenschießen clay-pigeon shooting ['kleipidʒin 'ʃu:tiŋ] 189
Topf pan [pæn], pot [pɔt] 92
Tor gate(way) ['geit(wei)] 122; (Sport) goal [gəul] 187, 188
Torte gâteau [ga:'təu], pastry ['peistri], fancy cake ['fænsi keik] 114
Torwart goalkeeper ['gəulki:pə] 188
toupieren to back-comb [tə 'bæk-'kəum] 156
Touristenklasse tourist class ['tuərist klɑ:s] 77
Trabennen trotting race ['trɔtiŋ reis] 189
Tragödie tragedy ['trædʒədi] 178
Training training ['treiniŋ] 190
Trainingsanzug track suit [træk sju:t] 135
Traubenzucker glucose ['glu:kəus] 161
Trauung wedding ['wediŋ] 123
treffen: sich ~ to meet [tə mi:t] 15, 184
treiben (Sport) to go in for [tə gəu in fə] 187
trennen (Kupplung) to disengage [tə 'disin'geidʒ] 53
Treppe staircase ['stɛəkeis], stairs pl. [stɛəz] 92
Tretboot pedal boat ['pedəl bəut], pedalo ['pedələu] 186
Trichter funnel ['fʌnl] 57
Triebwagen rail car [reil kɑ:] 60
Triebwerk engine ['endʒin] 71
trinken to drink [tə driŋk] 96, 165
Trinkhalle pump room [pʌmp rum] 175
Trinkwasser drinking water ['driŋkiŋ 'wɔ:tə] 95
trocken dry [drai] 157, 158
Trockenhaube (hair-)drier [('hɛə-)'draiə] 158
Trockenrasierer electric razor [i'lektrik 'reizə] 142
trocknen to dry [tə drai] 93
Trommelfell ear-drum ['iədrʌm] 168
tropfen (Hahn) to drip [tə drip] 88; (Behälter: undicht sein) to leak [tə li:k] 52
Tropfen drop [drɔp] 161, 165
Trumpf (Kartenspiel) trump [trʌmp]
Truthahn turkey ['tə:ki] 105 [181]
Tube tube [tju:b] 126

Tuberkulose tuberculosis [tju:bə:kju-'ləusis] 171
Tuch cloth [klɔθ] 57, 137
Tulpen tulips ['tju:lips] 130
tun to do [tə du:] 154
Tunnel tunnel ['tʌnl] 43
Tür door [dɔ:] 92, 191
Türklinke door handle [dɔ: 'hændl] 92
Turm tower ['tauə] 122; (Schachfigur) rook [ruk], castle ['kɑ:sl] 182
Turnen gymnastics [dʒim'næstiks] 190
Turner gymnast ['dʒimnæst] 190
Turnschuhe gym shoes [dʒim ʃu:z] 139
Türschloß (door-)lock [('dɔ:)lɔk] 56, 92
Typhus typhoid ['taifɔid] 171

U

U-Bahn underground ['ʌndəgraund], tube [tju:b] 122
übel: Mir ist ~. I feel sick. [ai fi:l sik] 164
Übelkeit sickness ['siknis], nausea ['nɔ:sjə] 171
übelnehmen: Nehmen Sie es bitte nicht übel! Please don't take it amiss. [pli:z dəunt teik it ə'mis] 22
über above [ə'bʌv] 25
Überfahrt crossing ['krɔsiŋ] 72
Überfall attack [ə'tæk] 153
Übergang (Bahnhof) bridge [bridʒ] 65
übergeben: sich ~ to be sick [tə bi sik] 163
Übergepäck excess luggage, excess baggage [ik'ses 'lʌgidʒ ('bægidʒ)] 68
überholen to overtake [tu 'əuvə'teik] 42
Überholverbot no overtaking [nəu 'əuvə'teikiŋ] 43
übermorgen the day after tomorrow [ðə dei 'ɑ:ftə tə'mɔrəu] 31
Übernachtung night('s lodging) [nait(s 'lɔdʒiŋ)] 92
überprüfen to check [tə tʃek] 56
überqueren to cross [tə krɔs] 58
übersetzen to translate [tə træns'leit] 24
Übersetzung translation [træns'leiʃən] 130
überweisen (Patienten) to send [tə send] 165

Überweisung *(Post etc.)* remittance [ri'mitəns], transfer ['trænsfə] 152

Ufer *(Meer)* shore [ʃɔ:], *(Fluß)* bank [bæŋk] 77

Uhr clock [klɔk], *(Armband-, Taschen-)* watch [wɔtʃ] 142, 143; *(bei Zeitangaben)* **Wieviel ~ . . .?** What time . . . [wɔt taim] 148; **Es ist . . . ~.** It's . . . o'clock. [its . . . ə'klɔk] 30

Uhrenarmband watch-strap ['wɔtʃstræp] 143

Uhrmacher watchmaker ['wɔtʃmeikə] 38

UKW ultra-short wave ['ʌltrəʃɔːt weiv], VHF [vi: eitʃ ef] 181

Ultraschall supersonics [sjuːpə'sɔniks], ultrasound ['ʌltrəsaund] 175

um *(zeitlich)* about [ə'baut] 32; *(genau)* at [ət] 30

umbuchen to change one's booking [tə tʃeindʒ wʌnz 'bukiŋ] 69

Umgebung surroundings *pl.* [sə'raundiŋz], environs *pl.* [in'vaiərənz] 122

Umkehrfilm reversal film [ri'vəːsəl film] 132

Umleitung diversion [dai'vəːʃən] 43

Umstände: Machen Sie keine ~! Don't go to a lot of trouble. [dəunt gəu tu ə lɔt əv 'trʌbl] 16

Umsteigefahrschein transfer (ticket) [træns'fə: ('tikit] 59

umsteigen to change [tə tʃeindʒ] 59, 61, 117

umtauschen to change [tə tʃeindʒ] 127, 151

umwechseln *(Geld)* to change [tə tʃeindʒ] 85

umziehen *(Wohnung wechseln)* to move [tə muːv] 92

unangenehm: Es ist mir ~. I'm sorry about it. [aim 'sɔri ə'baut it] 22

unbeschränkt: ~er Bahnübergang *(Schild)* crossing no gates ['krɔsiŋ nəu geits] 58

und and [ænd] 12, *etc.*

undicht: ~ sein to leak [tə liːk] 88

unentschieden draw [drɔ:] 190

Unfall accident ['æksidənt] 48, 153

Unfallschaden damage ['dæmidʒ] 49

unfrankiert unstamped ['ʌn'stæmpt] 150

ungefähr about [ə'baut] 30

ungestört undisturbed ['ʌndis'təːbd] 183

Universität university [juːni'vəːsiti] 39

unmöglich impossible [im'pɔsəbl] 22

uns one another [wʌn ə'nʌðə] 14; **Uns gefällt es.** We like it. [wi: laik it] 14

unschuldig innocent ['inəsnt] 154

unser our ['auə] 84, 162

unten down (here) [daun (hiə)] 173

unter below [bi'ləu] 24, under ['ʌndə] 35

unterbrechen *(Fahrt)* to break [tə breik] 61

Unterbrecher interrupter [intə'rʌptə] 56

unterhalten: sich ~ to talk [tə tɔːk] 183; *(sich amüsieren)* to amuse oneself [tu ə'mjuːz wʌn'self] 182, 184

Unterhaltung conversation [kɔnvə-'seiʃən], talk [tɔːk]; *(Vergnügen)* amusement [ə'mjuːzmənt] 182

Unterhemd vest [vest] 135

Unterhose underpants *pl.* ['ʌndəpænts] 135

Unterkiefer lower jaw ['ləuə dʒɔː] 167

Unterkunft accommodation [əkɔmə-'deiʃən] 81

Unterleib abdomen ['æbdəmən] 168

Unterrock slip [slip], petticoat ['petikəut] 135 (168)

Unterschenkel lower leg ['ləuə leg]

unterschreiben to sign [tə sain] 146

Unterschrift signature ['signitʃə] 84

untersuchen *(Patienten)* to examine [tu ig'zæmin] 172; **das Blut ~ to do** a blood test [tə du ə blʌd test] 165

Untersuchung *(ärztl.)* examination [igzæmi'neiʃən] 172

Untersuchungshaft imprisonment on remand [im'priznmənt ɔn ri'maːnd] 154

Untertasse saucer ['sɔːsə] 97

Unterwäsche underwear ['ʌndəwɛə], *(Damen-)* lingerie ['læːnʒəri] 135

Unze ounce [auns] 193

Urin urine ['juərin] 165, 168

Urlaub holiday ['hɔlidi] 14

Urologe urologist [juə'rɔlədʒist] 163

Urteil judgment ['dʒʌdʒmənt] 154

V

Vanilleeis vanilla ice [və'nilə ais] 113

Vanillesoße custard ['kʌstəd] 101

Vase vase [vaːz] 144

Vaseline vaseline ['væsiliːn] 161

Vertragswerkstatt *Volkswagen usw.* garage ['gærɑːdʒ] 50
Vertreter representative [repri'zentətiv] 38
verwitwet *(Frau)* widow ['widəu], *(Mann)* widower ['widəuə] 79
Verzeihung! I beg your pardon! [ai beg jɔː 'pɑːdn] 22
verzollen to declare [tə di'klɛə] 80
Veterinärmedizin veterinary science ['vetərinəri 'saiəns] 39
vielleicht perhaps [pə'hæps] 21
vier four [fɔː] 28
Viertel quarter ['kwɔːtə] 30
Vierteljahr three months [θriː mʌnθs], a quarter [ə 'kwɔːtə] 32
Viertelstunde quarter of an hour ['kwɔːtər əv ən 'auə] 87
violett purple ['pəːpl], violet ['vaiəlit] 194
Visum visa ['viːzə] 78
Vitamintabletten vitamin pills ['vitəmin pilz] 161
Volksfest fair [fɛə], public festival ['pʌblik 'festəvəl] 182
voll *(gefüllt)* full [ful] 45; *(~ ständig)* comprehensive [kɔmpri'hensiv] 41
Volleyball volleyball ['vɔlibɔːl] 190
Vollpension full board [ful bɔːd] 83
von of [ɔv, əv] 131; *(Uhrzeit)* ~ ... bis ... from ... to ... [from ... tə] 30
vor *(räumlich)* in front of [in frʌnt əv], before [bi'fɔː]; *(zeitlich)* before 31, 159; ~ **kurzem** a short time ago [ə ʃɔːt taim ə'gəu] 32
Voranmeldung advance reservation [əd'vɑːns rezə'veiʃən] 95
vorbestellen to book (in advance) [tə buk (in əd'vɑːns)] 62
Vordeck fore-deck ['fɔːdek] 76
Vorderrad front wheel [frʌnt wiːl] 47
Vordersitz front seat [frʌnt siːt] 55
Vorfahrt right of way [rait əv wei] 49; *(Hinweis)* **(Stop-)** ~ **beachten** give way [giv wei], slow (halt at) major road ahead [sləu (hɔːlt ət) 'meidʒə rəud ə'hed] 58 (fɑːst) 31
vorgehen *(Uhr)* to be fast [tə biʃ
vorgestern the day before yesterday [ðə dei bi'fɔː 'jestədi] 31.
vorhaben: Haben Sie heute abend etwas vor? Are you doing anything this evening? [ɑː juː 'duiŋ 'eniθiŋ ðis 'iːvniŋ] 183

Vorhalle vestibule ['vestibjuːl] 125
Vorhang curtain ['kəːtn] 93, 178
vorher earlier ['əːliə], before [bi'fɔː] 32
vorig last [lɑːst] 32
vorläufig temporarily ['tempərərili] 32
Vorlesungen lectures ['lektʃəz] 39
vormerken: Können Sie mich ~? Can I make an appointment? [kæn ai meik ən ə'pɔintmənt] 155
vormittags during the morning ['djuəriŋ ðə 'mɔːniŋ] 31
vorn in front [in frʌnt] 157; *(an der Spitze)* at the front [ət ðə frʌnt] 65; *(Auto)* the front ... [ðə frʌnt] 47
Vorname Christian name ['kristjən neim] 79
Vorort suburb ['sʌbəːb] 123
Vorortzug suburban train [sə'bəːbən trein] 60
Vorsicht: ~! Danger! ['deindʒə] 49, Caution! ['kɔːʃən] 49, 191; **~! Zug!** Beware of trains! [bi'wɛə əv treinz] 191
Vorstellung *(Theater)* performance [pə'fɔːməns] 176, 178
Vorverkauf advance booking [əd-'vɑːns 'bukiŋ] 178
Vorwählnummer: ~ **von** ... number for ... ['nʌmbə fə] 147
vorzüglich excellent ['eksələnt] 99

W

Wachsbohnen butter beans ['bʌtə biːnz] 107
Wachtel quail [kweil] 105
wackeln *(Zahn)* to be loose [tə bi luːs] 173
Wade calf [kɑːf] 168
Waffenhandlung gunsmith ['gʌnsmiθ] 129
Wagen *(Auto)* car [kɑː] 41, 44, 48; *(Zug)* carriage ['kæridʒ] 67
Wagenheber jack [dʒæk] 57
Wagenschlüssel car keys [kɑː kiːz] 56
Wagentür *(Zug)* carriage door ['kæridʒ dɔː] 67
Waggon carriage ['kæridʒ] 67
wählen *(Telefon)* to dial [tə 'daiəl] 149
Wählzeichen *(Telefon: Summton)* continuous purring [kən'tinjuəs 'pəːriŋ] 149

wahrscheinlich probably ['prɔbəbli] 21

Währung currency ['kʌrənsi] 152

Walnüsse walnuts ['wɔːlnʌts] 110

Wand wall [wɔːl] 93

Wanderweg footpath ['futpɑːθ] 123

Wange cheek [tʃiːk] 168

wann when [wen] 18, 30, 176, *etc.*

Warenhaus store [stɔː] 129

warm warm [wɔːm] 25

Warmwasser hot water [hɔt 'wɔːtə] 82

Warndreieck (advance-)warning triangle [(əd'vɑːns)'wɔːnɪŋ 'traiæŋgl] 56 155

warten to wait [tə weit] 87, 117,

Warteraum waiting room ['weitɪŋ rum] 69 [60

Wartesaal waiting room ['weitɪŋ rum]

Wartezimmer waiting room ['weitɪŋ rum] 163

warum why [wai] 18

was what [wɔt] 15, 18, *etc.*; **Was für . . . ?** What kind of . . . ? [wɔt kaind əv] 18; **Was kostet . . . ?** What does . . . cost? [wɔt dəz . . . kɔst] 185

Waschbecken wash-basin ['wɔʃbeisn] 93

Wäsche washing ['wɔʃɪŋ], laundry ['lɔːndri]; **die ~ waschen lassen** to have these things washed (laundered) [tə hæv ðiːz θiŋz wɔʃt ('lɔːndəd)] 87, 137

Wäschegeschäft lingerie shop ['lãːnʒəri ʃɔp] 129

waschen to wash [tə wɔʃ] 47, 87; *(Wäsche)* to launder [tə 'lɔːndə] 137; *(Haare)* to shampoo [tə ʃæm'puː] 157; **~ und legen** a shampoo and set [ə ʃæm'puː ənd set] 155

Wäscherei laundry ['lɔːndri] 129

Waschlappen face cloth, face flannel [feis klɔθ ('flænl)] 142

Waschpulver washing powder ['wɔʃɪŋ 'paudə] 144

Waschräume wash-rooms ['wɔʃrumz] 94

Wasser water ['wɔːtə] 45, 88, 185, *etc.*

Wasserfall waterfall ['wɔːtəfɔːl] 123

Wasserglas tumbler ['tʌmblə], glass [glɑːs] 93

Wasserhahn tap [tæp] 93

Wasserpumpe water pump ['wɔːtə pʌmp] 56

Wasserski water ski ['wɔːtə skiː]; **~ fahren** to water-ski [tə 'wɔːtəskiː] 185

Wasserstoffsuperoxyd hydrogen peroxide ['haidrɪdʒən pə'rɔksaid] 161

Wassertemperatur water temperature ['wɔːtə 'tempritʃə] 186

Wasserwelle set [set] 155, 158

Watte cotton wool ['kɔtn wul] 161

wechselhaft *(Wetter)* changeable ['tʃeindʒəbl] 25

Wechselkurs rate of exchange [reit əv iks'tʃeindʒ] 151

wechseln *(aus-)* to change [tə tʃeindʒ] 46

Wechselstrom alternating current ['ɔːltəneitiŋ 'kʌrənt] 93

Wechselstube exchange office [iks-'tʃeindʒ 'ɔfis] 60

wecken to wake [tə weik] 86, 89

Wecker alarm-clock [ə'lɑːmklɔk] 143

Weg path [pɑːθ] 19; way [wei], road [rəud] 43

Wegweiser signpost ['sainpəust] 43

weh tun to hurt [tə həːt] 163, 165, 173

weich soft [sɔft] 100

weichgekocht soft-boiled ['sɔft'bɔild] 98

Weichkäse cream cheese [kriːm tʃiːz] 109

Weihnachten Christmas ['krisməs] 33

Wein wine [wain] 99, 111; **abgelagerter ~** mature wine [mə'tjuə wain] 111; **naturreiner ~** vintage wine ['vintidʒ wain] 111; **saurer ~** sour wine [sauə wain] 111; **verschnittener ~** blended wine ['blendid wain] 111

Weinbergschnecken edible snails ['edibl sneilz] 102

Weinbrand brandy ['brændi] 112

Weinglas wine-glass ['wainglɑːs] 97

Weinhandlung wine merchant [wain 'məːtʃənt] 129

Weintrauben grapes [greips] 110

Weisheitszahn wisdom tooth ['wizdəm tuːθ] 174

weiß white [wait] 194

Weißbrot white bread [wait bred] 98

Weißwein white wine [wait wain] 111

weit *(entfernt)* far [fɑː] 59, 116; *(Kleidung)* wide [waid] 133, 139

weiterfahren to move on [tə muːv ɔn] 44, 89

weitsichtig long-sighted ['lɔŋsaitid] 138

welche(r) which [witʃ] 18; what [wɔt] 187

Welle wave [weiv] 77, 155

wem to whom [tə hu:m] 18

wen whom [hu:m] 18

wenden to turn [tə tə:n] 42; ~ **verboten** no U-turn [nəu 'ju:tə:n] 58

wenig little ['litl]; **ein ~** a little [ə 'litl] 99

wenn when [wen] 41

wer who [hu:] 18

werden to become [tə bi'kʌm], to get [tə get]; **Das Wetter wird schön.** It's going to be fine. [its 'gəuiŋ tə bi fain] 26; **Wird es regnen?** Is it going to rain? [iz it 'gəuiŋ tə rein] 25

Werk work [wə:k] 178

Werkzeug tool [tu:l] 57

Werkzeugkasten tool box, tool kit [tu:l bɔks (kit)] 57

Wermut(wein) verm(o)uth ['və:məθ] 111

Wertangabe declaration of value [dekləˈreiʃən əv ˈvælju:] 150

Wertpaket registered parcel with value declared ['redʒistəd 'pɑ:sl wið 'vælju: di'klɛəd] 150

Wertpapier security [si'kjuəriti] 152

Wertsachen valuables ['væljuəblz] 84

weshalb why [wai] 18

Weste waistcoat ['weiskəut] 135

Westwind west wind [west wind] 27

Wetter weather ['weðə] 25, 26, 27, 70

Wetterbericht weather-forecast ['weðə'fɔ:ka:st] 25, weather report ['weðə ri'pɔ:t] 27

Wettkampf match [mætʃ], contest ['kɔntest] 190

Whisky whisky ['wiski] 112

wie how [hau] 18, 185; what [wɔt] 187; **Wie lange?** How long (for)? [hau lɔŋ (fɔ:)] 18, 154; **Wie weit?** How far? [hau fɑ:] 185

wiederkommen to call again [tə kɔ:l ə'gen] 15, to come again [tə kʌm ə'gen] 17, to come back [tə kʌm bæk] 165, 173

wiedersehen: sich ~ to meet again [tə mi:t ə'gen] 16, 184; **Auf Wiedersehen!** Good-bye! ['gud'bai] 17

Wienerschnitzel Wienerschnitzel ['vi:nəʃnitsl] 107

wieviel(e) how much (many) [hau mʌtʃ ('meni)] 18

Wild game [geim] 106

Wildleder suede [sweid] 139

Wildschwein wild boar [waild bɔ:] 107

willkommen: Herzlich ~! I'm very glad (delighted) to see you. [aim 'veri glæd (di'laitid) tə si: ju] 12

Wimperntusche mascara [mæs'kɑ:rə] 142

Wind wind [wind] 26, 27

windig: es ist ~ it's windy [its 'windi] 25, 27

Windjacke windcheater ['windtʃi:tə] 135

Windschutzscheibe windscreen ['windskri:n] 47

Winter winter ['wintə] 33

wir we [wi:] 12, *etc.*

Wirbelsäule spine [spain], vertebral column ['və:tibrəl 'kɔləm] 168

Wirsingkohl savoy [sə'vɔi] 108

Wirtschaftswissenschaft economics [i:kə'nɔmiks] 39

Wissenschaftler *(Natur-)* scientist ['saiəntist], *(Geistes-)* scholar ['skɔlə]· 38

wo where [wɛə] 15, 18, 116, *etc.*

Woche week [wi:k] 31, 32, 82

Wochenende weekend ['wi:k'end] 32

Wodka vodka ['vɔdkə] 112

woher where from [wɛə frɔm] 14, 18

wohin where to [wɛə tu] 18, 40

wohl: sich ~ fühlen to feel well [tə fi:l wel] 163; **Zum Wohl!** Cheers! [tʃiəz] 99

Wohlgeboren Esquire [ĭs'kwaiə] 192

wohnen to live [tə liv] 14, 19, 184

Wohnort place of residence [pleis əv 'rezidəns] 79

Wohnung flat [flæt] 93

Wohnwagen caravan ['kærəvæn] 94

Wohnzimmer sitting-room ['sitiŋrum] 93

Wolke cloud [klaud] 27

Wolkenbruch cloudburst ['klaudbə:st] 27

Wolldecke blanket ['blæŋkit] 87

Wolle wool [wul] 137; **reine ~** pure wool [pjuə wul] 137

wollen: ich will nicht I don't want [ai dəunt wɔnt] 21

Wort word [wə:d] 24, 147

Wörterbuch dictionary ['dikʃənri] 130

wozu what for [wɔt fɔ:] 18
Wunde wound [wu:nd] 171
Wundsalbe ointment for a cut (graze) ['ɔintmənt fɔr ə kʌt (greiz)] 161
wünschen to wish [tə wiʃ] 23; **Ich wünsche Ihnen (dir)** ... I hope you'll ... [ai həup jul] 20
Würfel dice [dais] 182
würfeln to dice [tə dais], to throw (the) dice [tə θrəu (ðə) dais] 182
Wurstaufschnitt slices pl. of continental sausage ['slaisiz əv kɔnti'nentl 'sɔsidʒ] 102
Würstchen: ~ **mit Speck** sausage and bacon ['sɔsidʒ ən 'beikən] 98
Wurzelbehandlung root treatment [ru:t 'tri:tmənt] 174

Y

Yard (Maß) yard [jɑ:d] 193

Z

zäh tough [tʌf] 115
zahlen to pay [tə pei]; **Ich möchte** ~! The bill, please! [ðə bil pli:z] 115
Zahlkarte money order ['mʌni 'ɔ:də] 146
Zahlmeister purser ['pə:sə] 74
Zahlmeisterbüro purser's office ['pə:-səz 'ɔfis] 74
Zahlung payment ['peimənt] 152
Zahlzeichen (Telefon) rapid pips ['ræpid pips] 149
Zahn tooth [tu:θ] 168
Zahnarzt dentist ['dentist] 173
Zahnbürste toothbrush ['tu:θbrʌʃ] 142
Zahnfleisch gums [gʌmz] 174
Zahnhals neck of a tooth [nek əv ə tu:θ] 174
Zahnklinik dental clinic ['dentl 'klinik] 174
Zahnmedizin dentistry ['dentistri] 39
Zahnpasta toothpaste ['tu:θpeist] 142
Zahnschmerzen toothache ['tu:θeik] 173
Zahnspange brace [breis] 174
Zahnstein tartar ['tɑ:tə] 174
Zahnwurzel root [ru:t] 174
Zange pliers pl. ['plaiəz], (Kneif-) pincers pl. ['pinsəz] 57

Zäpfchen suppository [sə'pɔzitəri] 161
zart tender ['tendə] 100
Zebrastreifen zebra crossing, pedestrian crossing ['zi:brə (pi'destriən) 'krɔsiŋ] 123
Zehe toe [təu] 168
zehn ten [ten] 28
zehnte tenth [tenθ] 29
Zeichenblock drawing block, sketch block ['drɔ:iŋ (sketʃ) blɔk] 138
Zeichentrickfilm cartoon [kɑ:'tu:n] 179
Zeigefinger fore-finger ['fɔ:fiŋgə] 168
zeigen to show [tə ʃəu] 20, 40, 83, 117, 126; (Zunge) to put out [tə put out] 165
Zeiger (Uhr) hand [hænd] 143
Zeit time [taim] 30, 86; **von** ~ **zu** ~ from time to time [from taim tə taim] 32; **zur** ~ at the moment [ət ðə 'məumənt] 32
Zeitschrift magazine [mægə'zi:n] 182
Zeitung paper ['peipə] 86
Zeitungshändler newsagent ['nju:z-eidʒənt] 129
Zeitvertreib pastime ['pɑ:staim] 182
Zelt tent [tent] 94
zelten to camp [tə kæmp] 94
Zentimeter centimetre ['sentimi:tə] 193   ['meʒə] 136)
Zentimetermaß tape measure [teip ʃ
Zentner hundredweight ['hʌndrəd-weit] 193
zentral central ['sentrəl] 81
Zentralheizung central heating ['sen-trəl 'hi:tiŋ] 93
Zettelankleben: ~ **verboten!** (Hinweis) stick no bills [stik nəu bilz] 191
Zeuge witness ['witnis] 49
ziehen to pull [tə pul] 191; (Zahn) to pull ... out [tə pul ... aut] 173; (Spiel) to draw [tə drɔ:] 182; (Motor) **nicht** ~ to lack power [tə læk 'pauə] 54   ['neiʃən] 71)
Zielflughafen destination [desti-ʃ
ziemlich: ~ **weit** a good distance [ə gud 'distəns] 116
Ziffer figure ['figə] 149
Zifferblatt face [feis] 143
Zigarette cigarette [sigə'ret] 80, 140
Zigarillo small cigar [smɔ:l si'gɑ:], cigarillo [sigə'riləu] 140
Zigarre cigar [si'gɑ:] 140
Zimmer room [rum] 82, 83, 84, 85

Zimmerdecke ceiling ['si:liŋ] 93

Zimmermädchen chamber-maid ['tʃeimbəmeid] 93

Zimmernachweis accommodation bureau [əkɔmə'deiʃən bjuə'rəu] 60

Zimt cinnamon ['sinəmən] 101

Zirkus circus ['sə:kəs] 182

Zitrone lemon ['lemən] 101

Zitroneneis lemon ice ['lemən ais] 113

Zitronenlimonade lemon squash ['lemən skwɔʃ] 112

Zitronensaft lemon juice ['lemən dʒu:s] 112

Zoll customs ['kʌstəmz] 80

Zoll (Maß) inch [intʃ] 193

Zollamt customs office ['kʌstəmz 'ɔfis] 80

Zollbeamter customs officer ['kʌstəmz 'ɔfisə] 80

Zollerklärung customs declaration ['kʌstəmz deklə'reiʃən] 80, 146

zollfrei duty-free ['dju:ti'fri:] 69, 80; **~e Waren** duty-free goods ['dju:ti-'fri: gudz] 71

Zollkontrolle customs examination ['kʌstəmz igzæmi'neiʃən] 80

Zollverwaltung customs authorities' offices pl. ['kʌstəmz ɔ:'θɔritiz 'ɔfisiz] 73

Zoo zoo [zu:] 119

Zoologie zoology [zəu'ɔlədʒi] 39

zu (Richtung) to [tu:, tu, tə] 15, etc.; (~ sehr) too [tu:] 115

Zubehör accessories pl. [ək'sesəriz] 136

Zucker sugar ['ʃugə] 98

Zuckerdose sugar-bowl ['ʃugəbəul] 97

Zuckerkrankheit diabetes [daiə'bi:-ti:z] 171

Zug train [trein] 61, 67, etc.; (Brettspiel) move [mu:v] 182

Zugführer (chief) guard [(tʃi:f) gɑ:d] 67

Zündanlage ignition system [ig'niʃən 'sistim] 56

Zündkabel ignition cable [ig'niʃən 'keibl] 56

Zündkerze sparking plug ['spɑ:kiŋ plʌg] 56

Zündschloß ignition lock [ig'niʃən lɔk] 56

Zündschlüssel ignition key [ig'niʃən ki:] 56

Zündung ignition [ig'niʃən] 56

Zunge tongue [tʌŋ] 107, 165

zurück back [bæk] 40, 86

zurückbringen to bring back [tə briŋ bæk] 41

zusammen together [tə'geðə] 115

Zusammenstoß collision [kə'liʒən] 49

Zuschauer pl. audience ['ɔ:djəns] 179

Zuschauerraum auditorium [ɔ:di'tɔ:riəm], house [haus] 179

Zuschlagkarte supplementary ticket [sʌpli'mentəri 'tikit] 62

zuschlagpflichtig supplementary fares payable [sʌpli'mentəri feəz 'peiəbl] 61

Zustand condition [kən'diʃən] 25

zuviel too much [tu: mʌtʃ] 127

zuwenig too little [tu: 'litl] 127

zuzahlen to pay the excess fare [tə pei ði ik'ses feə] 66

zwei two [tu:] 28

Zweibettkabine double cabin ['dʌbl 'kæbin] 73

Zweibettzimmer double room ['dʌbl rum] 82

zweispurig: ~e Fahrbahn dual carriageway ['dju:əl 'kæridʒwei] 58

Zweitaktmotor two-stroke engine ['tu:strəuk 'endʒin] 54

Zwetschgen damsons ['dæmzənz] 110

Zwieback rusk [rʌsk] 98

Zwiebel onion ['ʌnjən] 101

Zwiebelsuppe onion soup ['ʌnjən su:p] 103

Zwirn thread [θred], cotton ['kɔtn] 136

zwischen between [bi'twi:n] 30

Zwischendeck steerage ['stiəridʒ] 76

zwischenlanden: Landet die Maschine in … zwischen? Is there a stopover in …? [iz ðɛər ə 'stɔpəuvə in] 68

Zwischenlandung stopover ['stɔpəuvə] 71

Zwischenstecker adapter [ə'dæptə] 93

Zylinder (Auto) cylinder ['silində] 56

Zylinderkopf cylinder head ['silində hed] 56

Zylinderkopfdichtung cylinder-head gasket ['silindəhed 'gæskit] 56

KONFEKTIONSGRÖSSEN

1. Damenkleider, Kostüme, Mäntel

Deutsch	38	40	42	44	46	48	50	52
Britisch	32	34	36	38	40	42	44	46
Amerikanisch	30	32	34	36	38	40	42	44

2. Herrenanzüge

Deutsch	42	44	46	46–47	48	50	50–52	52	54
Britisch/Amerik.	34	35	36	37	38	39	40	41	42

3. Körpermaße

Deutsch (cm)	56	61	66	71	76	81	86	91	97	102	107	112	117	122	127
Brit./Am. (Zoll)	22	24	26	28	30	32	34	36	38	40	42	44	46	48	50

4. Herrenhemden (Kragenweite)

Deutsch	34	35	36	37	38	39	40	41	42	43	44
Brit./Amerik.	13	$13\frac{1}{2}$	14	$14\frac{1}{2}$	15	$15\frac{1}{2}$	$15\frac{3}{4}$	16	$16\frac{1}{2}$	17	$17\frac{1}{2}$

5. Damenstrümpfe

Deutsch/Brit./Amerik.	8	$8\frac{1}{2}$	9	$9\frac{1}{2}$	10	$10\frac{1}{2}$	11
Französisch	0	1	2	3	4	5	6

6. Herrensocken

Deutsch	39–40	40–41	42	42–43	43–44
Brit./Am./Deutsch	10	$10\frac{1}{2}$	11	$11\frac{1}{2}$	12

7. Schuhe

Deutsch	36		37		38		39		40		41			42	43	44	45
Brit./Deutsch	3	$3\frac{1}{2}$	4	$4\frac{1}{2}$	5	$5\frac{1}{2}$	6	$6\frac{1}{2}$	7	$7\frac{1}{2}$	8	$8\frac{1}{2}$	9	10	11	12
Amerikanisch	$4\frac{1}{2}$	5	$5\frac{1}{2}$	6	$6\frac{1}{2}$	7	$7\frac{1}{2}$	8	$8\frac{1}{2}$	9	$9\frac{1}{2}$	10	$10\frac{1}{2}$	$11\frac{1}{2}$	$12\frac{1}{2}$	$13\frac{1}{2}$

8. Hüte

Deutsch	54	55	56	57	58	59	60	61	62
Britisch	$6\frac{5}{8}$	$6\frac{3}{4}$	$6\frac{7}{8}$	7	$7\frac{1}{8}$	$7\frac{1}{4}$	$7\frac{3}{8}$	$7\frac{1}{2}$	$7\frac{5}{8}$
Amerikanisch	$6\frac{3}{4}$	$6\frac{7}{8}$	7	$7\frac{1}{8}$	$7\frac{1}{4}$	$7\frac{3}{8}$	$7\frac{1}{2}$	$7\frac{5}{8}$	$7\frac{3}{4}$

Langenscheidts Reise-Sprachkurse schnell & leicht

jeweils mit Lehrbuch (96 Seiten)
und einer Audio-Cassette (C 90).

Die Sprach-Schnellkurse für Anfänger
ohne Vorkenntnisse. Ideal zur Vorbereitung auf
Urlaub und Reise.

Die Reise-Sprachkurse schnell & leicht
gibt es für die Sprachen

Arabisch	**Italienisch**	**Russisch**
Englisch	**Japanisch**	**Spanisch**
Französisch	**Polnisch**	**Tschechisch**
Griechisch	**Portugiesisch**	**Ungarisch**

Für Ihre nächste Reise empfehlen wir Ihnen

Langenscheidts Reise-Set

mit einem Sprachführer und einer
Begleit-Cassette.

Das Reise-Set und die einzelne Begleit-
Cassette gibt es für die Sprachen

Ägyptisch-	**Hebräisch**	**Polnisch**
Arabisch	**Indonesisch**	**Portugiesisch**
Arabisch	**Italienisch**	**Rumänisch**
Chinesisch	**Japanisch**	**Russisch**
Dänisch	**Koreanisch**	**Schwedisch**
Englisch	**Kroatisch und**	**Spanisch**
Finnisch	**Serbisch**	**Tschechisch**
Französisch	**Niederländisch**	**Türkisch**
Griechisch	**Norwegisch**	**Ungarisch**

Praktische kleine Nachschlagewerke
für unterwegs…

…sind Langenscheidts Universal-Wörterbücher mit
dem überraschend großen Wortschatz von durch-
schnittlich 30 000 Stichwörtern und Wendungen.
Der große Inhalt hat Format. Ein kleines nämlich:
Diese Wörterbücher passen bequem in jede Tasche
und sind damit die idealen Reisebegleiter.
Von Bulgarisch bis Ungarisch gibt es Universal-
Wörterbücher für 24 Sprachen.
Jeweils 380 bis 560 Seiten, praktisches Taschenformat
(10,4 × 7,2 cm), abwaschbarer Plastikeinband.

Bulgarisch	Polnisch
Dänisch	Portugiesisch
Englisch	Rumänisch
Finnisch	Russisch
Französisch	Schwedisch
Isländisch	Serbokroatisch
Italienisch	Slowakisch
Japanisch	Slowenisch
Latein	Spanisch
Neugriechisch	Tschechisch
Niederländisch	Türkisch
Norwegisch	Ungarisch

Langenscheidt … weil Sprachen verbinden